D0522338

LES GRIFFES DU MENSONGE

Né à New York en 1947, James Patterson publie son premier roman en 1976. La même année, il obtient l'Edgar Award du roman policier. Il est aujourd'hui l'auteur le plus lu au monde. Plusieurs de ses thrillers ont été adaptés à l'écran.

Auteur américain, Michael Ledwidge a coécrit plusieurs romans avec James Patterson dont *Une nuit de trop* et *Une ombre sur la ville*.

Paru dans Le Livre de Poche :

JAMES PATTERSON
MICHAEL LEDWIDGE

Les Griffes
du mensonge

TRADUIT DE L'ANGLAIS (ÉTATS-UNIS)
PAR MÉLANIE CARPE

L'ARCHIPEL

Titre original :

NOW YOU SEE HER
Publié par Little, Brown and Company, New York, 2011.

PROLOGUE

Mensonges et vidéo

1

J'avais déjà jeté un billet de vingt dollars au chauffeur et je trépignais sur la banquette arrière comme une gamine en route pour la fête foraine, quand mon taxi se rangea enfin en face du chic hôtel Hudson, sur la 58ᵉ Rue Ouest. Sans attendre la monnaie, je descendis du côté de la chaussée et traversai la 8ᵉ Avenue à un train d'enfer, manquant terminer sous les roues d'un bus express.

Je n'accordai même pas un regard à mon iPhone qui vibrait frénétiquement dans la poche de ma veste, menaçant de s'en échapper. Avec une pleine journée de travail devant moi et la fête du siècle à orchestrer pour le soir même, je m'inquiétais surtout quand il ne se manifestait pas.

Comme je tournais au coin de la rue, un bruit assourdissant, même pour le centre de Manhattan, me pilonna les tympans. Sans doute un marteau-piqueur ou un engin de construction. *Tout faux !* constatai-je en apercevant un gamin noir accroupi sur le trottoir et jouant du tambour sur un bidon en plastique vide. Par chance, je repérai aussi mon rendez-vous de midi, Aidan Beck, aux abords de l'attroupement généré par ce spectacle de rue.

Sans préambule, je glissai mon bras sous celui du beau jeune homme aux cheveux blonds et au look débraillé pour l'embarquer à l'intérieur de l'hôtel Hudson. Au sommet de l'escalier mécanique lumineux, un concierge tout droit sorti de la fringante troupe de *High School Musical* nous sourit derrière le comptoir en marbre de Carrare.

— Bonjour, j'ai appelé il y a vingt minutes, annonçai-je. Mme Smith. Et voici M. Smith. Nous souhaiterions une chambre avec un grand lit double. L'étage et la vue n'ont pas la moindre importance. Je paie en espèces. Je suis très pressée.

Le concierge détailla mon visage en sueur et le contraste que présentait mon tailleur sexy avec le jean délavé et le manteau en daim de mon compagnon, de plusieurs années mon cadet, l'œil approbateur.

— Suivez-moi jusqu'à votre chambre, je vous prie, déclara le joyeux drille sans se démonter.

Un vent froid me frappa de plein fouet lorsque je ressortis de l'hôtel avec Aidan, une heure plus tard. Je levai les yeux vers le ciel de printemps lumineux qui se réfléchissait sur les tours bleutées du Time Warner Center au bout de la rue, les lèvres chatouillées par un sourire au souvenir du surnom que ma fille donnait au complexe : « Le plus grand but de football américain du monde. »

Je considérai Aidan. Avions-nous bien fait ? Mais cela n'avait pas d'importance. Je me tamponnai les yeux avec la manche de mon faux imperméable Burberry. Ce qui était fait était fait.

— Tu as été sensationnel, remarquai-je en tendant son enveloppe à mon compagnon, avant de lui déposer un baiser sur la joue. Sincèrement.

Il fourra les mille dollars dans la poche intérieure de son trois-quarts en daim avec une petite révérence théâtrale.

— C'est mon job, Nina Bloom !

Et il s'éloigna avec un signe de la main.

— C'est Mme Smith, pour toi ! lui criai-je.

Puis je hélai un taxi pour regagner mon bureau.

2

— C'est bon, maman, tu peux ouvrir les yeux.

Je m'exécutai.

Emma se tenait devant moi dans notre petit nid douillet de Turtle Bay, parée pour la fête en l'honneur de son seizième anniversaire. Elle portait une robe de soirée sans manches en soie noire. Devant sa peau lumineuse et ses cheveux d'ébène, mon cœur se liquéfia et je fondis en pleurs pour la deuxième fois de la journée. Comment avais-je pu donner la vie à une créature aussi éthérée et magique ? Elle était à tomber par terre.

— Pas mal du tout, déclarai-je en recueillant mes larmes dans le creux de mes mains.

Ce n'était évidemment pas la seule beauté de ma fille qui me mettait dans un tel état. La vérité, c'est qu'elle me rendait immensément fière. L'année de ses huit ans, j'avais encouragé Emma à passer l'examen d'admission à Brearley, la plus prestigieuse école de filles de Manhattan. Non seulement elle l'avait réussi, mais elle s'en était si bien sortie qu'elle avait décroché une bourse couvrant presque la totalité de ses frais de scolarité.

Au début, elle avait eu toutes les peines du monde à s'adapter, mais elle s'était accrochée, usant de son charme, de son intelligence et de sa volonté pour devenir l'une des élèves les plus populaires et les plus appréciées de l'établissement.

Et n'y voyez pas l'opinion partiale d'une mère ! À l'anniversaire de l'une de ses camarades, sa passion pour l'histoire de l'art avait tant enthousiasmé la maman d'une amie que cette femme du monde multi-millionnaire, membre du conseil d'administration du MoMA, avait insisté pour passer quelques coups de fil afin d'assurer l'admission d'Em à Brown. Pourtant, ma fille n'avait pas besoin d'un quelconque piston pour intégrer l'illustre université.

C'était tout juste si je n'allais pas devoir hypothé-quer notre trois pièces pour payer la réception de cent vingt personnes que je donnais pour elle au Blue Note, à Greenwich Village, mais cela m'était bien égal. Jeune mère célibataire, j'avais grandi avec Em. Elle repré-sentait tout pour moi et, ce soir, elle serait la reine de la fête.

Elle s'approcha pour me secouer par les épaules.

— Maman… Lève la main droite et jure solennel-lement que c'est la dernière fois de la soirée que tu pleures comme une madeleine. Si j'ai accepté cette fête, c'est parce que tu m'as promis de te comporter en mère cool, super branchée et ultrachic. En Nina Bloom, quoi. Alors, ne craque pas.

Je levai la main droite.

— Je jure solennellement de me comporter en mère cool, super branchée et ultrachic.

— C'est bien.

Elle me souffla un baiser mouillé sur la joue et, avant de me relâcher, me murmura à l'oreille :

— Je t'aime, maman.

— Emma, il y a autre chose, lui annonçai-je.

Je m'avançai vers le meuble de télévision pour allumer le poste, puis le magnétoscope de dix tonnes que j'avais sorti du débarras à mon retour du travail.

— Tu as un autre cadeau.

Je lui tendis la boîte noire poussiéreuse perchée sur le magnétoscope. Un rectangle cartonné scotché dessus indiquait : « POUR EMMA, DE LA PART DE PAPA. »

— Mais…, lâcha-t-elle avec des yeux soudain aussi grands que des panneaux de signalisation. Je croyais que tout avait brûlé quand j'avais trois ans. Toutes les vidéos. Toutes les photos.

— Ton père avait déposé celle-ci dans son coffre à la banque juste avant d'entrer à l'hôpital pour la dernière fois. Je sais que tu meurs d'envie d'en savoir plus sur lui, et tu n'imagines pas combien de fois j'ai été tentée de te la donner. Mais Kevin m'avait bien précisé de te la remettre le jour de tes seize ans, pas avant. J'ai préféré respecter sa volonté.

Je me dirigeai vers la porte.

— Maman ! Où tu vas comme ça ? Tu dois la regarder avec moi.

Avec un mouvement de la tête, je lui tendis la télécommande, puis lui tapotai la joue.

— Ça, c'est entre ton père et toi.

Et tandis que je quittais la pièce, une voix chaude et profonde teintée d'un fort accent irlandais s'éleva.

« Salut Em, c'est moi, papa. Si tu regardes cette vidéo, c'est que tu es une grande fille, maintenant. Tu as seize ans ! Joyeux anniversaire, Emma ! »

Je me retournai avant de fermer la porte derrière moi. Aidan Beck, le comédien que j'avais engagé et

14

filmé l'après-midi même avec un vieux caméscope dans une chambre de l'hôtel Hudson, souriait sur l'écran.

« Il y a certaines choses que je voudrais que tu saches sur moi et sur ma vie, Em, poursuivit-il avec son accent irlandais. D'abord, que je t'aime… »

3

Je longeai le couloir pour me réfugier dans un grand cagibi, pompeusement appelé « cabinet d'étude » dans le jargon immobilier de Manhattan, et y déchiquetai le texte que j'avais écrit de ma propre main pour duper ma fille. Je dispersai ensuite les confettis de papier dans la corbeille, poussant un soupir lorsque me parvinrent ses premiers sanglots.

Il y avait de quoi verser des larmes. Aidan Beck avait interprété son rôle à merveille, avec une mention spéciale pour l'accent. J'avais déniché et recruté le jeune comédien de pièces off-Broadway devant les bureaux du principal syndicat des acteurs, la SAG, une semaine plus tôt.

Tandis que, assise dans mon réduit, j'écoutais ma fille pleurer dans la pièce d'à côté, une part de moi mesurait toute la cruauté de cette mise en scène. Je me serais volontiers passée de jouer les mères indignes. Mais là n'était pas la question. Tout ce qui comptait, c'était qu'Emma eût une belle vie, une vie normale. Quel qu'en fût le prix. Certes, le stratagème était recherché. Mais lorsque, la semaine précédente, j'avais découvert que ma fille avait googlisé « Kevin Bloom » sur l'ordinateur de la maison, il m'avait fallu accoucher d'un plan bien ficelé.

Kevin Bloom était le père idéal, le père aimant d'Emma. Celui-là même qui avait succombé à un cancer lorsqu'elle avait deux ans. Un chauffeur de taxi et dramaturge en herbe irlandais à la fibre romantique que j'avais rencontré à mon arrivée à New York, un sans-famille dont toute trace avait disparu dans un incendie, un an après sa mort. Du moins était-ce ce qu'Emma croyait.

Le problème, c'est qu'il n'y avait jamais eu de Kevin Bloom. Croyez-moi, j'aurais de beaucoup préféré le contraire. Un homme de plume exalté n'aurait pas été de trop dans ma vie mouvementée.

Pour tout avouer, il n'y avait jamais eu de Nina Bloom non plus. Je m'étais inventée de toutes pièces, moi aussi. J'avais mes raisons. De bonnes raisons.

Ce que je ne pouvais révéler à Emma, c'était que, près de vingt ans plus tôt et mille kilomètres plus bas sur la carte, je m'étais attiré des ennuis. De gros ennuis. Ceux après lesquels l'inscription sur liste rouge devient un minimum vital, et les regards par-dessus l'épaule, une incurable manie.

Curieusement, tout avait débuté pendant de folles vacances universitaires. Le fameux *Spring Break*. C'était en 1992, à Key West, en Floride. Je crois que ce ne serait pas mal résumer de dire qu'une abrutie avait perdu le contrôle… Et ne l'avait plus jamais retrouvé.

Cette abrutie, c'était moi. Je m'appelais Jane.

PREMIÈRE PARTIE

Le dernier coucher de soleil

1

12 mars 1992

Éclatez-vous à mort !

Chaque fois que je repense aux événements de cette période, c'est cette phrase, ce cliché ridicule des années 1980, qui surgit dans mon esprit.

Ce furent les premiers mots que nous entendîmes lorsque nous arrivâmes à Key West pour le dernier *Spring Break* de notre cursus universitaire. Alors que nous nous présentions au comptoir de l'hôtel, un quadragénaire à forte pilosité – et au taux d'alcool dans le sang plus fort encore – traversa le hall trempé jusqu'aux os avec des lunettes de plongée et un Speedo orangé en hurlant à pleins poumons :

— Éclatez-vous à mort !

Cette rencontre fortuite et désopilante nous fournit notre devise pour le restant du séjour. Ce devint notre fierté, notre défi mutuel. Mon petit copain en vint même à suggérer, avec beaucoup de sérieux, que nous nous fassions tous tatouer ces mots sur la peau.

Nous prenions cela comme une plaisanterie ; c'était

une prophétie. Nous nous éclatâmes… jusqu'à ce que mort s'ensuive.

C'était le dernier jour. Nous abordions notre ultime après-midi comme tous ceux qui l'avaient précédé : pompettes, en train d'avaler paresseusement les dernières miettes d'un hamburger sous un parasol du *beach bar* de notre hôtel.

Son pied nu enroulé autour du mien sous la table, Alex jouait d'un doigt avec le cordon du haut de mon bikini jaune. Les notes de « Touch and Go » des Cars s'échappaient discrètement des enceintes extérieures, tandis qu'un motard grisonnant avec une tresse et une veste de cuir noire lançait une balle à son chien sur le ponton blanchi par le soleil. Nous nous esclaffions quand le colley affublé d'un bandana rouge donnait un coup de tête à la balle de tennis mouillée, puis se jetait dans les basses eaux bleues.

Le chien barbotait pour regagner le rivage, détrempé et haletant, quand une forte brise venue du large fit tinter les verres pendus au-dessus du bar comme des carillons à vent. À cette mélodie inattendue, j'exhalai un soupir, submergée par une longue et profonde déferlante de bien-être absolu. Le temps d'un fourmillement, l'ombre fraîche du parasol, le sable blanc presque vibrant de la plage, l'eau bleu-vert du golfe, tout devint plus net, plus éclatant, plus vif.

Comme Alex glissait sa main dans la mienne, les souvenirs de notre merveilleux coup de foudre en première année me revinrent à l'esprit : le premier regard gêné échangé à travers l'amphi de géologie, sa première invitation hésitante, notre premier baiser.

Je refermai mes doigts sur les siens en songeant à la chance que nous avions de nous être trouvés, à notre bonheur ensemble, à l'avenir radieux qui s'offrait à nous.

Puis le pire se produisit. Le début de la fin de ma vie.

Alors qu'elle débarrassait notre table, notre serveuse, une Australienne aux muscles secs prénommée Maggie, haussa un sourcil en souriant et posa, l'air de rien et avec un accent à couper au couteau, la question qui allait chambouler mon existence.

— Je vous sers autre chose, les amis ?

Alex, tellement incliné sur sa chaise longue en plastique qu'il se trouvait presque à l'horizontale, se rassit d'un bond, un large sourire étrangement contagieux sur les lèvres. De taille moyenne, mince, brun, presque fragile, ce garçon était, malgré un physique qui se prêtait peu à l'emploi, *kicker* des Gators de Floride, équipe qui évoluait dans le championnat national de football universitaire.

Je me redressai à mon tour en reconnaissant le sourire tout feu tout flamme un peu timbré qu'il arborait quand il entrait sur le terrain devant soixante-dix mille spectateurs pour envoyer un coup de pied de cinquante yards.

Ou quand il nous embringuait dans une querelle de bar.

Jusque-là, notre séjour avait tenu les promesses du gros titre de la brochure touristique « Cinq jours, quatre nuits à Key West » : le farniente et la liberté. Rien que moi, mes amis et la plage, de la bière fraîche, de la crème solaire, de la musique plein les oreilles, et des rires plus encore. Pour ne rien gâcher, nous avions tous réussi à rester en un seul morceau pendant ces quatre jours de fiesta frénétique.

Que mijotait-il ? Il promena lentement son regard autour de la table, nous considérant tous les quatre, un par un, avant d'abattre ses cartes.

— Puisque c'est notre dernier jour, qui est partant pour un petit dessert ? lança-t-il. De la Jell-O, par exemple. Le genre dont Bill Cosby ne parle jamais. Celle qu'on sert en shot.

Tandis que les Cars partaient dans un riff de guitare espiègle, une expression piquée d'intérêt traversa le visage de Maureen. Il fallait croire que la proposition ne laissait pas indifférente ma meilleure amie, avec qui je partageais mon toit et le capitanat de l'équipe féminine de softball des Gators. À en juger par son hochement de tête enthousiaste, son petit copain, Big Mike, était lui aussi tenté. Même Cathy, la plus studieuse et rabat-joie de nous tous, leva son nez brûlé par le soleil de son livre.

— Jane ? m'interrogea Alex.

Tous se tournèrent vers moi dans un silence respectueux. La décision – ô combien condamnable – m'appartenait. Avec une moue inquiète, je rivai les pupilles sur le plancher ensablé du bar, entre mes orteils brunis par le soleil.

Puis j'affichai un sourire malicieux de mon propre cru en roulant des yeux.

— Euh… Et c'est parti pour le dessert ! lançai-je.

Mes amis poussèrent des exclamations de triomphe et se tapèrent dans les mains en tambourinant joyeusement sur la table parsemée de grains de sable, attirant les regards de la clientèle.

— Shots ! Shots ! Shots ! se mirent à scander Mike et Alex, tandis que Maggie faisait demi-tour pour aller chercher la commande.

En étudiante en lettres responsable et plutôt brillante, de surcroît doublée d'une sportive, je n'ignorais pas que le mélange vodka-gélatine composait un quatre-heures à hauts risques. Mais il faut dire que j'avais une bonne excuse. Même *quatre* bonnes excuses.

J'étais étudiante. J'étais à Key West. Les vacances du *Spring Break* 1992 touchaient à leur fin. Et, pour couronner le tout, j'avais fêté trois jours plus tôt mes vingt et un ans, âge légal pour consommer de l'alcool sur le territoire américain.

Pourtant, alors que je contemplais en souriant l'interminable golfe turquoise entre les joyeux buveurs qui remplissaient le bar, j'eus un infime moment de doute, une infime seconde d'hésitation durant laquelle je me demandai si je ne jouais pas avec le feu.

Le pressentiment avait disparu lorsque Maggie revint avec nos boissons. Nous nous pliâmes alors à notre rituel, brandissant nos gobelets en carton pour les heurter en braillant :

— Éclatez-vous à mort !

2

Un jour, j'ai vu une vidéo du tsunami de 2004 dans l'océan Indien. Sur ces images filmées dans un centre de vacances du littoral sri lankais, des touristes curieux gagnent tranquillement la plage pour observer l'étrange retrait de l'océan.

Lorsque l'on regarde cette scène, que l'on sait que la vague mortelle est déjà en route pour les tuer, rien ne trouble davantage que leur innocence totale, l'impression de sécurité qui les habite alors même qu'ils vivent leurs derniers instants sous l'œil de la caméra.

J'éprouve le même malaise chaque fois que je repense aux événements qui suivirent. Je me crois encore en sécurité. Mais je me trompe.

Plusieurs heures plus tard, les cocktails gélatineux avaient produit leur effet. Et quel effet ! À 19 h 30, nous nous serrions comme des sardines sur Mallory Square pour la beuverie en plein air qui fait la réputation de Key West dans le monde entier : la célébration du coucher de soleil. Tandis que l'or des derniers rayons déclinants de nos vacances nous chauffait les épaules, la bière fraîche giclait de toutes parts, collant nos pieds à nos tongs. Avec Cathy et Maureen, à ma droite, et Alex et son coéquipier *linebacker*, Mike, à ma gauche, nous nous tenions par la taille en chantant « Could You Be Loved » avec autant d'enthousiasme que Bob.

Je dansais sous mon chapeau mou à bord flottant devant le groupe de reggae, en haut de bikini et short de coton, ronde comme une barrique. Et je riais comme une hystérique en pressant mon front contre celui de mes amis. Le sentiment que j'avais éprouvé au *beach bar* me reprit, décuplé. Le monde m'appartenait. J'étais jeune, j'étais belle, j'étais insouciante et entourée de gens que j'aimais et qui me le rendaient bien. L'espace d'un instant, je me sentis furieusement heureuse d'être en vie. Une fraction de seconde. Puis l'impression disparut.

Lorsque je rouvris les yeux, la pendule de notre chambre d'hôtel à petit budget indiquait 2 h 23. La première information que mon cerveau enregistra lorsque je me retournai dans la pièce exiguë et sombre fut l'absence d'Alex. Je fouillai rapidement mes derniers souvenirs. Je me rappelais une boîte de nuit où nous nous étions rendus après le coucher du soleil, de la musique techno à fond, Alex coiffé d'un chapeau de cow-boy en paille déniché je ne sais où, Alex en train de se trémousser sur « Vogue » de Madonna.

C'était à peu près tout. Les heures qui avaient suivi, tout comme mon retour à l'hôtel, se fondaient dans un brouillard éthylique impénétrable, demeurant un mystère absolu.

Alors que je fixais l'oreiller d'Alex, une boule de panique aussi caustique qu'un shot de vodka me brûla l'estomac. *Et s'il lui était arrivé quelque chose ?*

pensai-je, groggy. *S'il gisait quelque part, inconscient ? Pire, peut-être ?*

Je m'interrogeais dans le noir, le souffle court et l'esprit ankylosé, quand j'entendis un bruit. C'était un petit rire. Il provenait de la salle de bains, juste derrière moi, sur ma droite. Je roulai et, prenant appui sur mes coudes, décollai ma tête du matelas pour jeter un regard par l'entrebâillement de la porte.

Alex était appuyé contre le lavabo dans une étrange lueur tamisée. Un nouveau gloussement se fit entendre et Maureen apparut face à lui, une bougie allumée à la main.

Quand elle posa celle-ci et qu'ils se mirent à s'embrasser, je crus que j'étais encore endormie, en plein mauvais rêve. Mais lorsqu'elle gémit, je compris que j'étais bel et bien éveillée. L'invraisemblance de la scène me percuta avec la force d'un astéroïde heurtant un continent. C'était mon pire cauchemar. Le pire cauchemar de n'importe qui.

Mon petit ami me trompait avec ma meilleure amie.

D'écrasantes vagues de colère, de peur et de révulsion me terrassèrent. Devant mes yeux grands ouverts se jouait la trahison originelle.

Un nouveau soupir franchit les lèvres de Maureen alors qu'Alex lui retirait son T-shirt. La porte de la salle de bains tourna alors sur ses gonds, les soustrayant à mon regard avec un déclic discret.

Tandis que je contemplais avec des clignements d'yeux la porte fermée, une citation de mon dernier cours de poésie contemporaine surgit dans mon esprit. Des vers de T.S. Eliot.

C'est ainsi que finit le monde
Pas sur un boum, sur un murmure.

Un murmure de plaisir… Je jetai un regard à la pendule. Il était 2 h 26. Si Alex n'avait pas été si occupé, il aurait pu le noter en guise d'entraînement pour ses futures études de médecine : « Heure du décès de la petite amie. »

Je m'assis sans hurler. Sans chercher un objet lourd à attraper pour cogner après avoir défoncé la porte à coups de pied.

Avec le recul, c'est ce que j'aurais dû faire. Mais je décidai de ne pas les déranger, me contentant de me lever. Pieds nus, je saisis ma veste et sortis de la chambre d'hôtel en trébuchant, refermant discrètement la porte derrière moi.

3

J'attendis d'avoir émergé du hall d'hôtel vide pour presser le pas. Une minute plus tard, je piquais un sprint. Je soufflais comme une forge, trempée de sueur, au milieu de la rue plongée dans la pénombre. On aurait dit une héroïne de film d'action qui cherche à sauver sa peau juste avant une explosion nucléaire.

Il faut préciser que j'étais vraiment rapide. Dans notre équipe de softball, Maureen, grande blonde aux longs membres, occupait le poste de lanceuse, et Cathy, courte et solide sur ses jambes, celui de receveuse. Moi, je me trouvais entre les deux. De taille moyenne, mince, j'étais la prestidigitatrice du terrain, la Speedy Gonzales de l'amorti sur la ligne de la troisième base, pour atteindre la première en un éclair. Et croyez bien que, à cet instant, j'avais besoin de toute ma vitesse pour fuir loin de cette chambre.

La scène dont je venais d'être le malheureux témoin ne mettait pas seulement un point final à mes relations avec mon petit ami et ma meilleure amie – deux pour le prix d'un ! C'était la fameuse goutte d'eau qui fait déborder le vase.

Mon père, policier dans l'État du Maryland, avait perdu la vie en service quand j'avais onze ans. Tous les pères sont uniques, mais le mien était vraiment un être hors du commun. D'une extrême bonté et d'une profonde moralité, il n'avait pas son pareil pour écouter. Tous ceux qui le côtoyaient de près ou de loin, ses collègues, les voisins, le facteur, et même de parfaits étrangers, se tournaient vers lui pour trouver réconfort et conseil.

Son départ prématuré n'en avait été que plus accablant, surtout pour ma mère. Quelque chose s'était déchiré au plus profond de son être. Elle qui, fervente pratiquante, prônait l'abstinence alcoolique, avait sombré dans la boisson. Elle avait pris quarante kilos, perdu le goût de s'occuper d'elle. Et puis, au printemps de mes vingt ans, elle s'était enfermée dans le garage pour inhaler à pleins poumons les gaz d'échappement du vieux Ford F-150 de mon père. Maureen et Alex m'avaient épaulée tout au long des formalités relatives aux funérailles. Pour moi qui n'avais ni frère, ni sœur, ni parent proche, ils étaient devenus, plus que des meilleurs amis, la seule famille qui me restait. Et c'était Maureen qui avait suggéré de descendre à Key West. Elle voulait me remonter le moral à l'approche du premier anniversaire de la mort de ma mère.

C'était plus que je ne pouvais supporter. La douleur de la trahison me frappa de nouveau, pareille à un boulet de démolition. Sans cesser de courir, je me mis à pleurer. Des larmes mêlées de sueur roulèrent sur mon visage, gouttant sur le bitume ensablé et mes pieds nus.

En arrivant sur la plage, je m'effondrai à genoux sur le sable. Il n'y avait personne. Rien que moi, l'océan sombre et le ciel étoilé. Les yeux rivés sur l'eau noire, je me remémorai le jour où, à neuf ans, je m'étais retrouvée emportée par le courant à Ocean City. C'était mon père qui m'avait sauvée de la noyade.

J'inspirai et expirai l'air nocturne en écoutant le clapotis des vagues, assaillie par un sentiment de solitude et de désespoir plus profond que jamais. Qui me sauverait, désormais ?

À environ cinq mètres sur ma droite se dressait une borne en béton massive en forme de bouée. Dessus, des lettres tracées à la peinture indiquaient qu'il s'agissait du point le plus au sud des États-Unis continentaux, à seulement cent cinquante kilomètres des côtes cubaines.

Je m'étais relevée et, anéantie, je m'apprêtais à tenter la traversée jusqu'à Cuba à la nage lorsque, plongeant une main dans la poche de mon short, je fis une découverte fascinante : les clés de voiture d'Alex.

J'avais gardé les clés de la Chevrolet Camaro Z28 avec laquelle nous avions parcouru le chemin depuis Gainesville, siège de l'université de Floride. Alex avait trimé quatre étés avec son père paysagiste pour se payer son « bébé », comme il l'appelait. Et j'avais trimé quatre années pour faire entrer dans sa tête de pioche de footballeur les connaissances de base qui lui permettraient d'intégrer médecine. Aussi, l'idée subite de troquer mon bain de minuit pour une balade dans son petit bijou rouge me parut-elle d'une logique imparable. Même d'un sacré génie, si j'écoutais mon cœur brisé en mille morceaux.

Je regagnai le parking de l'hôtel en encore moins de temps qu'il ne m'en avait fallu pour le fuir, puis fis ronfler le moteur de la Z28 comme si je me trouvais en *pole position* des 500 miles d'Indianapolis. J'agis alors comme n'importe quelle jeune orpheline cocue et suicidaire qui se respecte.

Je fis patiner les pneus arrière du joujou de mon mec et démarrai dans un nuage de fumée.

4

Après avoir négocié plusieurs virages en dérapage, je trouvai une grande route de bord de mer qui me permit de conduire la Camaro comme elle le méritait, à savoir comme une voiture volée, pied au plancher. Ce fut à peine si la pédale ne traversa pas le tapis de sol nettoyé avec soin.

Avec un grondement avide et diabolique, le V8 de 5,7 litres haussa le ton, composant l'intro d'un morceau de heavy metal.

« Crazy Train », pensai-je, catapultée contre mon dossier comme à bord d'un train fou. Ou « Highway to Hell », en route pour l'enfer.

Un sifflement de course de stock-car monta bientôt des voitures stationnées qui défilaient en une masse indistincte derrière mes vitres. À cet instant précis, je n'aurais su dire si mes pulsions destructrices se portaient davantage sur l'objet de la fierté d'Alex ou sur ma propre personne. L'idée d'en finir avec l'absurdité d'une vie placée sous le signe du malheur se révélait fort tentante. De là où je me trouvais – au volant d'une voiture lancée à pleins gaz, sans ceinture de sécurité –, l'existence se résumait à une immense souffrance. Et j'envisageais très sérieusement de mettre un terme à la mienne avec le moins de discrétion et de retenue possible.

L'aiguille du compteur de vitesse flirtait avec les cent cinquante kilomètres-heure et le train arrière de la Z28 menaçait de quitter le sol comme un avion au décollage quand un mouvement attira mon regard vers la droite.

Scrutant la plage sombre à travers le pare-brise, je repérai une petite masse indistincte en train de courir au bord de la route.

Alors que j'approchais à tombeau ouvert, je compris que ce n'était pas un lapin, comme je l'avais cru, mais un chien. Avec un bandana rouge autour du cou. Je reconnus le colley du bar au moment précis où il dévia de sa trajectoire, pareil à un missile téléguidé, pour débouler sur la chaussée. Juste devant mes roues.

D'instinct, j'écrasai la pédale de frein et braquai à droite. Le hurlement aigu du caoutchouc brûlé emplit l'habitacle tandis que les roues arrière chassaient vers la gauche comme sur une plaque de verglas. Je redressai aussitôt, mais je dus trop forcer car la dynamique s'inversa subitement et la Z28 se mit à tourbillonner comme une toupie dans l'autre sens, dans d'horribles crissements de pneus.

Merde !

J'avais perdu le contrôle du véhicule. La violence du mouvement projeta brutalement mon crâne sur l'appuie-tête, comme dans un manège. Je retins mon souffle en sentant l'aile droite de la voiture se soulever dangereusement, mais, au lieu de culbuter, la Camaro fit un tête-à-queue et continua de tournoyer. Elle finissait un tour complet quand je vis surgir quelque chose derrière le pare-brise. Je hurlai.

Comme un lapin sorti du chapeau d'un magicien, le motard à la tresse apparut sous les projecteurs de mes phares. Je ne me souviens que d'avoir pilonné furieusement la pédale de frein, sans relâche, les doigts endoloris par les tressautements que leur infligeaient les bosselures du volant qui filait entre mes poings.

Je fermai les yeux au moment où le train avant de la Camaro faucha l'homme avec un ignoble bruit mat qui me transperça le cœur.

J'entendis le froissement bref d'une masse roulant sur le capot de métal, suivi du couinement d'un corps qui glisse le long de la rampe du pare-brise.

Puis il n'y eut plus que le silence. Un affreux, un assourdissant silence.

5

Je me forçai à ouvrir les paupières. La Camaro s'était immobilisée avec une violente secousse une quinzaine de mètres après le lieu de l'impact.

Je fixai la chaussée vide devant moi, le pied cloué à la pédale de frein, les mains serrées comme un étau autour du volant. Dans le silence seulement troublé par ma respiration paniquée, chaque parcelle de mon corps ruissela soudain de sueur : l'intérieur de mes coudes, les plis de mes genoux, même mes oreilles.

Le moteur de la Z28 tournait au ralenti sur la route déserte, dans des râles d'animal essoufflé. Je m'attendais à trouver le pare-brise fêlé, mais il était intact. Le capot aussi. Hormis plusieurs millimètres de gomme et de plaquettes de frein probablement perdus dans la bataille, la voiture semblait s'en être sortie sans casse. Comme si rien n'était arrivé.

Comme si...

Trop paniquée pour regarder dans le rétroviseur, je fixai le balancement orangé du ridicule désodorisant d'Alex. Mais, malgré son sourire plein de dents, Albert l'alligator, mascotte des Gators de l'université de Floride, ne se révélait pas de grand conseil. J'inspirai une profonde bouffée d'air, comme un plongeur en apnée, et braquai les pupilles sur le rétroviseur.

Le motard gisait à plat ventre au milieu de la voie de droite, à côté de mes traces de freinage, son épaisse tresse à moitié défaite, les bras en croix. Des cônes et des chevalets de signalisation provenant de travaux au bord de la route étaient éparpillés autour de lui, comme des quilles de bowling renversées. Il ne bougeait pas.

Des spasmes s'emparèrent simultanément de mes genoux, de mes mains et de mes lèvres quand j'avisai la tache sombre, d'un noir d'encre, qui obscurcissait ses cheveux gris et l'asphalte sous son crâne. Je relâchai un souffle aigre aux relents de rhum avant d'enfouir mon visage dans mes paumes tremblantes. Mes doigts se recroquevillèrent sur mon crâne comme ceux d'un grimpeur à la recherche d'une prise.

— Qu'est-ce que j'ai fait ? laissai-je échapper entre deux inspirations hystériques.

Tué un homme, me répondit une voix intérieure d'une sobriété glaçante. *Tu as tué un homme en essayant d'épargner son chien.*

Je relevai les yeux sur la route déserte derrière le pare-brise. Elle s'incurvait sous le clair de lune pour disparaître dans le lointain, belle et onirique, aussi engageante que la route de briques jaunes du *Magicien d'Oz*.

C'est alors que la voix dans ma tête, cette voix qui paraissait si calme, si rationnelle, si grave, me souffla un mot. Une petite phrase, un slogan publicitaire.

Pars ! Ce n'est pas ta faute, argumenta-t-elle. *Tu essayais d'éviter le chien, tu ne pouvais pas faire autrement. Et puis, personne ne t'a vue. Lâche le frein*

et appuie sur l'accélérateur. Ne regarde pas en
arrière. Ne commets pas cette erreur. Pars.

La gorge serrée, je m'aperçus que personne ne
m'avait vue, en effet. Je me trouvais sur un tronçon
de route désert près de l'aéroport, avec seulement une
plage désolée à ma droite. Une seule construction se
dressait à une cinquantaine de mètres, un bâtiment
industriel en béton qui paraissait désaffecté.

L'accident n'avait eu pour témoin qu'une armada
silencieuse de bus scolaires qui, garés derrière un grillage de l'autre côté de la rue, me fixaient de leurs
grands phares éteints, comme s'ils attendaient ma décision.

Je cherchai des yeux le chien du motard. Il avait
disparu. Puis il me sembla que je me reconnectais tout
à coup à la réalité. Après que j'eus pensé l'impensable,
le sortilège se brisa et je parvins enfin à assembler
deux idées.

Enclenchant la boîte automatique sur la position
« Parking », je coupai le moteur.

Je devais aider ce pauvre homme. Je devais agir
comme mon père l'aurait fait : commencer la réanima-
tion cardio-pulmonaire, stopper l'hémorragie, trouver
un téléphone.

Partir ? Écœurée par ma réaction, je tâtonnai à la
recherche de la poignée de la portière. Comment
avais-je pu l'envisager une seule seconde ? J'étais
quelqu'un de bien. J'avais travaillé comme sauveteuse
sur la plage, comme bénévole dans un hôpital. « Ça,
c'est une fille bien », disait toujours mon père quand,
à son retour du travail, je l'aidais à délacer ses chaussures de service bien lustrées.

Je descendais de voiture quand j'aperçus deux phares au loin, derrière le motard. Je n'eus pas le temps de reprendre mon souffle qu'un éclair éblouissant aux couleurs éclatantes jaillissait au-dessus du faisceau de lumière.

Pétrifiée, hypnotisée, je contemplai les gyrophares sang et saphir qui illuminèrent soudain la nuit.

6

Le véhicule de patrouille roula dans un silence irréel jusqu'à un point à mi-chemin entre le motard et moi avant de s'immobiliser en travers de la chaussée. Lorsque le grésillement métallique de sa radio parvint à mes oreilles, je baissai la tête comme un condamné qui attend le coup de hache, menton sur la poitrine.

Un crissement de pas lourds près de la portière ouverte du véhicule m'incita à relever la tête. L'aveuglant contre-jour des gyrophares obscurcissait le visage de l'officier. Je ne distinguais qu'une silhouette imposante et carrée qui se découpait sur les lumières stroboscopiques.

— Restez où vous êtes et gardez vos mains bien en évidence, m'ordonna une voix qui semblait venir du ciel.

J'obtempérai sur-le-champ, pendant que le policier rejoignait à pas précipités l'homme étendu par terre et s'accroupissait près de lui. L'instant d'après, la silhouette se dressait au-dessus de moi, menaçante.

Je ne m'attendais pas à découvrir un si bel homme. Les cheveux bruns coupés très court, les yeux bleu pâle, le visage fin, la petite trentaine et bien bâti, il devait mesurer un mètre quatre-vingt-dix. D'une certaine façon, son charme de parfait Américain sain de corps ct d'esprit ne contribuait qu'à aggraver mon cas, à rendre ma culpabilité plus cuisante, mon désespoir plus abject.

— Il est mort, déclara-t-il.

Quelque chose céda en moi.

— Oh non, murmurai-je comme une démente, la tête basse. S'il vous plaît, Seigneur, non. Je suis désolée, désolée, je suis tellement désolée.

Et tandis que je secouais la tête, l'enfouissant dans mes mains, le flic tout droit sorti d'une publicité de recrutement pour les forces de police se pencha vers moi pour me renifler.

— Et vous, vous êtes ivre morte ! Levez-vous, les mains derrière la tête.

7

Quand mon père nous a quittées et que j'ai posé pour la première fois les yeux sur son cercueil, je me rappelle m'être dit que rien ne pourrait jamais être pire que cela. Je me trompais.

Après m'avoir menottée, le policier m'assit à l'arrière de son véhicule. Je fus surprise de le trouver si propre. Une odeur de neuf imprégnait l'intérieur, des tapis de sol en caoutchouc, qui rivalisaient de propreté avec ceux d'Alex, à la banquette moelleuse, presque pelucheuse. En dehors du treillis en plastique noir qui séparait l'avant de l'arrière, la voiture de patrouille ne ressemblait en rien à ce que j'imaginais. Il est vrai que je n'en avais jamais vu d'aussi près, même avec mon père.

Ma jambe droite se mit à frétiller comme un poisson pris à l'hameçon. Je la considérai avec des yeux fixes. Souffrais-je d'une attaque ? Si seulement… N'importe quel sort me paraissait plus enviable que celui qui m'attendait. Je ravalai un sanglot mouillé avec un reniflement. *N'importe quel sort...*

Le flic se baissa pour s'asseoir sur le siège du conducteur, offrant sa nuque à mon regard. Sous sa coiffure soignée, ordonnée, carrée, comme toute son apparence, ses larges épaules de boxeur auraient pu soutenir un niveau à bulle en équilibre. Il se tenait bien droit ; ma mère aurait dit qu'il avait du maintien.

Complètement délirante, je me demandai pendant une seconde s'il s'agissait d'un ancien militaire. Je déchiffrai le nom inscrit sur son badge dans le rétroviseur.

L'officier Fournier baissa la tête pour entrer les données de mon permis de conduire dans son terminal informatique. Soudain, son crâne brun se redressa.

— C'est vrai, ça ? demanda-t-il sans se retourner. Vous venez de fêter vos vingt et un ans ? Vous êtes venue pour le *Spring Break* ?

Je n'avais pas remarqué son accent, une légère intonation de grande ville du Nord-Est. Boston, New York, Philadelphie peut-être. Mais une autre préoccupation plus pragmatique réquisitionna très vite mes pensées. De quelle couleur serait ma tenue en prison ?

J'étouffai un nouveau sanglot.

— Oui, je suis en dernière année à l'université de Floride.

J'aurais tellement voulu être sur les bancs de la fac à cet instant que j'en geignis presque. Si seulement j'avais pu, d'un claquement des talons, retrouver la cafétéria et les pages en papier bible de mon anthologie de littérature anglaise...

Il n'y aurait plus de cours, plus de softball, plus rien. Éternelle amoureuse des livres, je rêvais depuis le lycée de travailler dans une maison d'édition new-yorkaise. À mon avenir aussi je pouvais dire adieu. Je venais de l'atomiser, de le pulvériser comme un moustique sous une tapette. J'étais devenue l'une de ces personnes dont on lit la mésaventure en pyjama, un nom dans la rubrique des faits divers du journal local devant lequel on secoue la tête avant de retourner à son café en réfléchissant à sa tenue vestimentaire de la journée.

La vie que je connaissais n'était plus qu'un souvenir.

8

— Qui dois-je prévenir en premier ? me demanda l'officier Fournier en croisant pour la première fois mon regard dans le rétroviseur. Ta mère ou ton père ?

Il offrait vraiment un agréable spectacle. Ce n'était pas un beau brun dans le genre d'Alex. Plus pâle, plus anguleux, il se classait plutôt dans la catégorie des belles gueules rebelles. La couleur de ses yeux, d'une clarté saisissante, virait presque au bleu argenté.

— Ils sont morts tous les deux.

Il soupira.

— Je te déconseille de me mentir, Jane, me somma-t-il, sévère. J'ose espérer que tu mesures la gravité de la situation. Tu ferais bien de ne pas t'enfoncer.

— C'est la vérité, lui assurai-je d'une voix soudain calme et dégrisée. Mon père était dans la police de l'État du Maryland. Il a été tué en service, dans un accident, au cours d'un barrage routier en 1982. J'ai sa carte funéraire dans mon portefeuille. Ma mère est morte l'année dernière.

Après avoir fouillé dans mes papiers, l'officier Fournier pivota sur lui-même. Il en imposait beaucoup moins avec la carte mortuaire de mon père dans la main.

— Comment est-elle morte ?

— Elle s'est suicidée.

C'était la première fois que je prononçais ces mots à voix haute.

— Plutôt duraille, remarqua-t-il, presque bienveillant. Des frères et sœurs ?

Je répondis d'un mouvement négatif de la tête.

— La Camaro, elle est à qui ?

— À mon copain. Il est à l'hôtel, expliquai-je, marquant une seconde de pause avant d'ajouter calmement : en train de se taper ma meilleure amie.

L'officier Fournier secoua la tête, puis reporta son regard vers le motard.

— Eh ben ! Donc, vous faites tous la fête, et puis il te trompe et tu prends sa bagnole. Je vois.

— Cet homme avait un chien, m'empressai-je d'expliquer. Il a bondi sur la route. J'ai donné un coup de volant pour l'esquiver et j'ai dérapé. Je devais aller trop vite, la voiture s'est mise à tourner sur elle-même et, tout à coup, il était… il était là.

De nouveau abandonnée par mon sang-froid, je m'affaissai sur mes genoux comme une chaise pliante, en pleurs.

Après avoir sangloté une bonne minute, j'essuyai mon visage sur ma cuisse. Quand je me redressai, l'officier Fournier me dévisageait dans le rétroviseur avec, dans ses yeux bleu pâle, une expression que je ne réussis pas tout à fait à déchiffrer.

Nous échangeâmes un regard électrique, long et troublant. Je dois reconnaître que le moment était curieusement choisi pour subir les lois de l'attraction physique ; pourtant, je devais me rendre à l'évidence : je n'arrivais pas à détourner les yeux de cet homme. Ce fut finalement lui qui rompit le charme. Il tapota la carte funéraire de mon père sur son menton.

— Et si…, commença-t-il.

À cet instant précis, ma propre liste de « et si » défilait déjà dans mon esprit. Et si je n'avais pas pris des shots de gélatine en dessert ? Et si je n'avais pas emprunté la voiture d'Alex ? Et si je n'avais jamais vu le jour ?

Le policier poussa alors brusquement sa portière pour descendre de voiture. Il y eut un claquement suivi d'un déclic, puis ma portière s'ouvrit à son tour.

— Je vais m'en remettre à mon jugement personnel, déclara-t-il en m'enlevant les menottes. Remonte dans ta voiture et fiche le camp. Retourne à la fac, Jane. Il ne s'est rien passé.

9

Je descendis de voiture en me frottant les poignets, m'efforçant de comprendre le cours des événements. Ma tête tournait plus vite que les roues de la Camaro, plus vite que les aveuglantes lumières de fête foraine sur le toit de la voiture de patrouille.

Je jetai un regard à la route qui se déroulait devant la Z28 d'Alex. Le long de la plage déserte, la mer sombre déployait sa surface immobile comme du verre.

— Je ne comprends pas, officier.

— C'est drôle, moi aussi, j'ai un peu de mal à comprendre ce qui me prend, remarqua-t-il en raccrochant ses menottes à sa ceinture, avant de passer une main dans ses cheveux bruns. Et tu peux laisser tomber l'officier. Je m'appelle Peter. Saint Peter, pour toi, étant donné que je suis en train de te sauver la mise. Maintenant, remonte dans ta voiture et fous le camp avant que quelqu'un débarque ou que je change d'avis.

— Mais je ne peux pas partir comme ça…

— Il n'y a pas de témoin et je n'ai pas encore signalé l'accident, alors si, tu peux partir comme ça.

— Mais je suis responsable.

— Écoute-moi : l'État de Floride mène une véritable croisade contre la conduite en état d'ivresse, avec des directives très strictes sur les sanctions à appliquer en cas d'homicide. Une fois que je t'aurai fait souffler dans le ballon, tu iras tout droit à la case prison. C'est une loi totalement politique et d'une stupidité sans nom, mais le jury et le juge l'appliqueront les yeux fermés. Tu ne survivrais pas à la prison, Jane. Tu ne tiendrais pas le coup.

— Mais ce pauvre homme est mort. Je ne peux pas partir comme si de rien n'était.

— Laisse-moi t'en apprendre un peu plus sur ce pauvre homme. Il s'appelle Ramón Peña. C'est un toxico pur et dur, accro à l'héroïne et à la méthamphétamine, qui vient juste de sortir de prison. Multirécidiviste, avec ça ! On l'a coincé il y a deux ans, à califourchon sur une fenêtre. Il venait de violer et de dévaliser une femme de quatre-vingt-trois ans avant de lui fracturer la mâchoire.

Avisant ma surprise, il confirma d'un mouvement de tête.

— Quand Ramón ne trouvait pas un pigeon éméché à qui faire les poches, il tapait de l'argent aux touristes dans Duval Street avec son chien. Voilà *grosso modo* pour la nécrologie. Et puis, ce n'est pas ta faute. Il planait sûrement si haut qu'il a dû prendre la chaussée pour une piscine et plonger devant ta voiture. Ramón a fait assez de mal de son vivant, ne le laisse pas te démolir aussi, maintenant qu'il est mort. Tu m'as l'air d'être quelqu'un de bien. Tu t'es juste trouvée au mauvais endroit au mauvais moment. Alors, prends tes clés de voiture et déguerpis.

— Mais…

— Ce n'est pas une suggestion, reprit-il en me fourrant le trousseau dans la main. C'est un ordre. Maintenant, va-t'en.

10

Je fixais les clés miraculeusement réapparues dans ma paume lorsque la radio de Peter émit un long bip. Une voix crépita dans l'appareil, mais seules des paroles indiscernables me parvinrent. Le policier inclina la tête, l'oreille tendue.

— Qu'est-ce que c'est ? m'affolai-je.

— Une seconde, lâcha-t-il en se penchant à l'intérieur de la voiture pour écouter le message. C'est pas vrai ! reprit-il quand la radio se tut.

Il fit volte-face en secouant la tête, l'air déconfit.

— Quoi ? l'interrogeai-je.

— Le vol de la Camaro de ton petit ami vient d'être signalé à toutes les unités. Il a dit au central que non seulement tu avais pris sa voiture sans sa permission, mais qu'en plus tu étais soûle. Quand ils débarqueront sur les lieux, les inspecteurs commenceront par vérifier tous les appels reçus par le central pendant la nuit. Après quoi, ils demanderont à voir la voiture de ton petit copain. Ils trouveront forcément des traces de sang sur la carrosserie. Je n'ai plus le choix, en définitive. Je n'arrive pas à le croire ! Je ne peux plus te laisser partir. Je suis obligé de signaler l'accident.

Alex était allé porter plainte à la police ? Après l'immonde trahison dont il s'était rendu coupable avec Maureen, il avait eu le culot de me dénoncer aux flics ? Je me sentis soudain extrêmement faible. J'aurais voulu me coucher sur l'asphalte près de la voiture de patrouille et fermer les yeux. Au lieu de quoi, je me mis à pleurer.

— Du calme, du calme, tenta de me rassurer Peter en posant une main sur mon épaule.

Il me dévisagea, ses yeux bleus grands comme des soucoupes.

— Ne pleure pas, s'il te plaît. Je crois qu'on peut encore arranger ça. J'ai une idée.

D'un air sombre, il tourna lentement la tête pour jeter un regard au motard par-dessus son épaule, puis il me considéra de nouveau.

— On peut peut-être se débarrasser du cadavre de Ramón.

11

— Quoi ? m'exclamai-je avec un tressaillement.

— J'habite à quelques pâtés de maisons d'ici. J'ai un bateau chez moi, je m'occuperai de tout.

Ma jambe recommença à s'agiter comme un pois sauteur du Mexique.

— Mais c'est du délire ! lâchai-je. Vous devez bien savoir que c'est du délire, non ?

Peter acquiesça, avec un enthousiasme presque comique.

— Pas la peine de me faire un dessin.

J'hésitai.

— Mais je…

— Écoute, Jane, il n'y a pas d'autre solution. Je vais le mettre dans le coffre de la Camaro. Toi, tu vas prendre le volant pour me suivre jusque chez moi. Je m'occuperai du reste. Je suis de nuit, personne ne s'apercevra de mon absence.

— C'est insensé, remarquai-je en promenant le regard autour de moi.

— Nous n'avons pas beaucoup de temps devant nous, insista Peter. Si une voiture passe, je n'aurai plus le choix. J'essaie de te rendre service, mais si tu ne t'en sens pas le courage, je comprendrai. Je ne suis pas non plus très emballé à l'idée de finir derrière les barreaux. C'est à toi de voir.

Tandis que je l'étudiais, il consulta sa montre. Avec un clignement d'yeux, il me rendit ensuite mon regard, attendant patiemment ma réponse. En dépit de ses grandes poignes, qui reposaient sur ses hanches harnachées d'un encombrant ceinturon de service, il paraissait tout à coup sympathique. Un bon et gentil nounours, un compagnon de boisson, un grand frère prêt à se mouiller pour moi, qui ne demandait qu'à me donner un coup de main.

Peut-être mon père avait-il, un jour, rendu ce genre de service à quelqu'un.

Je fermai les yeux. C'était là, devant moi. Le reste de ma vie. La prison ou la liberté. Le bien ou le mal. Je fus tentée de jeter un nouveau regard au motard, mais je me ravisai, et rouvris les paupières.

Dans le silence, Peter fit cliqueter ses menottes. Comme le « clic » final d'une balance qui s'immobilise, ou le déclic de la porte de la salle de bains se refermant sur Alex et Maureen.

J'acceptai d'un mouvement de la tête.

— OK, souffla Peter. Dépêche-toi, alors. Recule la voiture, ouvre le coffre et suis-moi.

DEUXIÈME PARTIE

Un été sans fin

12

Il ne devait pas être loin de midi lorsque je me réveillai, mais je n'ouvris pas les yeux tout de suite.

Comme presque chaque matin depuis deux ans, je demeurai couchée dans une immobilité totale, la respiration suspendue et les paupières closes, un instant perdue, terrifiée de découvrir l'endroit où je me trouvais. Quand je décollai enfin les paupières, je poussai un soupir de soulagement. J'étais sauve. J'étais libre. Je ne croupissais pas en prison. Loin de là.

Je m'étirai avec un bâillement et, clignant des yeux dans la clarté voilée du matin, me redressai dans le lit pour embrasser du regard la chambre aux tons blanc sur blanc. Je promenai mes yeux sur la sculpture en bois flotté qui ornait la table de chevet, sur le cadre de coquillages, sur la bibliothèque en lambris garnie de livres.

Comme chaque jour, mon inventaire matinal se termina par ma main gauche. Ou plutôt par la bague de fiançailles et l'alliance qui s'étaient greffées à mon annulaire gauche.

En sortant du lit, je me figeai, puis secouai la tête face à la mine surprise que me renvoyait le miroir au-dessus de la table de nuit. La pratique assidue du kayak de mer et de la planche à voile avait teinté ma peau claire d'un hâle profond. À l'inverse, mes cheveux châtains s'étaient éclaircis et striés de mèches blondes. J'étais devenue une version de moi-même que je n'avais jamais envisagée : Jane la surfeuse, la fille de Malibu.

Encore déconcertée par cette vision, je traversai la pièce pour tirer les stores verticaux. Les yeux plissés, je contemplai la courbe paresseuse des palmiers royaux, l'étendue d'eau bleu sarcelle, la forêt de mâts. Encombré de deux méridiennes blanches orientées face à la mer, mon jardin offrait un parfait décor pour un spot publicitaire Corona. Un sourire aux lèvres, je caressai du regard le bras musclé qui reposait sur le bord du fauteuil de droite. Deux ans de guérison. Deux ans d'amour. J'étais la personne la plus chanceuse de l'univers.

— La pêche est bonne, monsieur Fournier ?

Peter m'adressa un sourire malicieux derrière ses Wayfarer.

— Pas terrible, madame Fournier.

13

Vous l'avez compris : Peter et moi étions mariés.

Et si vous ne l'aviez pas deviné, je serais mal placée pour vous jeter la pierre. S'il y a quelqu'un qui ne l'avait pas vu venir, c'est bien moi. J'étais descendue à Key West pour le *Spring Break* et je n'en étais plus jamais repartie.

— Ça n'a pas l'air de mordre, aujourd'hui, remarqua Peter en posant sa bouteille près de sa canne pour m'attraper par la cheville. Ah, attends ! Je tiens quelque chose…

Pendant une seconde d'angoisse, je crus que j'allais m'écraser sur notre digue de béton, voire basculer directement dans l'eau. Mais je culbutai sur le dos en travers des genoux de mon mari qui se mit à me chatouiller sans pitié sous les bras, m'arrachant des gloussements d'extase. Mes deux années à Key West m'avaient érigée au rang de spécialiste des gloussements d'extase.

— Tu n'as tout de même pas cru que j'allais te laisser tomber ? me murmura-t-il en me mordillant le lobe de l'oreille. Après tout ce qu'on a traversé, toi et moi ? Il m'a fallu une vie entière pour pêcher une vraie sirène. Pas question de te rejeter à la mer. Plutôt crever !

Je m'étendis sur la méridienne voisine, souriant au bleu implacable du ciel tropical.

— Dans ce cas, soupirai-je, me voilà contrainte et forcée de tolérer les mortels un jour de plus.

Nous avions vraiment tout traversé. Les paupières fermées, je me remémorai cette lointaine nuit. Il me semblait qu'un million d'années s'étaient écoulées depuis.

Après que nous nous fûmes garés sous son auvent, Peter m'avait conduite à l'intérieur de sa maison et installée sur le canapé du salon, où il m'avait commandé de ne pas bouger. Dix minutes plus tard, j'entendais ronfler un moteur de bateau. Je m'étais endormie en attendant son retour. Quand je m'étais réveillée, le soleil pointait à l'horizon et Peter, de retour de sa nuit, préparait le petit déjeuner dans la cuisine. Il s'était occupé de tout, y compris de restituer la Camaro à Alex et de le convaincre de retirer sa plainte pour vol. C'était comme si cette nuit n'avait été qu'un cauchemar.

Quand j'étais retournée à l'hôtel dans l'après-midi, mes sacs m'attendaient, abandonnés dans le hall. Mes amis étaient partis. Alex et Maureen, mais aussi Mike, et même Cathy. Sans laisser de message.

Je nous voyais en train de chanter en chœur « Could You Be Loved ». Dans mon cas, la question de Bob Marley appelait visiblement une réponse négative. Pour ma dose d'amour, je n'avais qu'à repasser. Il fallait croire que la vie ne ressemblait en rien à un épisode de *Friends*. « I'll Be There For You », tu parles ! Aucun d'eux n'avait été là pour moi, c'était certain. Ils se contrefichaient de me savoir vivante ou morte.

Alors qu'il me raccompagnait à la gare routière, Peter, avisant mon expression, m'avait expliqué que l'étage de son garage abritait une petite pièce qu'il lui arrivait de louer.

— Si tu ne te sens pas prête à retourner tout de suite à la fac, tu peux y rester deux ou trois jours, avait-il proposé.

Deux ou trois jours à Key West, mon œil ! Quand deux ou trois jours s'étaient transformés en une semaine, Peter m'avait parlé de l'une de ses collègues et amies, Elena, également copropriétaire du plus grand traiteur de l'île, qui cherchait constamment du personnel pour son entreprise. Le lendemain, je prenais mes fonctions, et le surlendemain je quittais officiellement l'université.

C'était un coup de tête, une décision qui frôlait la démence, j'en avais conscience, comme j'avais conscience que tout avait changé, moi comprise. L'accident n'expliquait pas tout : la brouille avec mes amis avait soufflé les derniers vestiges de mon ancienne vie. Une porte s'était refermée et quelque chose dans l'air de Key West me disait de ne pas bouger en attendant qu'une autre s'ouvre. Ce qui n'avait pas manqué de se produire.

Depuis le début, Peter se conduisait en parfait gentleman. Il était comme un père, ou comme un frère très protecteur. Il veillait sans cesse à ce que je mette de la crème solaire, que je mange à ma faim, que je ne manque ni d'exercice ni de sommeil. Il déposait toujours de petites offrandes sur mon palier branlant : des cassettes vidéo, des sacs de fruits, des livres...

À mes yeux, aucun cadeau ne valait le recueil loqueteux de poèmes anglais du XVIIe siècle que j'avais retrouvé un jour devant ma porte. Le soir, couchée dans mon petit lit, je me plongeais dans les œuvres de Herrick et de Marvell et redécouvrais les raisons qui m'avaient poussée à étudier la littérature. Pétales de rose et chariots ailés, jeunesse et beauté éternelles… Comment Peter pouvait-il si bien me connaître ? C'était troublant.

Il avait bégayé, la première fois qu'il m'avait invitée à dîner. Il avait servi le repas dans le jardin, sur une nappe et dans un service de porcelaine. Il portait même une veste au-dessus de son bermuda. Les côtelettes d'agneau étaient carbonisées, la purée de pommes de terre liquide, mais lorsque le soleil avait sombré dans la mer, avant même que sa main vienne trouver la mienne sur la table, je savais. Et lui aussi. Malgré les dix années qui nous séparaient, nous le savions tous les deux depuis l'instant où nos regards s'étaient croisés à travers le grillage de sa voiture de patrouille.

Deux semaines plus tard, il me demandait en mariage. Pendant qu'il m'apprenait à pêcher, il m'avait fait rembobiner la ligne pour changer l'appât. Au bout du fil pendait, non pas un hameçon, mais un solitaire. Lorsque je m'étais tournée vers lui, il se tenait face à moi, un genou à terre. Six mois après, nous convolions en justes noces à la mairie.

Je savais que c'était complètement fou. Que j'étais trop jeune, que les choses allaient trop vite, que j'agissais sur une impulsion. Mais le plus fou de tout, c'est que je ne regrettais rien.

— Jane ?

J'ouvris un œil.

— Oui, Peter.

— Je croyais que les sirènes se promenaient seins nus.

— Seulement sous l'eau, gros bêta. Sur terre, parmi les mortels, nous sommes bien obligées de contrôler le pouvoir d'envoûtement ravageur de nos pare-chocs, sinon, vous ne foutriez plus rien.

Il posa par terre sa canne pour la pêche en mer.

— Tu sais ce qui me dirait bien ?

— Une séance d'envoûtement ravageur.

— Comment le sais-tu ?

— Les sirènes savent ces choses-là.

Je me levai, prenant mon mari par la main.

14

Je venais de lancer une machine de blanc lorsque le bip sonore se déclencha. Je regagnai la cuisine à pas feutrés pour désactiver le minuteur du micro-ondes, puis je me dirigeai vers la salle de bains de la chambre principale, à l'arrière de notre petit pavillon douillet en bord de mer. Après avoir pris une gigantesque inspiration, je saisis le test de grossesse posé sur le couvercle des toilettes et le retournai, en apnée.

Le temps et mon cœur s'arrêtèrent au même instant. Deux traits bleus identiques striaient la fenêtre de lecture. L'air jaillit de mes poumons comme si je soufflais mes sept bougies devant mon gâteau d'anniversaire.

Un trait bleu plus un trait bleu égalaient une Jane enceinte.

Depuis deux semaines, je fonctionnais en mode panique, en proie à une angoisse qui s'amplifiait au fil des jours passés à guetter l'arrivée de mes règles. Je n'arrivais pas à m'enlever du crâne ces trois pilules que j'avais réussi à oublier. À croire que j'avais souffert d'un blocage cérébral au beau milieu de mon dernier cycle. Peter m'avait nommée chef du service contra-ception, et voilà que j'avais lamentablement échoué dans ma mission. Pour un oubli ! D'autant plus qu'un enfant ne présageait rien de bon pour mon corps – sans parler de mon avenir – de jeune femme de vingt-trois ans.

Mais, alors que j'observais ces deux traits bleus, debout dans la salle de bains, il se produisit un phénomène étrange et inattendu. Une vague de chaleur monta du creux de ma poitrine et, pendant une infime seconde, je sentis la peau de mon bébé contre la mienne, sa douceur dans mes bras. Soudain, la perspective de cette formidable aventure, si enrichissante sur le plan humain, m'émerveilla. Et pourquoi pas ? Pourquoi la Jane nouvelle version n'inviterait-elle pas un petit bébé de Malibu à entrer dans la danse ? J'avais toujours voulu des enfants et Peter et moi pensions fonder une famille dans un avenir indéterminé. Alors, pourquoi ne pas commencer dès maintenant ?

La vie réservait son lot de surprises, il fallait juste savoir les encaisser. Si j'avais tiré un enseignement de ces deux années à Key West, c'était bien celui-là. *Mi vida* était vraiment *loca*. Et puis, les plans et les projets, ça ne servait qu'à amuser le bon Dieu.

Un martèlement retentit à la porte, suivi d'un croassement électronique assourdissant. Je laissai échapper le test de grossesse, envoyant valdinguer le fidèle bâtonnet de ces dames.

Nom de D... !

— POLICE ! beugla Peter dans son mégaphone. NOUS SAVONS QUE VOUS ÊTES LÀ-DEDANS ! SORTEZ LES MAINS EN L'AIR ET LE SLIP À TERRE !

Je m'esclaffai. Mon homme était toujours si fou, et si drôle. Un vrai démon ! Avec lui, je passais mon temps à hurler de rire, quand je ne hurlais pas de plaisir. À cet instant précis, je sus qu'il ferait le meilleur papa du monde.

Devais-je lui parler du test ? Non. Je cachai en vitesse le bâtonnet sous le lavabo. Nous avions prévu de nous rendre au Breakers, à Palm Beach, dans deux semaines, en souvenir de notre lune de miel. Je lui annoncerais la nouvelle au dîner. Je le décontenancerais, le désarçonnerais, puis le déshabillerais. Peut-être serait-il un peu désemparé au début, mais cela lui passerait. Je saurais le raisonner. Je l'aimais, il m'aimait. À nous deux, nous pouvions nous débrouiller pour y arriver.

— Me voilà ! criai-je à travers la porte.

— BIEN ! brailla Peter dans le porte-voix. ET PAS D'ENTOURLOUPE !

Ouvrant le verrou de la serrure, j'envoyai valser mon soutien-gorge et mon string Victoria's Secret sur le mégaphone, en plein dans les yeux bleus ahuris de Peter.

— Ne tirez pas, suppliai-je, sans autres atours que mon sourire.

15

Le vendredi suivant, je décidai de me lancer dans un grand ménage à bord du bateau de Peter. Mon mari aimait partir seul en mer après son service le vendredi. C'était sa façon à lui de décompresser, de se vider la tête, d'opérer la transition entre une éprouvante semaine de travail et le week-end. À son retour, aux alentours de 21 heures, nous dînions tardivement du poisson frais qu'il rapportait : thazard, voilier ou thon à nageoires noires. Je voulais lui faire une surprise en lui préparant un bateau éclatant de propreté pour sa partie de pêche hebdomadaire.

Les cheveux relevés dans un bandana, armée de gants en caoutchouc jaune du dernier chic et munie d'un seau d'eau savonneuse, je montai donc à bord du Stingray de vingt-cinq pieds aux environs de 11 heures. Trapu et puissant, le cruiser blanc ressemblait beaucoup à un hors-bord, à ceci près que sa proue abritait deux couchettes et une kitchenette.

Une énorme mouette cria du haut du mât d'un petit voilier, de l'autre côté du canal, tandis que le pont tanguait gentiment sous mes pieds. Comme une brise montait de la surface bleu électrique de l'eau, j'éprouvai une étrange sensation de légèreté au creux de l'estomac, une culpabilité mêlée de plaisir, comme un enfant qui fait l'école buissonnière. Mais ma vie ne s'apparentait-elle pas à une longue journée d'école buissonnière ? Une longue journée dont je savourais chaque millième de seconde.

Je souris en avisant le CD dans le lecteur, sur le pont supérieur. C'était l'album de Looking Glass, un groupe des années 1970 qui ne pouvait se targuer que d'un seul succès, « Brandy ». Aussi ridicule que cela puisse paraître, cette vieille rengaine de juke-box contant les états d'âme d'un marin déchiré entre la mer et sa bien-aimée, serveuse dans un troquet, nous avait fourni l'accompagnement musical de notre mariage. Je n'aurais pas vraiment su expliquer ce choix. Sans doute que cette chanson amusante et niaise, mais aussi très romantique, dans le fond, nous correspondait parfaitement, à Peter et moi.

Devant les lignes pures du yacht, je me laissai une énième fois impressionner par l'homme que j'avais épousé, un joyeux luron d'une drôlerie sans pareille, mais plus encore un bourreau de travail. Le fait qu'il eût grandi dans une famille défavorisée du Bronx ne rendait sa réussite que plus remarquable. Sans même avoir bénéficié d'une éducation supérieure, il était parvenu à s'offrir ce bateau, sans parler de cette jolie maison qu'il avait retapée de ses propres mains dans ce coin de paradis. Tout cela en s'imposant comme l'officier de loin le plus compétent et le plus respecté de l'île depuis que la police de New York l'y avait muté, sept ans auparavant.

Peter était le « mec plus ultra », le flic de grande ville sur lequel on pouvait compter, celui que les collègues appelaient quand ça chauffait. À l'inverse de mon cher ex, Alex – qui s'était révélé n'être qu'une tête vide sur un corps d'athlète, un égocentrique infidèle et irresponsable qui fuyait comme la peste tout ce qui réclamait le moindre effort –, Peter était un homme, un vrai, de ceux qui relèvent tous les défis que leur lance la vie, avec un enthousiasme proportionnel à la difficulté de l'obstacle, convaincus que rien ne réussira mieux à faire d'eux des hommes.

Comme j'aimais mon saint Peter ! Je l'aimais plus qu'un ami, plus qu'un amant : je l'aimais comme un héros. S'il n'avait pas existé, j'aurais dû l'inventer.

« *Brandy*, fredonna le groupe des seventies quand je pressai le bouton du lecteur de CD, *What a good wife you would be, But my life, my lover, my lady, is the sea.* »

À midi, après avoir briqué et lustré toutes les surfaces du pont supérieur, je descendis dans le carré. Il faisait une chaleur infernale, même pour Key West, et, dans la pénombre oppressante de la cabine, la vapeur torride et poisseuse de l'air colla comme du film alimentaire à ma peau trempée de sueur.

Je rangeais des serviettes en papier dans un placard de la kitchenette quand je remarquai un objet solidement arrimé sous l'évier à l'aide de Sandow.

C'était un coffret en plastique gris, dur et plat, semblable à un kit à outils. Je l'attrapai par la poignée pour l'extraire du placard, surprise par son poids. Puis je m'assis sur les marches de la cabine et le posai sur mes genoux pour en actionner les crochets. Lorsque mes yeux se posèrent sur le contenu de la boîte, mon corps flancha sous l'effet d'un brusque afflux d'air.

D'un geste, j'arrachai mon bandana pour éponger la transpiration qui brouillait ma vue.

Le coffret ne renfermait pas une trousse de premiers secours, comme je l'avais cru, mais une arme à feu, nichée dans son rembourrage de mousse grise. Un peu plus grande qu'un pistolet, noire, mate et souillée de traces graisseuses. Son canon disparaissait dans un effrayant tube criblé de trous et plusieurs bandes de ruban adhésif gris entouraient la crosse.

L'inscription « Intratec Miami 9 mm » était gravée dans le métal devant la détente. Deux chargeurs rectangulaires plats dont les bords laissaient entrevoir les reflets roux de cartouches de cuivre reposaient à côté, dans l'écrin de mousse.

En digne descendante de policier, je n'étais guère impressionnée par les armes à feu. En fait, j'accompagnais souvent mon père à la chasse aux canards quand j'étais petite fille, si bien que je savais me servir du fusil et des deux 9 mm que Peter rangeait sous clé, dans l'armoire spécialement aménagée au fond du placard de notre chambre. Mais que faisait ce pistolet-mitrailleur à bord du bateau, dans un endroit où l'on s'attendait à trouver, au mieux, un fusil de chasse ? Et pourquoi Peter ne m'en avait-il jamais parlé ?

Je refermai soigneusement le couvercle et, après avoir replacé le coffret à sa place, regagnai la maison. Dans la cuisine, je sursautai. Mon mari se tenait devant l'évier, dans son uniforme.

— Peter ?

Il se retourna, les traits déformés par une expression renfrognée. Je plaquai ma main sur un irrépressible sourire : tout son tronc, de la poitrine à l'entrejambe, était taché de vomi blanc et fétide.

— Ne te gêne surtout pas, rigole ! me lança-t-il avec un sourire jusqu'aux oreilles. Regarde un peu le joli souvenir qu'une gentille touriste m'a laissé, près de l'hôtel La Concha. Sympa, non ? À vue de nez, je dirais qu'elle a mangé de la soupe de palourdes au déjeuner. Qu'en penses-tu ? Ah là là ! T'ai-je déjà dit combien j'aimais le métier de flic à Key West ?

Le moment me semblait mal choisi pour entamer avec lui une discussion sur ses choix en matière d'armes à feu. Ce n'était sûrement qu'un joujou de flic tout feu tout flamme, un souvenir de ses années de célibat qu'il ressortait pour tirer des canettes de bière vides avec les copains, pendant ses parties de pêche.

— Ne bouge pas, je te rapporte un sac-poubelle, lui ordonnai-je avant de pouffer de rire, les narines soudain agressées par une odeur nauséabonde. Tout compte fait, je vais plutôt chercher l'essence à briquet et une allumette…

— Qu'est-ce que tu racontes, Jane ? Et moi qui croyais que tu me trouvais sexy en tenue, répliqua-t-il, les yeux bleus brillant de malice.

Je ne connaissais que trop bien ce regard.

— N'y pense même pas ! hurlai-je.

Je m'enfuis en courant tandis qu'il contournait à grands pas l'îlot de la cuisine, les bras grands ouverts sur sa chemise qui exhalait des relents de vomi.

— Viens par ici, rit-il en me poursuivant dans le jardin. Où comptes-tu aller comme ça, Sirène ? Il est temps de donner un peu d'amour à ton mari. Attends-moi, j'ai bien besoin d'un petit câlin.

16

Debout à la lisière d'un gazon impeccable, je soupirai en notant la justesse poignante avec laquelle le trio de violoncelle, flûte et violon interprétait le *Canon en ré* de Pachelbel.

Au boulot ! Je me secouai pour servir les hôtes aristocratiques réunis à l'occasion de la réception et qui rivalisaient d'élégance, un verre en cristal entre leurs doigts, en échangeant rires et étreintes autour des tables aux nappes blanches ondoyantes, disposées avec soin dans l'écrin émeraude de la pelouse.

J'avais beau me considérer comme une serveuse blasée, rompue aux banquets chic, je ne pouvais m'empêcher de m'émerveiller de ce mariage dans le jardin de la maison d'Ernest Hemingway. En arrière-plan, la célèbre bâtisse de style colonial espagnol ouvrait grand ses volets, comme si Papa en personne allait surgir sur le balcon supérieur, whisky soda à la main, pour porter un toast à l'heureux couple.

Au milieu du linge de table aux plis parfaits, je versais du champagne à la ronde, et pas n'importe lequel : du Krug à deux cents dollars la bouteille, millésime 1992, l'année qui avait marqué la rencontre de notre beau et jeune couple aux cheveux bruns, deux New-Yorkais très soignés de leur personne, respectivement trader et marchand d'art. Entre deux coupes, je les regardais poser main dans la main et tout sourire à l'extrémité ouest de la pelouse luxuriante, devant la toile de fond offerte par le phare de Key West.

J'exhalai un nouveau soupir. Un jour, je décrocherais mon diplôme de lettres, mais, en attendant, je ne voyais pas d'inconvénient à me la couler douce au pays des mariages, où chaque jour était un samedi après-midi peuplé de musique classique, de bouchons qui sautent, de flûtes qui se lèvent, de tenues coquille d'œuf ou ivoire et de cieux éternellement bleus.

Évidemment, à choisir, j'aurais préféré passer la journée à la pêche avec Peter, mais, depuis deux mois, tous ses samedis partaient en heures supplémentaires pour une mission spéciale avec la DEA[1]. Je mesurais le danger de ces opérations d'infiltration avec les stups fédéraux et les tenais en sainte horreur, mais je faisais confiance à mon mari. C'était un flic épatant et volontaire, largement à même d'assurer sa sécurité et celle de ses équipiers. C'était plutôt les malfrats qui avaient du souci à se faire.

Elena Cardenas, ma chef et collègue de Peter, m'envoya un petit coup de hanche lorsqu'elle passa devant moi, chargée d'un plateau de poulet au sésame.

— Ton mariage était mieux.

— Et je devrais te croire ! répliquai-je avec un roulement d'yeux. Quel moment as-tu préféré, déjà ? Quand Peter a fait semblant de me jeter à la baille, ou

---

1. Drug Enforcement Administration.

son interprétation de « Paradise by the Dashboard Light » avec trois grammes d'alcool dans le sang ?

— Difficile à dire, me répondit la Cubaine blonde aux formes généreuses. Mais, au moins, il n'avait pas l'air d'avoir un balai géant dans le popotin, lui. Enfin bref ! Teo ne sait plus où donner de la tête au bar, et les stocks de champagne s'épuisent. Tu pourrais foncer chercher une autre caisse de Krug dans la camionnette ?

— Oui, chef !

— Et fais attention au Tueur de Floride ! me cria Elena tandis que je me dirigeais vers la grille en fer forgé.

Cet été-là, le Tueur de Floride hantait mon esprit, et sans doute celui de toutes les jeunes femmes du sud de l'État. Un reportage de Channel 7 rapportait des rapts effroyables à Miami, plusieurs disparitions de prostituées et une agression ratée lors de laquelle une femme avait été ligotée avec de la corde de parachute. Bien qu'aucun cadavre n'eût encore été retrouvé, on parlait déjà de tueur en série.

Merci pour la piqûre de rappel, Elena, pensai-je en longeant la rue déserte en direction de la camionnette.

Je remontais le trottoir défraîchi, la caisse de champagne dans les bras, quand j'aperçus un homme dans une Jeep noire déglinguée de l'autre côté de la chaussée.

Avec ses longs cheveux blond sale et ses lunettes de soleil panoramiques, il ressemblait à Björn Borg, barbe à la Jésus incluse. Je lançai un regard à travers le pare-brise de la Jeep. Il détourna le visage, mais j'eus l'impression qu'il m'observait derrière ses verres teintés. Il sortit un petit objet de la poche de sa chemise en jean et se mit à jouer avec. C'était un briquet en or.

Au moment où je passais devant sa voiture, il le fit claquer au rythme des tintements des bouteilles de champagne.

J'avalai ma salive, apeurée. Ce type me donnait vraiment la chair de poule. À la seconde où, accélérant le pas, j'atteignais le portail, la Jeep démarra dans un ronflement de moteur pour s'éloigner en trombe, tournant au premier carrefour dans un crissement de pneus. Je regagnai à toute vitesse le chapiteau blanc. Bon sang, qu'est-ce que c'était que cette histoire ?

Teo ne daigna pas me grogner un remerciement lorsque je déposai la lourde caisse au pied de son bar grouillant de monde, mais je n'attendais guère davantage de sa part. Je n'arrivais pas à déterminer ce qui me déplaisait le plus chez ce bel Hispano aux pointes décolorées : le nombre de fois où je l'avais surpris en train de se frotter le nez et renifler au sortir des toilettes, ou l'insistance avec laquelle il lorgnait mon décolleté. S'il n'avait pas été le cousin d'Elena, j'en aurais touché deux mots à ma patronne.

Je trouvai celle-ci dans le chapiteau de service, en compagnie de Gary, son associé et notre chef cuisinier. Elle me sourit en tirant un plateau de feuilletés du fourneau mobile.

— Tu es de retour en un seul morceau ! lança-t-elle avec un clin d'œil à Gary. Pas de dangereux parachutiste en vue ?

Je m'apprêtais justement à lui relater ma rencontre avec l'inquiétant Björn Borg, mais son ton m'en ôta l'envie. Elle ne se serait pas adressée différemment à la dernière des débiles. Et des confidences ne m'attireraient que davantage de moqueries. Si j'appréciais Elena, son sarcasme de dure à cuire me restait parfois en travers de la gorge. Je jugeai donc plus sage de garder pour moi mon angoissante rencontre.

— Très drôle ! répliquai-je. Toi, au moins, tu es armée. À propos de danger, ça fait un moment que je veux te poser une question. Les missions avec la DEA sont-elles très risquées ?

— Tu me fais marcher ? répondit-elle en me tendant un plateau d'argent garni de petits fours. Il faut être un superflic bourré de sang-froid, du genre de ton mari, pour seulement penser à participer à une opération d'infiltration. Mais bon, de toute façon, c'est du passé : tous les agents de la DEA ont été rapatriés à Miami il y a deux mois. Les caisses fédérales sont vides. Ça craint, crois-moi ! J'ai fait une surveillance pour eux pendant presque deux semaines, tu n'imagines même pas les heures sup' ! Allez, embarque ça. Les yuppies commencent à s'agiter.

Je trébuchai sur la pelouse, manquant laisser glisser le plateau d'entre mes mains. Du passé ? Alors, que fichait Peter de ses samedis depuis deux mois, pour ne rentrer à la maison qu'à 3 heures du matin ?

17

Peter cligna des yeux lorsque, allumant la lumière de la cuisine à 5 h 30, le lendemain matin, il me trouva assise à la table, le dos droit comme un piquet et les bras croisés.

— Jane, tu es debout ?

Je remarquai qu'il s'était douché. J'ignorais si je devais hurler, pleurer ou le tabasser. À dire vrai, j'étais prête à faire les trois à la fois. Pourquoi Peter me mentait-il comme un arracheur de dents depuis plus de deux mois ?

— Je suis debout, oui. Je ne me suis même pas couchée. J'avais une question à te poser. Et, en fait, je ne sais pas trop comment formuler ça avec tact. Bordel de merde, Peter ! Que fous-tu de tous tes samedis depuis deux putains de mois ?

Il leva les mains avec une expression atterrée.

— Mais de quoi tu parles, nom de Dieu ? Tu voudrais que je fasse quoi ? Que je me la coule douce au Mexique ? Je travaille, pardi !

— Alors, comment expliques-tu que le détachement spécial de la DEA soit rentré à Miami depuis deux mois ? C'est Elena qui me l'a dit.

— Elena... Quoi ?

Il rit.

— Du calme, Jane ! Pas la peine de m'incendier, je peux tout t'expliquer. C'est simple comme bonjour. Elena est vraiment meilleur traiteur que flic ! Elle n'a pas la moindre idée de ce qu'elle dit. Tu ne lui as pas dit que je collaborais toujours avec la DEA, j'espère ?

— Non, répondis-je, déboussolée. Mais n'essaie pas de changer de sujet.

— Écoute une seconde, tu veux ? Les fédéraux ont dit qu'ils rentraient à Miami, c'est tout. Un indic les a informés de fuites au sein de la police de Key West. Un pourri fournit des renseignements à des trafiquants de drogue. C'est la raison pour laquelle le patron a porté son choix sur moi. J'ai eu tort de ne pas t'en parler, j'aurais dû t'expliquer. Mais il ne faut surtout rien dire à Elena. Ni à personne d'autre.

— Tu crois qu'Elena est une ripou ?

— Qui sait ? me répondit-il avec un haussement d'épaules en sortant le jus d'orange du réfrigérateur. Il y en a forcément un parmi nous. On ne peut pas l'exclure totalement.

Je plongeai mes yeux dans les siens.

— Tu es certain de tout ça, Peter ? Tu en es vraiment sûr et certain ?

— Si j'en suis sûr et certain ?

Il partit d'un nouveau rire, soutenant mon regard.

— Bon Dieu, Jane ! Regarde-toi ! Et moi qui trouvais les flics méfiants. Tu veux jeter un coup d'œil à mes bulletins de salaire ? Vérifier nos relevés téléphoniques ? Si tu veux, je te ramène un kit de la police scientifique pour relever des empreintes.

— C'est juste...

Je fondis en larmes avant de pouvoir terminer ma phrase. Peter s'approcha de moi et ouvrit ses paumes.

— Tes mains, me commanda-t-il.

Je les lui tendis avec obéissance.

— Regarde-moi dans les yeux. Voilà, c'est beaucoup mieux comme ça. Maintenant, laisse-moi te poser une question. Pourquoi crois-tu que je t'ai épousée ?

— Parce que tu m'aimes ?

— Tu crois ça ? Écoute, Jane, je ne te l'ai jamais dit, mais cette nuit-là, au bord de la mer, tu n'étais pas la seule à penser sérieusement à en finir. J'étais arrivé à saturation. Du boulot de flic, de Key West, des gens, de la fête… de la vie, de tout. Tout me semblait futile, stupide.

Il me sourit avant de poursuivre.

— Et puis j'ai débarqué sur cette route et je t'ai regardée dans les yeux. Je n'ai pas foutu un pied dans une église depuis ma communion, je te le jure, mais, à cet instant, je me suis senti touché par la grâce. C'était comme si Dieu m'envoyait un ange du ciel. Et quand je t'ai mieux connue, que j'ai vu qu'on était si bien ensemble, j'ai su que je ne m'étais pas trompé.

— Pas un ange, rectifiai-je en reniflant. Une sirène.

— Une sirène, tout à fait, convint Peter en essuyant une larme sur mon nez. Tu es mon unique raison, depuis longtemps, peut-être même depuis toujours, de me lever le matin, d'utiliser du fil dentaire et de tenir mes comptes. Tu comprends, Jane ? Je ne suis pas Alex. Je ne suis pas un de ces trous du cul. Je suis prêt à tout, à mourir même, si ça pouvait t'éviter de souffrir par ma faute. Je brûlerais cet ignoble trou à touristes écarlates si tu me le demandais. Je…

— Oh, Peter ! m'écriai-je en l'embrassant entre deux sanglots. Je sais. Je suis désolée. Mon saint Peter, mon amour.

Et je nichai mon visage dans le creux de son épaule.

18

Le vendredi soir suivant, à une semaine jour pour jour de notre virée à Palm Beach, je flemmardais sur le canapé en envisageant de me coucher avec les poules quand, sur un coup de tête, j'envoyai au diable mes sages résolutions. Après avoir chaussé mes tongs, je mis le cap sur la seule et unique boutique de location de vidéos de l'île, le Blockbuster de North Roosevelt Boulevard, à un petit kilomètre de la maison.

Ce jour-là, Peter enchaînait une journée et une nuit de service. Il avait été envoyé sur l'île de Big Pine Key pour réguler la circulation près de travaux de construction sur l'Overseas Highway, route nationale qui reliait l'archipel des Keys au continent. Je faisais donc cavalier seul. Bien plus mordue de cinéma classique que mon mari, je décidai de saisir l'occasion pour m'offrir une longue nuit hitchcockienne. Je m'emparai des *Oiseaux* et de *La Mort aux trousses*.

Alors que je franchissais le seuil de la boutique, je pressai le bouton de ma clé de voiture. Le léger bruit du déverrouillage des portières répondit à mon geste. J'avisai alors ma Vespa bleue toute bosselée stationnée le long du trottoir. Une minute ! Où avais-je la tête ?

J'étais venue en scooter. Peter avait pris notre nouvelle Toyota Supra pour se rendre au travail. Je pilai net et scrutai ma clé, perplexe. Il me semblait pourtant avoir entendu la voiture s'ouvrir.

Fouillant le parking du regard, j'appuyai de nouveau sur le bouton de déverrouillage des portières du bout du pouce. Un « bip bip » retentit. Je tournoyai vers la gauche. Bon sang ! Le son semblait provenir de l'autre côté de la rue. Je dépassai ma Vespa pour m'avancer jusqu'au bord du trottoir qui encadrait la petite zone commerciale, puis je retentai l'expérience.

Des phares clignotèrent sur le parking, de l'autre côté du boulevard, lorsque le bruit électronique familier se fit entendre.

Je détaillai la voiture à laquelle ils appartenaient. C'était un modèle élancé, noir, flambant neuf. Merde alors ! J'étudiai la plaque d'immatriculation de Floride. Pas de doute, c'était la nôtre. Notre Supra. Que fichait-elle ici ? Elle aurait pourtant dû se trouver au quartier général de la police, où Peter la laissait avant de prendre son service.

J'eus alors le malheur de déchiffrer l'enseigne lumineuse qui décorait le bâtiment derrière la voiture. Un affreux engourdissement surgit au creux de mon estomac pour s'emparer de moi, emplissant ma cage thoracique comme un ballon de baudruche.

C'était une enseigne d'hôtel.

19

Je restai plantée devant les incessantes allées et venues des véhicules sur North Roosevelt Boulevard, les yeux rivés sur le capot luisant de la voiture de Peter qui patientait sagement sur le parking du motel.

OK, me dis-je au bout de cinq minutes, quand le choc s'atténua. *Tout doux. Réfléchis.*

Mais, j'eus beau me creuser les méninges, rien ne me venait à l'esprit. Toute tentative semblait vouée à l'échec. Et pour cause, car il n'y avait nul besoin de réfléchir. Même une imbécile de ma trempe savait tirer les justes conclusions de la découverte de la voiture de son mari sur un parking de motel.

Un mot jaillit dans le tourbillon de mes pensées. En toute logique, il se composait de sept lettres. Sept lettres dont chacune parut s'imprimer à la surface de mon cerveau avec la lourde frappe d'un caractère de machine à écrire.

M-E-N-T-E-U-R.

Peter était un menteur. Il n'y avait pas de travaux de construction à Big Pine, pas d'heures supplémentaires. J'en déduisis qu'il n'y avait pas non plus de mission avec la DEA, qu'il n'y en avait jamais eu. Il avait menti au sujet de l'autre nuit et de toutes celles où il était réquisitionné après sa journée de service, au cours des deux derniers mois.

Cependant, ce ne fut ni la douleur ni la colère qui m'ébranla le plus sur ce trottoir en face du Best Western, au beau milieu de la nuit, mais la subite prise de conscience de ma vulnérabilité. Tout à coup, je m'aperçus que ma vie entière tournait autour de cet homme. C'était sa maison, sa voiture, son bateau aussi. Qu'avait payé mon petit boulot de serveuse au noir à six dollars de l'heure au cours des deux dernières années ? Deux ou trois fringues chez Gap ? Un repas par-ci, par-là ?

Il ne me restait rien. Pas même la bourse d'études de l'université de Floride que j'avais laissé échapper lorsque m'avait prise la brillantissime idée de faire fi de toute prudence pour tirer ma révérence et élire domicile à Margaritaville. J'avais tout misé sur Peter, et il ne fallait pas s'appeler Einstein pour comprendre que j'avais décroché la timbale.

Je posai mes mains sur mon ventre. Minute ! Petite rectification ! Je n'étais pas la seule à avoir perdu gros. Il y avait aussi le bébé tout beau tout neuf que je portais en moi.

Mais qu'est-ce que tu croyais, Jane ?

Je reconnus la voix stridente qui perçait dans mon crâne, le ton à jamais gravé dans ma mémoire sur lequel parlait ma mère lors de ses fureurs noires éthyliques, dont la fréquence ne cessait d'augmenter après la mort de mon père.

« Ne me dis pas que tu es aussi bête, Jane ! Quel genre de flic couvrirait la mort d'un homme ? Quel genre de flic se débarrasserait d'un cadavre ? Un boy-scout émérite ? Tu croyais vraiment pouvoir t'en sortir comme une fleur avec du sang sur les mains ? Et tiens, en parlant de sang sur les mains, que fais-tu de la mitraillette que tu as trouvée sur le bateau de ton prince charmant ? »

Une palpitation de terreur me saisit la nuque comme les serres d'un rapace, me hérissant les cheveux. Je reculai, ne m'arrêtant que lorsque mes épaules trouvèrent le mur de la boutique de location de vidéos. Puis je me laissai glisser le long de la façade, jusqu'à ce que mes fesses entrent en contact avec le béton dur et froid.

Devant le défilé indifférent de véhicules qui animait la rue enténébrée, je couvris mon visage de mes mains, comme un enfant qui essaie de disparaître. Je pris alors conscience d'un fait. Une chose qui m'avait complètement échappée jusque-là.

J'avais cru sur parole tout ce que Peter me racontait sur lui. Mais, en réalité, j'ignorais tout de lui.

Au bout d'une dizaine de minutes agonisantes, la porte d'une chambre au rez-de-chaussée du motel s'ouvrit, et un homme en sortit. J'avais beau m'y attendre, cette vision produisit sur moi l'effet d'un uppercut au menton.

C'était Peter. Et j'encaissai un nouveau coup en constatant qu'il portait un costume, un complet bleu sombre bien ajusté que je ne lui avais encore jamais vu et qui semblait de marque.

Des sanglots s'échappèrent de ma gorge. Comment était-ce possible ? Comment l'homme qui m'avait initiée à « Brandy », à *Princess Bride* et aux joies de la bière japonaise pouvait-il me mentir comme la pire des ordures ?

Il promena un regard prudent sur le parking et, visiblement satisfait, referma la porte de la chambre derrière lui pour se diriger vers la Supra. Comme il ouvrait sa portière, je quittai mon poste d'observation et regagnai mon scooter au pas de course.

Sa maîtresse se trouvait-elle encore dans la chambre ? m'interrogeai-je, ébranlée. Avait-il rendez-vous ailleurs ? Allait-il la chercher ?

— Hé ! Tu ne vois pas d'inconvénient à ce que je vienne tenir la chandelle, salopard ? lançai-je pour moi seule, disjonctant pour de bon, tandis que je faisais ronfler le moteur de ma Vespa. Trop aimable, Peter. Ne fais surtout pas attention à moi. À propos, joli costard !

C'est à peine si les promeneurs pouvaient mettre un pied devant l'autre sur Duval Street lorsque, quelques minutes plus tard, je m'engageai en scooter dans l'artère principale de Key West, à deux voitures de la Supra.

Avec ses bars bondés et ses stands qui vendent de la bière et du rhum comme on vend des hot dogs à Coney Island, Duval Street est à Key West ce que Bourbon Street est à La Nouvelle-Orléans. À ceci près qu'on y célèbre mardi gras tous les jours. Je m'arrêtai devant un bar surpeuplé en voyant Peter tourner pour se garer dans une ruelle transversale, près d'un magasin de T-shirts. À quoi comptait-il occuper sa soirée ? Un verre et deux pas de danse ? Un dîner tardif, peut-être ? Mes poings se mirent à trembler autour des poignées en caoutchouc de mon scooter, glissantes de sueur. Je ne voulais toujours pas croire ce qui m'arrivait.

Je restai en selle à un pâté de maisons de la rue où la Supra avait disparu, à scruter la parade du vendredi soir qui déambulait sur le trottoir, avec ses pilotes de l'aéronavale, ses *drag queens*, ses étudiants, ses traîne-savates et ses couples de millionnaires branchés en vacances. Enfin, Peter émergea dans Duval Street. Il portait à la main un petit sac marin vert. *Tiens, tiens...* Je le regardai se frayer un chemin à travers la foule vers le bas de la rue. Curieusement, je n'avais pas l'impression que le jumeau de mon mari allait faire un saut à la salle de sport.

Une double journée de service ? Abasourdie, je redémarrai ma Vespa et repris ma filature dans un vrombissement. Cela ressemblait plus à une double vie.

Je pilai, éraflant mon scooter et ma cheville contre le trottoir. Peter tournait dans Fleming Street, au coin de l'hôtel La Concha. D'un bond, je mis pied à terre et, tapie dans l'ombre de l'auvent du haut édifice Art déco, trottai jusqu'à l'intersection pour jeter un regard dans la rue transversale.

Peter se tenait sous l'éclairage puissant qui illuminait le trottoir devant le distributeur de la banque Hibiscus Savings. Sous mes yeux, il sortit une épaisse enveloppe de son sac pour la glisser dans la fente d'une boîte. Un dépôt tardif à la banque ne sortait pas vraiment de l'ordinaire, si ce n'est qu'Hibiscus Savings ne nous comptait pas parmi sa clientèle. Notre compte d'épargne était domicilié à la First State. Du moins le compte dont je connaissais l'existence, rectifiai-je avec une secousse de la tête.

Je peinais encore à assimiler cette information quand une petite Mazda Z gris métallisé aux vitres teintées me dépassa, puis ralentit pour tourner sur Fleming Street. À son coup de klaxon, Peter pivota sur lui-même, puis la contourna en courant pour y monter du côté passager.

Je m'élançai vers mon scooter. La soirée ne faisait visiblement que commencer.

Tandis que je filais la Mazda Z, abandonnant la foule de Duval Street pour pénétrer dans les petites rues sombres du quartier de Bahama Village, une nouvelle hypothèse germa dans mon esprit. Je la trouvais plutôt réconfortante. Même très rassurante étant donné les circonstances.

Et si c'était cela, la mission pour la DEA ? Si Peter participait vraiment à une opération d'infiltration ? S'il avait simplement inventé cette histoire d'affectation à la circulation à Big Pine pour ne pas m'inquiéter ? Certes, il m'avait menti, mais l'affaire ne présentait peut-être pas la gravité que je lui prêtais. *Pitié, faites que j'aie raison !* priais-je en fonçant comme une malade sur ma Vespa dans la nuit noire qui enveloppait les rues de Key West.

Dix minutes plus tard, la Mazda s'engagea sur le parking vide du parc d'État Fort Zachary Taylor. Je restai dans la rue, le long du mur d'entrée du site historique, tandis que la voiture s'immobilisait au milieu du parking, le moteur au ralenti. Bientôt, ses phares faiblirent, puis s'éteignirent. Planquaient-ils ? Concluaient-ils une affaire ? Attendaient-ils quelqu'un ?

Je m'accroupissais contre le mur de pierre pour observer la voiture quand un souffle de vent arracha des grincements aux palmiers enveloppés de pénombre. J'inspectai la rue déserte par-dessus mon épaule, me remémorant l'avertissement d'Elena au sujet du Tueur de Floride. Certaines personnes avançaient qu'il venait de Key West. Comme si je n'avais pas déjà assez la frousse…

Je me tapis derrière le mur quand la Mazda démarra sur les chapeaux de roues et quitta le parking dans un crissement de pneus. Le temps de rejoindre mon scooter, elle avait disparu. Je rebroussai donc chemin vers Duval Street et la ruelle où Peter avait laissé sa voiture. Il descendait de la Mazda grise à deux pas de là quand, une dizaine de minutes plus tard, je débouchai sur l'intersection voisine. Je me garai le long du trottoir, devant un bar noir de monde au coin de la rue, et guettai la suite.

Je remarquai tout de suite que mon mari ne transportait plus le petit sac marin vert. Il l'avait troqué contre un sac à dos en cuir noir bien plus volumineux. Un fol espoir gonfla ma poitrine, l'espoir de la dernière chance. Tenais-je la preuve que la mission avec les stups ne relevait pas de la pure invention ? Je désirais tellement croire que je venais d'assister à une opération d'infiltration…

La Mazda Z reprit Duval Street, roulant jusqu'au feu rouge près duquel je suivais la scène, assise sur mon scooter à l'arrêt. Une musique latino tonitruante se déversa de la voiture lorsque la vitre teintée du passager se baissa. Dans le rythme frénétique des trompettes et des bongos, je posai de grands yeux sur ses occupants. J'eus un froncement de surprise, puis je secouai la tête de stupéfaction.

Ce n'était pas possible. Je connaissais les deux individus à l'intérieur de la Mazda. Cette tête à claques de barman aux pointes décolorées, Teo, tenait le volant, ce qui ne l'empêchait pas de s'adonner à sa spécialité : se frotter le nez. Plus surprenant encore, il était accompagné de ma patronne, Elena. Les yeux fermés, elle jouait du tambour sur le tableau de bord en chantant sur l'air de salsa.

Dès que le feu passa au vert, la Mazda partit en trombe, disparaissant dans la circulation qui encombrait le haut de la rue. Les yeux rivés sur les feux arrière de la voiture, j'entrepris d'assembler les divers éléments du puzzle. Sur le coup, je fus soulagée de constater que je connaissais l'ensemble des protagonistes de ce mystérieux rendez-vous. L'espace d'une seconde, je me demandai même si toutes ces cachotteries ne présageaient pas bêtement quelque joyeuse perspective ; une fête surprise en mon honneur, par exemple. Mais la réalité reprit très vite le dessus. Il n'y avait pas de fête en préparation. Bien au contraire.

Et si j'étais mariée à un policier corrompu ? Non, c'était Elena ! C'était elle, la ripou ! Peter montait une opération contre elle et Teo. Je savais de source sûre que ce dernier sniffait de la cocaïne, sans doute dealait-il aussi. Tout s'expliquait.

Un klaxon retentit derrière moi. Tournant le guidon de ma Vespa, j'accélérai pour libérer le passage. Mais je dus trop mettre les gaz car ma roue arrière patina et mon scooter se renversa, me projetant à terre. Je demeurai un moment étendue sur le sol, une douleur atroce dans le coude et le genou, la tête dans le caniveau, avant de réussir à me dégager du poids de ma Vespa et à m'asseoir sur le trottoir.

Abasourdie, j'examinai la peau déchirée de mon genou. Un mince filet écarlate dégoulinait le long de l'arête de mon tibia jusqu'à ma cheville, où il déviait vers la gauche. Tandis que je contemplais le parcours de mon sang, les notes de « Super Freak » de Rick James s'échappèrent du bar plein à craquer derrière moi.

« *When I make my move to her room, it's the right time*, chantait la foule éméchée. *It's such a freaky scene.* »

— Hé ! Ça va ? cria une voix masculine avinée dans mon dos. Vous voulez un coup de main ?

Je secouai la tête, puis, relevant ma Vespa, me remis en selle pour rentrer.

22

Il me fallut vingt minutes pour regagner la maison. Je pris une douche, pansai mon genou et me couchai, attrapant au passage la télécommande sur la table de chevet pour regarder la télévision. En dépit de ma détermination à rester éveillée jusqu'au retour de Peter, je piquai du nez au bout de quelques minutes.

Le gris profond de l'aube avait envahi le ciel derrière les stores de la chambre lorsque je me réveillai. Sur l'écran, des jeunes femmes maigres et trop maquillées souriaient comme Miss Amérique en comptant leurs flexions avant.

La sonnette retentit soudain. Je sortis du lit en trébuchant. Peter ? Avait-il oublié sa clé ? Ma confusion augmenta lorsque j'aperçus par la fenêtre du salon une voiture de patrouille dans l'allée. Ouvrant la porte, je découvris, non pas Peter, mais une petite femme vêtue d'un uniforme de la police de Key West que je n'avais jamais vue auparavant. Je pensais pourtant connaître tous les collègues de mon mari.

— Jane Fournier ?

Même dans mon égarement hébété, je compris, à son comportement et à l'intensité de son regard, qu'il était arrivé quelque chose. Je me sentis soudain lasse et impuissante, incapable d'encaisser la nouvelle que s'apprêtait à m'annoncer la policière. Face à ses traits durs, je fus assaillie par une furieuse envie de retourner m'étendre dans ma chambre. Le soleil se levait déversant sa lumière dans le ciel tandis que je restais pétrifiée sur le seuil.

— Oui ? articulai-je enfin.

— Il va falloir me suivre, Jane.

Que se passait-il ? Pourquoi venait-on me chercher chez moi aux aurores ?

— Je regrette d'avoir à vous dire ça. C'est votre mari, Peter. Il y a eu une fusillade.

23

Une fusillade ?

Cette idée stérile passait et repassait en boucle dans mon esprit engourdi tandis que la voiture de patrouille traversait les rues de Palm Beach à tombeau ouvert. Malgré mes efforts répétés pour former une autre pensée, mon cerveau récalcitrant s'y refusait.

Une fusillade ? Cela signifiait-il que Peter avait été touché ? Je posai un regard vide sur la moquette jonchée de rapports d'incident. Forcément, sinon cette policière rousse ne serait pas venue me chercher.

Quelques heures plus tôt, je voulais lui parler, tenter de comprendre ce qui se tramait. Et maintenant cette fusillade… Je ne savais plus que penser quand les pneus de la voiture crissèrent dans un virage. Que signifiait tout ce cirque ? Depuis que j'étais montée à bord du véhicule de police, j'avais l'impression d'être complètement déboussolée, mais ce n'était rien comparé à la gifle que je reçus lorsqu'il s'arrêta avec un grincement de freins devant une station-service Shell de North Roosevelt Boulevard. Je crus que la fin du monde venait de sonner. Une demi-douzaine de voitures de patrouille stationnaient dans des hurlements de sirènes, à côté de trois ambulances et d'un camion de pompiers. La brise qui soufflait du littoral nord agitait le cordon de sécurité jaune qui, tendu entre les pompes, donnait à l'ensemble de la station des allures de gigantesque cadeau. Attroupés tout autour, des touristes et des traînards contemplaient le spectacle en silence, épaule contre épaule, comme le public d'une étrange compétition sportive sur le point de débuter. Toutes les forces que comptait la police de Key West semblaient s'être rassemblées sur les lieux. Je promenai mon regard de visage en visage, m'arrêtant sur ceux que je reconnaissais. Des hommes qui incarnaient la joie de vivre et la décontraction lors de nos matchs de softball et nos barbecues improvisés, mais qui, occupés à délimiter la scène de crime dans leur uniforme noir austère, paraissaient soudain froids, sans cœur et furieux, presque hostiles. Que diable s'était-il passé ?

— La voilà ! s'écria Billy Mulford en m'apercevant.

Le quadragénaire courtaud aux cheveux blonds était un collègue et un bon ami de Peter. La dernière fois que nous nous étions vus, nous étions sur un bateau de plaisance à bord duquel l'alcool coulait à flots. Il semblait maintenant aussi joyeux qu'une porte de prison.

— C'est Jane, la femme de Peter. Laissez-la passer.

Complètement abasourdie, je m'exécutai sans poser de questions lorsqu'on me fit signe de me glisser sous le ruban jaune qu'on soulevait pour moi, comme si j'appartenais aux équipes de secours. Une nouvelle ambulance arriva sur les lieux et coupa sa sirène assourdissante, tandis que Mulford me guidait d'un pas rapide à travers l'asphalte blanchi par le soleil de la station-service.

Une petite dizaine de secouristes étaient agenouillés à l'entrée de la supérette, autour d'un corps dont je ne distinguais pas le visage. Les mains tremblantes, je m'efforçai de donner un sens à l'agitation qui régnait à l'intérieur du magasin, joignant mes paumes dans un geste de prière.

— Allez ! Allez ! aboya un grand gaillard noir en sortant une seringue d'un coffret jaune de premiers secours. Faites de la place, bordel !

L'instant d'après, une autre voix, aiguë et paniquée, hurla :

— Attention, on sort !

Les roues d'un brancard se déployèrent dans un énorme fracas et l'attroupement de policiers et d'ambulanciers se dispersa pour dégager le passage. Mes genoux faillirent flancher quand Mulford s'écarta de mon champ de vision et que j'aperçus enfin le corps étendu sur la civière. Je reculai, chancelante, ma tête agitée de secousses affolées.

Quelque chose s'effondra dans ma poitrine quand le brancard passa devant moi. Peter y gisait, les yeux éteints, le visage et le buste couverts de sang.

24

Les policiers formèrent un cercle compact autour de mon mari, le soustrayant au regard des curieux jusqu'à une ambulance qui exécutait une marche arrière.

Plusieurs détails s'imposèrent simultanément à moi : la pâleur extrême de sa peau, la fine toile d'araignée sanglante qui éclaboussait sa joue et son cou, la large entaille coupée aux ciseaux dans le bras de sa chemise d'uniforme, qui révélait une croûte de sang noirâtre s'étirant en ruisseaux sombres jusqu'à son coude.

Mes yeux ne le quittèrent pas lorsque les ambulanciers le chargèrent à l'arrière de leur véhicule. Peter n'était pas seulement touché, il paraissait mort.

— Laissez-la passer, ordonna Mulford en me traînant à la suite du brancard. C'est sa femme.

— C'est pas le moment, putain ! cracha le médecin noir en l'écartant d'un geste du bras.

— Oh, c'est pas vrai ! C'est pas vrai ! gémit Mulford.

Il secoua la tête en regardant l'ambulance emporter Peter, puis referma son poing sur mon épaule.

— Je regrette, Jane. Ça n'aurait jamais dû se produire.

— Que s'est-il passé ?

Il haussa les épaules, livide.

— On n'en sait trop rien. Je viens juste d'arriver, moi aussi. On pense que Peter a surpris des braqueurs alors qu'il venait chercher un café pendant son service. Il s'agirait de deux hommes, des Jamaïcains. Ils étaient armés d'une mitraillette. Un véritable guet-apens. Nous sommes à leur recherche.

Il se retourna brusquement quand une femme maigre et étonnamment musclée émergea de la supérette, ses baskets tachées de sang.

— Comment elle va ? demanda-t-il.

Elle ? Je me décalai d'un pas pour lancer un regard vers le fond du magasin. Je n'avais pas remarqué les autres secouristes à l'intérieur. Trois d'entre eux entouraient un autre corps. Lorsque, m'avançant, je distinguai une masse de cheveux blonds à côté d'une casquette tombée par terre, j'eus l'impression d'avoir foncé la tête la première dans une clôture électrique invisible. Sans raison aucune, je me mis à branler lentement du chef.

Elena baignait dans une flaque de sang, la gorge réduite en bouillie. Morte.

25

Un de ses yeux avait été transpercé par une balle ;
l'autre, grand ouvert, fixait le plafond. On aurait dit
qu'une citerne d'hémoglobine avait été renversée dans
la boutique. Il y en avait partout : sur son uniforme,
sur des bidons de liquide lave-glace couchés par terre,
sur les gants de chirurgien qu'un secouriste retira avec
un claquement sonore en beuglant un juron... Des
gouttes, des flaques, des traînées immondes de sang
rouge aux relents de cuivre.

— Je suis désolée, déclara la secouriste à Mulford.
Elle a été touchée par une bonne demi-douzaine de balles
au visage et au cou, plus quatre autres dans l'abdomen.
Le temps que nous arrivions sur les lieux, elle avait déjà
perdu trop de sang. Nous n'avons pas pu la sauver.

— Et l'autre ? l'interrogea Mulford en pointant le
doigt sur sa gauche.

Mes yeux suivirent son index. Deux pieds noirs
dépassaient d'un rayon, pareils à ceux de la méchante
sorcière de l'Est broyée par la maison de Dorothée[1].

------

1. Cf. *Le Magicien d'Oz.*

— L'employé ?

La secouriste secoua la tête.

— Il a pris une rafale en pleine gorge, il est mort sur le coup.

Il y avait donc une troisième victime. Je me remis à hocher la tête. La bouche entrouverte, je considérai les rayonnages éclaboussés de sang et de cervelle, les douilles de laiton, les bris de verre. Une pestilence fécale d'hôpital infestait l'air. Jamais je n'avais côtoyé d'aussi près tant de violence et de mort. C'était un véritable bain de sang.

Je sortis d'un pas chancelant derrière Mulford pour fuir la puanteur. Dehors, derrière le cordon de sécurité, la foule avait doublé de volume. Un grand quadragénaire en jean coupé, torse nu sous son panama, se glissa soudain sous le ruban jaune pour s'emparer d'une douille, qu'il leva devant ses yeux rougis.

Mulford s'élança vers lui.

— Hé ! hurla-t-il. Reposez ça !

Ce n'est qu'alors que je remarquai le pistolet. Noir et mat, il reposait à mi-chemin entre la première pompe et la porte d'entrée de la supérette, sur l'asphalte taché d'essence, à côté d'un petit plot jaune vif placé là par les techniciens de la police scientifique.

Lorsque je m'approchai d'un pas pour mieux l'étudier, je m'aperçus que je m'étais trompée. Ce n'était pas un pistolet comme les autres, mais une arme plus grande, avec un canon criblé de trous. Du gros scotch gris entourait sa crosse et des éraflures striaient sa surface, à côté de l'inscription « Intratec Miami 9 mm ».

Penchée en avant, je fixai l'arme. Je n'arrivais pas à en détacher mon regard. C'était un pistolet-mitrailleur semblable à celui que j'avais vu sur le bateau de Peter.

C'était même le pistolet-mitrailleur que j'avais vu sur le bateau de Peter.

— Bien reçu, lança Mulford dans sa radio tout en me rejoignant. Envoyez les inspecteurs au plus vite. Dites-leur que l'officier Cardenas a été abattu, peut-être qu'ils se magneront le train.

En face de la station-service, les mâts blancs des voiliers de la marina de Palm Avenue se détachèrent soudain sur le fond bleu du ciel. Que faisait ici l'arme de Peter ? Mais était-ce seulement la sienne ?

— Viens, Jane, m'appela Mulford. Peter est au Lower Keys Medical Center. Je t'y emmène.

Nous nous éloignâmes en direction de sa voiture de patrouille. À l'intérieur, je sursautai lorsque le petit flic pugnace écrasa son poing sur le volant.

— Enfoirés !

Au bout d'un moment, je m'aperçus qu'il pleurait. Après avoir essuyé ses larmes à la hâte, il tourna la clé de contact.

— Excuse-moi, Jane. C'est juste qu'Elena était extra, tu sais. Je n'arrive pas à croire qu'elle n'est plus là. Une chance que les médecins aient réussi à arrêter l'hémorragie de Peter. Il faut en remercier Dieu.

— Quoi ? lâchai-je en me redressant, comme si c'était moi que Mulford avait frappée plutôt que le volant.

— Personne ne t'a prévenue ? Les secouristes ont réussi à stopper l'hémorragie, Peter devrait s'en sortir.

26

L'hôpital où avait été conduit Peter se trouvait sur Stock Island, à cinq minutes de Key Wcst. Sur place, un infirmier des urgences m'informa qu'il avait été admis directement en chirurgie. Je passai les deux heures suivantes assise dans une salle d'attente remplie d'uniformcs, au premier étage de l'hôpital. Peu à peu, les collègues de Peter s'éclipsèrent dans le couloir, formant de petits groupes qui discutaient à voix basse. Je regardai le flash spécial de 7 News sur la télévision bas de gamme accrochée au-dessus de la porte. Une masseuse philippine avait disparu à Marathon, dans les Middle Keys, et l'on soupçonnait le Tueur de Floride d'avoir encore frappé.

Une famille en or venait juste de commencer à la suite du bulletin d'information lorsqu'un homme de grande taille vêtu d'un uniforme de police entra dans la salle d'attente.

— Jane ? lança-t-il en traversant la pièce en deux enjambées rapides. Je suis le chef de la police de Key West, John Morley, le patron de Peter. Vous ne pouvez pas savoir à quel point je suis navré de ce qui est arrivé.

Je serrai la main qu'il me tendait. J'avais déjà vu

son portrait dans les journaux locaux, mais c'était la première fois que je le rencontrais.

— Merci, monsieur.

— Je vous en prie, appelez-moi John. Comment va Peter ?

— Il est encore au bloc.

Il rapprocha une chaise pour s'y asseoir.

— Vous devez vivre un enfer, observa-t-il avec un mouvement compatissant de la tête. D'après nos premières informations, Peter et Elena sont entrés dans la station-service au beau milieu d'un hold-up. Toutefois, aucune hypothèse ne peut être écartée d'office quand les forces de l'ordre sont prises pour cible. Cela vous ennuie si je vous pose quelques questions ?

— Non, bien sûr que non.

— Savez-vous si Peter a eu un différend avec quelqu'un ? Un voisin ? Une personne qui lui en voudrait pour une raison ou une autre ? Ou s'il a reçu des appels bizarres ? Vous rappelez-vous quelque chose d'inhabituel qui pourrait expliquer ce qui est arrivé ?

Je songeai immédiatement aux scènes dont j'avais été témoin pendant la nuit et au curieux comportement de mon mari. Cependant, je décidai de garder tout cela pour moi tant que je n'en aurais pas discuté avec le principal intéressé.

— Je ne sais pas trop… Non, je ne crois pas, répondis-je avec un haussement d'épaules.

Morley me tapota le genou sans me quitter du regard.

— Ce peut être n'importe quoi, Jane. Peter a-t-il agi de façon un tant soit peu étrange, ces derniers temps ?

Je le considérai du coin de l'œil, surprise par son insistance. Je cherchais désespérément une échappatoire lorsqu'une séduisante Asiatique en tenue de bloc verte apparut dans l'encadrement de la porte, me tirant d'embarras.

— Bonjour, je suis le Dr Pyeng. Votre mari est sorti du bloc opératoire. Son état est stable. Si vous voulez bien me suivre…

Je m'empressai de lui emboîter le pas dans le couloir.

— Nous avons réussi à extraire la balle intacte. L'impact a déchiré une portion considérable de tissu musculaire profond au niveau de l'épaule, mais, par chance, l'os n'a pas été touché. Aucun vaisseau sanguin ni aucun nerf n'a été sectionné. Il n'y a donc aucune lésion permanente à craindre.

Je pensais que nous prendrions l'ascenseur, mais elle franchit des portes battantes automatiques sur la droite, et s'arrêta ensuite devant la première pièce après une salle de soins désertée, puis poussa la porte.

La chambre, sombre et exiguë, était encombrée d'un imposant lit d'hôpital. À proximité, un moniteur cardiaque blanc et luisant émettait de faibles bips, flanqué d'un goutte-à-goutte à moitié plein. Peter était étendu dans le lit, les paupières closes, un fin tuyau rosé sous le nez. Un volumineux bandage lui enveloppait l'épaule gauche et une voie intraveineuse s'enfonçait dans son avant-bras droit valide.

— Sa tension est bonne, il n'est plus en état de choc, me chuchota le Dr Pyeng en me conduisant à l'intérieur, refermant la porte derrière nous. Il ne devrait plus rien y avoir à craindre de ce côté.

Peter ouvrit des yeux vitreux. Je lançai un regard à la poche de la perfusion. L'inscription « SOLUTION DE DIAZÉPAM » s'y détachait en grosses lettres rouges, juste au-dessus du mot « Valium », en plus petits caractères. Mon mari referma sa main autour de la mienne, ancra ses yeux dans les miens et exhala un long soupir, le visage éclairé d'un large sourire serein.

— Sirène, murmura-t-il.

J'avais retrouvé mon gros nounours, mon compagnon de boisson. Comme il était beau, même couché dans un lit d'hôpital. Il m'adressa un sourire gamin digne d'un Brett Favre[1] qui décroche la victoire en prolongation. Je retins mon souffle pour plonger dans ses yeux bleus ensommeillés. Ses yeux étaient ce qui m'impressionnait le plus chez lui. Aussi pâles et doux qu'un jean délavé. Quelques secondes passèrent ainsi, puis ses paupières se fermèrent et il se mit à ronfler.

— Ce sont les calmants, me murmura à l'oreille le Dr Pyeng. Il faut qu'il se repose, maintenant. Il sera plus lucide demain, quand vous reviendrez.

---

1. L'un des plus grands quaterbacks du football américain.

27

— Vous connaissiez aussi Elena, non ? me questionna Morley tandis que nous quittions le parking de l'hôpital dans sa Ford Bronco aux couleurs de la police de Key West.

Le chef de la police m'attendait dans le couloir devant la chambre de Peter quand j'en sortis, et il avait insisté pour me raccompagner à la maison. À défaut d'excuse valable, je m'étais trouvée contrainte et forcée d'accepter.

— Nous travaillions ensemble dans son entreprise de traiteur, répondis-je. Je n'arrive pas à croire qu'elle n'est plus là.

— Personne n'y arrive.

Il bifurqua pour s'engager sur le pont de l'Overseas Highway qui relie Stock Island à Key West, au sud. Puis il hocha la tête avec un froncement de sourcils.

— Ne vous en faites pas. Nous avons envoyé un message à toutes les unités, des Lower Keys à Miami ; nous aurons ces ordures. Ce n'est qu'une question de temps, maintenant.

Il dressa l'oreille quand un crachotement inintelligible s'éleva de la radio de police sur son tableau de bord. Il souleva l'émetteur, comme s'il voulait répondre, avant de se raviser et de le reposer sur son socle. Il m'adressa alors un sourire las.

— Comment vous êtes-vous rencontrés, avec Peter ? Si ce n'est pas trop indiscret, bien sûr. Vous paraissez… eh bien… un peu jeune.

— Je suis venue pour le *Spring Break* il y a deux ans. J'ai rencontré Peter et je ne suis plus jamais repartie.

— Ah, le coup de foudre ! C'est tellement romantique ! Vous avez craqué pour l'uniforme, ou il était en civil ? s'enquit-il, souriant.

— Oh, l'uniforme y est pour beaucoup, répondis-je avec un sourire hésitant. En fait, j'ai grillé un stop avec mon scooter de location. Peter m'a contrôlée et… voilà.

Mon mari et moi avions accordé nos violons afin de donner à tout le monde la même version inoffensive de notre rencontre.

— Une idylle de scène du crime, observa Morley avec un hochement de tête. Ça se passe comme ça, avec les flics. Ce sont les risques du métier. Une nuit, vous passez les menottes à une demoiselle sur la plage et, avant même de vous en rendre compte, vous la libérez et c'est la bague au doigt que vous lui passez.

Je jetai un regard au chef de la police. J'avais encore une fois l'impression qu'il me sondait, qu'il tentait de me déstabiliser. Mais ses yeux étaient rivés sur la route et sa voix ne contenait pas la moindre trace d'ironie ou d'accusation. Malgré tout, je retins mon souffle tandis que ses mots tourbillonnaient dans ma tête. *Une nuit, vous passez les menottes à une demoiselle sur la plage…* N'était-ce qu'une phrase en l'air, une pure

110

coïncidence, ou cet homme connaissait-il mon secret ? Soudain, il me sembla que l'air à l'intérieur du 4 × 4 se raréfiait et que la température montait. Des gouttelettes de sueur se mirent à perler sur mon cou, sous mes bras, le long de mes reins. Je tentai de baisser la vitre électrique, mais elle demeura bloquée. Morley devait avoir enclenché la sécurité enfant. Ma tête se mit à tourner. Je me rendis compte que je ne savais pas vraiment à qui j'avais affaire. Qui était Morley pour Peter ? Un patron ? Un ami ? Un ennemi, comme Elena ? Un complice ?

La voiture ralentit puis s'arrêta. D'un regard par la fenêtre, je constatai que nous nous trouvions devant la maison. Je descendis de voiture.

— Merci de m'avoir ramenée.

— À votre disposition, Jane. Je regrette que nous nous soyons rencontrés dans de si tristes circonstances. Et n'oubliez pas : si vous vous souvenez de quoi que ce soit qui puisse nous aider à comprendre ce qui est arrivé à Peter et Elena, n'hésitez pas à appeler. De jour comme de nuit.

— Vous pouvez compter sur moi.

Je dus réfréner une envie de courir à toutes jambes jusqu'à ma porte d'entrée. Les alizés frais, qui rendent d'ordinaire la chaleur de Key West supportable, me parurent glacials. Dès que j'eus refermé la porte derrière moi, je tournai le verrou et me postai à la fenêtre du salon. Le 4 × 4 pie se trouvait toujours à l'arrêt dans la rue, devant la maison. Il demeura là trois ou quatre minutes cauchemardesques. Quand, enfin, il démarra lentement, j'éprouvai le plus grand soulagement de ma vie. Je montai encore la garde plusieurs minutes, scrutant la rue d'un bout à l'autre. Puis je contemplai un moment les palmes qui se balançaient dans la brise, de l'autre côté de notre chemin sablonneux.

Alors que je tournais les talons, je me pétrifiai. Quelque chose venait de bouger à l'orée de mon champ de vision. Derrière la fenêtre, au coin du pâté de maisons, la Ford Bronco ralentit, puis s'immobilisa. Des fourmillements s'emparèrent de mon visage, me picotant les joues et les lèvres. Que signifiait encore tout ce cirque ? Voilà que Morley surveillait la maison. À moins qu'il ne me surveillât, moi…

Je m'éloignai de la fenêtre, incrédule et haletante. Mon dos heurta une chaise et je m'effondrai sur le carrelage mexicain.

La nuit tombait lorsque des criaillements rauques me réveillèrent sur le canapé du salon. Deux mouettes se battaient sur la digue, à l'arrière de la maison. Je les observai avec une fascination morbide se taillader à coups de bec en s'égosillant. Je me levai ensuite pour me servir un verre d'eau à l'évier. Je ne me rappelais même plus à quand remontait mon dernier repas. J'ouvrais le réfrigérateur quand j'entendis le crépitement familier des coquillages écrasés de notre allée sous les roues d'une voiture.

Je me précipitai à la fenêtre du salon, paniquée. La Bronco de Morley avait disparu, mais une voiture de patrouille ralentissait devant la maison. Je manquai m'évanouir lorsque la porte du passager s'ouvrit. La voiture recula ensuite dans l'allée, laissant Peter s'acheminer seul vers la maison, le bras gauche raide.

Peter ? Que fabriquait-il ici ? Il aurait dû être couché dans un lit d'hôpital ! Pourquoi ces incapables l'avaient-ils autorisé à sortir si tôt ? Une balle lui avait troué l'épaule, nom de Dieu !

Des clés tintèrent à la porte. Je m'écartai de la fenêtre, la gorge serrée. Le verrou cliqueta et la poignée tourna. Lorsqu'il m'aperçut, mon mari se figea sur le seuil. On aurait dit un enfant qui joue à un-deux-trois-soleil. Moi aussi, je me pétrifiai. Tout paraissait étrange, déphasé. Même la lumière détonnait. La nuit tombait, mais on se serait cru au lever du jour.

Lorsque Peter referma enfin la porte derrière lui, des larmes pointèrent dans ses yeux bleus et ses clés lui glissèrent des doigts. Alors qu'il s'accroupissait pour les ramasser, il s'écroula sur le carrelage.

— Ces enflures de l'hosto voulaient me garder, mais ils peuvent toujours courir, expliqua-t-il, les yeux plissés vers le plafond. Dès que j'ai ouvert les paupières, j'ai arraché cette merde à mon bras et j'ai largué les amarres. Je les emmerde ! Et j'emmerde les salauds qui ont essayé de me faire la peau ! Je m'en suis tiré. Un point pour moi, zéro pour eux. Je suis de retour à la maison, Jane.

Je songeai à ce que j'avais vu, aux événements étranges dont j'avais été le témoin involontaire, aux cachotteries de Peter. Toutes ces manigances cachaient forcément quelque chose de louche, mais je nourrissais l'intime conviction que, quel que fût le fond de l'affaire, mon homme avait de bonnes raisons d'agir ainsi. Peut-être s'était-il mis dans un pétrin inimaginable ? Après tout, c'était lui qui tenait les comptes à la maison. Peut-être cherchait-il à compenser les pertes d'un mauvais placement par quelques écarts de conduite. Peut-être ne s'adonnait-il à ses activités nocturnes que pour protéger notre couple. J'étais bien placée pour savoir que Peter ne se formalisait pas de quelques incartades. Il avait le goût du risque. La preuve : avec moi, il avait joué gros. Et si j'y trouvais quelque chose à redire, j'aurais dû y réfléchir avant de l'épouser.

Tout à coup, mon cœur se serra d'amour et d'apitoiement pour cet homme. Je ne voulais plus jamais qu'il reparte au travail. Je voulais qu'il reste ici, chez nous, en sécurité, qu'il ne quitte plus jamais notre sanctuaire, notre petit nid à l'abri du mal, où toutes les erreurs étaient pardonnées. J'allai m'asseoir près de lui et pris ses mains dans les miennes. Alors, il enfouit son visage dans mes cheveux et pleura.

— J'ai eu si peur, Peter, lui avouai-je. J'ai cru que je t'avais perdu.

29

La veillée mortuaire d'Elena eut lieu le lendemain soir, au funérarium Dean-Lopez, sur Simonton Street. À peine arrivés, Peter et moi fûmes avalés par la file d'uniformes officiels qui s'étirait sur le trottoir jusqu'à l'intersection suivante.

À l'instar de ses collègues, mon mari portait ses habits de cérémonie, parfaitement repassés, sa casquette enfoncée sur les yeux et sa veste bleue drapée comme une cape sur son épaule blessée. Accrochée à son bras valide, je le suivais dans une robe noire lugubre. Alors que nous remontions le passage qui s'était ouvert dans la foule, des centaines de mains vinrent flatter son dos.

— On va choper ces fumiers, mon vieux, lui affirma un policier de l'État de Floride, chauve, avec une moustache entortillée d'hercule de foire.

— Tiens bon, renchérit une petite Noire qui portait l'uniforme des forces de l'ordre de Marathon.

À l'autre bout du pâté de maisons, une assemblée de Noirs en deuil entrait en file indienne dans le funérarium. Mon regard s'attarda sur les petits garçons en chemise amidonnée et nœud papillon et les fillettes en robe de communiante. Sur la plate-forme d'un pick-up stationné, un groupe créole jouait de la musique. Car ce soir-là se tenait aussi la veillée funèbre de l'employé de la station-service, un immigré haïtien de cinquante-trois ans du nom de Paul Phillip Baptiste. Toute l'île semblait s'être donné rendez-vous au funérarium.

Peter continuait de recevoir étreintes et condo-léances avec des inclinaisons de tête empreintes d'une sollicitude solennelle.

— Je n'aurais jamais pu traverser ça sans toi, Sirène, me murmura-t-il quand nous entrâmes enfin dans l'établissement.

La veille, nous avions passé la plus merveilleuse des journées. J'ignorais depuis quand nous ne nous étions plus accordé autant de temps ensemble. Nous étions restés à la maison, ne sortant du lit que pour admirer le coucher de soleil. À deux ou trois reprises, Peter m'avait paru tout près de se livrer à des confi-dences, mais il avait changé chaque fois d'avis et de sujet. Je n'avais pas insisté. Je crois que je préférais ne pas savoir. Je voulais simplement le garder près de moi, je me contrefichais de tout le reste. Et je ne dou-tais pas un seul instant qu'il finirait par tout me raconter. Nous étions, somme toute, les meilleurs amis du monde. J'avais toutefois assisté à une scène trou-blante, le matin même. En regagnant la cuisine après avoir bu mon café dans le jardin, j'avais surpris Peter en train de parler tout bas au téléphone, le dos tourné. Alors que je me figeais dans l'embrasure de la porte, il avait haussé le ton.

— J'emmerde tes projets à la con, Morley ! avait-il aboyé d'une voix froide et venimeuse.

Je ne l'avais entendu parler sur ce ton qu'une fois,

la nuit où il m'avait arrêtée sur la route du bord de mer.

— Sois là, c'est tout, avait-il ajouté très distinctement tandis que je ressortais en catimini. Je ne te le dirai pas deux fois.

Je trouvais curieux que Peter s'adresse avec si peu d'égards à son supérieur. Celui-là même qui avait surveillé la maison. C'était décidément difficile à comprendre.

Quand vint notre tour de nous recueillir, nous avançâmes côte à côte jusqu'au cercueil couvert de fleurs et nous agenouillâmes. Derrière nous, un silence s'abattit sur la salle. Du coin de l'œil, je vis Peter ôter sa casquette. Je l'en débarrassai lorsque son visage se froissa, comme s'il subissait les assauts d'un insupportable tourment. Lorsque nous nous relevâmes, il s'attarda pour parler au mari d'Elena, Michael Cardenas. Je serrai quant à moi la main du prêtre à côté de Michael, puis celle de gens que je ne connaissais pas.

— Jane, tu es là, me déclara Gary, le chef cuisinier, en m'attirant dans une étreinte douloureuse. C'est terrible, hein ?

— Oui, c'est vraiment trop affreux, observai-je en promenant le regard autour de moi. Je ne vois Teo nulle part. Il n'a pas eu la force de venir ?

Gary secoua la tête.

— Il a quitté l'île. C'est complètement fou. Il m'a téléphoné le soir même de la fusillade pour me dire qu'il avait trouvé du travail dans un hôtel en République dominicaine et qu'il partait tout de suite. Sûrement qu'il n'a pas supporté ce qui est arrivé à Elena. Tu aurais dû l'entendre au téléphone, il faisait vraiment de la peine. Je suis allé chez lui le lendemain pour lui remettre son dernier chèque, mais le propriétaire m'a dit qu'il était déjà parti. Il a laissé ses vêtements et tout le reste.

La casquette de Peter m'échappa des mains. La dernière fois que j'avais vu Teo, c'était la nuit où j'avais filé Peter. Il se trouvait avec sa cousine, au volant de la Mazda gris métallisé. Elena morte, Teo avait disparu...

Laissant Gary saluer quelqu'un d'autre, je me tournai du côté du cercueil, à l'autre bout de la pièce. Morley venait d'arriver et Peter se tenait près de lui. Tous les deux étaient plongés dans une conversation passionnée à voix basse.

— Madame Fournier ?

Je fus saisie de panique lorsque je me retournai. À seulement quelques centimètres de moi se tenait un bel homme avec de longs cheveux blond sale et une barbe à la Jésus. Des milliers d'années semblaient s'être écoulées depuis ce samedi soir, mais je reconnus sans peine le sosie de Björn Borg qui m'avait terrorisée devant la maison d'Hemingway le jour du mariage. Je reculai d'un pas.

— Je vous connais ?

— Non, répondit-il d'une voix dont la profondeur me désarçonna. Mais moi, je vous connais. Enfin, pour ainsi dire.

Que me chantait-il ?

— Vous êtes de la police ? tentai-je encore, sceptique.

— Du FBI, pour être exact.

En prononçant ces mots, il me glissa discrètement une carte de visite dans la main. Il me fallut quelques secondes pour me remettre du choc. J'examinai alors le bristol frappé du logo du Bureau fédéral. L'inscription « Agent spécial Theodore Murphy » y était suivie d'un numéro de téléphone.

— Pourquoi me donnez-vous ça ?

Sans cesser de fouiller la pièce du regard, il haussa les épaules.

— Ça fait toujours plaisir de recevoir un coup de main quand on est dans le pétrin, se justifia-t-il avec un petit signe de son menton blond en direction de la carte. Cachez-la avant qu'on vous voie.

— Quoi ? Qui, « on » ? Avant que qui me voie ?

Murphy porta son attention vers l'autre bout de la pièce, où Peter et Morley discutaient. Il se fendit alors d'un nouveau haussement d'épaules.

— Soyez très prudente, Jane.

Puis il partit.

30

Il était 7 heures du matin quand, une semaine après les funérailles d'Elena, j'entendis gronder le moteur du Stingray de Peter. Je sortis de la douche, abandonnant ma serviette derrière moi pour courir à la fenêtre.

À travers les lamelles du store, je vis un homme traverser notre jardin jusqu'au bateau de Peter, en traînant dans son sillage une volumineuse glacière à roulettes. Grand, les cheveux gris. C'était Morley. Alors qu'il montait à bord de l'embarcation, je me remémorai l'étrange appel téléphonique de Peter. « J'emmerde tes projets à la con, Morley. Sois là, c'est tout. Je ne te le dirai pas deux fois. »

Un petit coup mat fut frappé à la porte de la chambre.

— Jane !

Peter pointa sa tête dans l'entrebâillement.

— Waouh ! s'exclama-t-il en me voyant nue. Du coup, je ne sais plus ce que j'étais venu te dire. Ah, si ! J'ai complètement oublié de te prévenir que je partais pour une partie de pêche en mer avec le patron.

Devant mon air incrédule, il reprit :

— Je sais, je sais, j'aurais dû t'en parler. Je suis vraiment incorrigible ! observa-t-il en se donnant une tape sur la main. En fait, c'est une idée du patron. Il s'est dit que ce serait l'occasion de se vider la tête après la fusillade et de faire plus ample connaissance. Pas mal, non, de copiner avec le boss ? Qui sait si ça ne finira pas par une promotion ? Et ne te fais pas de bile pour mon épaule, je laisserai le vioque remonter les grosses prises.

Il m'embrassa tendrement sur le front avant de me relâcher.

— Merci pour ton soutien toute cette semaine, Jane. Tu es la meilleure. J'ai hâte d'être à notre petite escapade au Breakers. Steak au poivre, bien saignant. Je t'aime.

— Attends ! criai-je comme il fermait la porte derrière lui.

Il repoussa le battant en souriant.

— Quoi ? Un petit coup pour la route ? sourit-il en me prenant dans ses bras. Pas de problème, mais il va falloir mettre les bouchées doubles. Je ne peux quand même pas faire attendre le patron.

— Mais non, idiot ! répliquai-je en faisant mine de lui écraser mon poing sur la poitrine. Mais c'est tellement imprévu. À quelle heure pensez-vous être de retour ?

— Je ne sais pas… Comme d'habitude, au coucher du soleil ? On fera griller du poisson. Tu sais que les jeunes loups aux dents longues dans mon genre aiment dévorer leur proie après l'avoir tuée.

Je hochai la tête.

— Alors, je te verrai ce soir.

— Peut-être bien avant, répliqua-t-il en me pinçant les fesses avant de quitter la pièce.

31

Deux heures plus tard, je patientais sur les marches rose corail de la bibliothèque publique de Key West, sur Fleming Street, baignée d'une transpiration qui ne s'expliquait pas seulement par la hausse de température. À 9 h 30 précises, le verrou grinça enfin dans mon dos. Je me relevai d'un bond et ramassai les deux grands cafés que j'avais achetés chez Dunkin' Donuts. Toute menue derrière le comptoir d'information, Alice Dowd afficha un sourire surpris quand je m'approchai et lui tendis un gobelet en carton.

— Jane… les bras chargés de présents, observa ma vieille amie, tout sourire. Que puis-je faire pour toi par cette belle matinée, ma jolie ?

— En fait, je voudrais effectuer des recherches sur mon père, mentis-je.

— Des recherches, je vois, répondit la bibliothécaire en sortant un mouchoir en papier de son bureau pour y déposer son café. Eh bien, tu as frappé à la bonne porte. Par où veux-tu commencer ?

— Avez-vous accès à la presse de Boston ?

— C'est ton jour de chance ! me lança Alice en se levant.

D'un geste, elle m'invita à la suivre dans un couloir tapissé de livres, derrière le comptoir, pour rejoindre une petite salle.

— Nous venons de recevoir ces ordinateurs équipés du nouveau logiciel Netscape. Il permet d'accéder à des milliers de journaux, de magazines, de bases de données et d'archives. Viens, je vais te montrer comment ça fonctionne.

Lorsqu'elle m'eut installée devant l'un des ordinateurs, j'attendis qu'elle regagne son bureau. Après avoir bu une gorgée de café noir amer, je considérai le pas que je m'apprêtais à franchir. Puis je fis le grand saut. Sortant la carte que Björn Borg – alias l'agent Theodore Murphy, ou qui que fût cet homme – m'avait remise à la veillée mortuaire d'Elena, je la retournai et déchiffrai les inscriptions au stylo qui figuraient à son verso.

« Boston Globe, 22 septembre 1988
Boston Globe, 29 octobre 1988
Vous êtes en danger. Je peux vous aider. Appelez-moi. »

Depuis qu'il m'avait glissé cette carte dans la main, je nageais en plein brouillard, les nerfs à vif. Je ne comprenais pas en quoi le quotidien de Boston pouvait bien me concerner. Et pourquoi diable un agent du FBI cherchait-il à entrer en contact avec moi ? Surveillait-il Peter ? Planquait-il lorsque je l'avais aperçu le soir du mariage, dans le jardin d'Hemingway ? Mais alors, qui épiait-il ? Elena ? Moi ? Tentait-il de me recruter pour je ne sais quelle mission ? Je ne connaissais aucune des réponses à ces questions ; néanmoins, j'avais pris soin de conserver la carte de visite du mystérieux inconnu à l'abri des regards indiscrets.

Prenant une profonde inspiration, j'entrai les mots « Peter Fournier » et « Boston Globe » dans le moteur de recherche, puis j'appuyai sur la touche « Entrée ». L'écran vacilla. Une quinte de toux me secoua lorsque deux liens apparurent devant mes yeux. Tous deux renvoyaient au *Boston Globe*. À des numéros du journal dont les dates correspondaient à celles figurant sur la carte. Je m'empressai de cliquer sur le premier lien avant de trouver une bonne raison de m'abstenir. L'écran s'obscurcit une seconde, puis une petite icône en forme de sablier surgit. Je m'apprêtais à appeler Alice à la rescousse lorsque l'image s'afficha.

The Boston Globe
22 septembre 1988
L'ÉPOUSE D'UN JEUNE POLICIER ABATTUE LORS D'UN BRAQUAGE.

32

« Amanda Fournier, épouse de Peter Fournier, jeune recrue des forces de police de Boston, a été abattue jeudi dernier lors d'un braquage dans une épicerie fine de Boston. Selon les témoins, il était environ midi quand un homme masqué a fait irruption dans l'établissement en brandissant un fusil de chasse et réclamant de l'argent. L'agresseur tentait d'arracher le sac de Mme Fournier quand des coups de feu ont été tirés, tuant la jeune femme de vingt ans sur le coup. Le suspect a pris la fuite dans un pick-up Chevrolet bleu. De sources policières, les Fournier projetaient de fonder une famille. »

Je déglutis mécaniquement, les mains agitées de soubresauts. Une terrible envie de vomir me saisit, comme si on venait de m'asséner un coup de pied en plein ventre. Du café gicla de mon gobelet et ébouillanta mes mains tremblotantes, mais je ne sentis pas la brûlure.

Les dates coïncidaient. C'était Peter, je le sentais jusque dans la moelle de mes os de femme enceinte. Il avait donc été marié ? Et sa femme assassinée ?

Jamais il ne m'avait dit qu'il était veuf. Il m'avait affirmé, en revanche, que j'étais la première fille qu'il fréquentait plus d'un mois. Et qu'il venait de New York, pas de Boston. Ce que j'avais cru sur parole, malgré sa passion suspecte pour l'équipe de base-ball des Red Sox.

— Non ! lâchai-je tout haut devant l'écran d'ordinateur.

D'un revers du poignet, j'essuyai la sueur sur mon visage. Quand je me retournai, Alice me lorgnait depuis son bureau.

— Tout va bien là-bas ? me demanda-t-elle.

— Oui, oui, mentis-je encore.

Je reportai mes yeux sur l'article de journal, sentant la colère monter en moi.

Et alors ? Qu'est-ce que cela prouvait ? Ce n'était qu'une coïncidence. Un certain Peter Fournier avait appartenu à la police de Boston : la belle affaire ! Le monde comptait des Peter Fournier à la pelle. Ce n'était qu'une co-ïn-ci-dence ! Et que fabriquais-je ici, d'abord ? Je perdais mon temps, voilà ce que je fabriquais. Je me rendais folle.

Repoussant ma chaise, j'empoignai le café auquel j'avais à peine touché. Je devais sortir de cette cage de béton exiguë. J'avais besoin d'un bon footing sur la plage, ou d'une longue baignade. Dans l'après-midi, je pousserais peut-être jusqu'à Old Town et l'un des quais du centre historique pour acheter du thazard frais, au cas où Peter et Morley rentreraient bredouilles.

Mon mari traficotait peut-être un peu, mais nous pouvions vivre avec. Je n'allais tout de même pas enquêter sur lui, comme une espèce d'Alice Roy. Björn Borg et son énigme de merde n'avaient qu'à aller se faire voir ! Ma virée au pays des tarés était terminée. J'allais retrouver ma place à la maison. Et tout de suite !

Mais, alors que je me levais, je ne pus m'empêcher de m'interroger sur le second lien. Je cliquai sur la flèche de retour, fixant la touche « Entrée » comme si elle portait le mot « Autodestruction ». Alors, je reposai mon café et cliquai sur la souris.

— Allez, plus vite ! m'impatientai-je, jouant nerveusement avec le bord du couvercle en plastique de mon gobelet devant le moniteur imperturbable.

La machine bourdonna. Quand l'écran passa du noir au blanc, mon cœur sombra dans ma poitrine. Une première image apparut alors que je faisais défiler la page. Une photo floue. J'immobilisai la souris, la main tremblante.

C'était une photo de Peter. Un Peter plus jeune de quelques années, vêtu d'un uniforme de la police de Boston. Face à ses yeux, je sentis ma gorge rétrécir lentement, d'abord au diamètre d'un tuyau d'arrosage, puis d'une paille. Je fermai les paupières pour faire disparaître l'image et le reste de mon univers, qui se désintégrait à la vitesse de la lumière.

C'est impossible, pensai-je, les yeux toujours clos. Je croyais réussir peu à peu à retrouver mon calme, mais je m'illusionnais. La chaise sous moi me parut soudain branlante, comme si toutes ses vis s'étaient détachées.

Et moi qui pensais être entrée dans le monde des adultes le jour où j'avais perdu mon père ! J'étais bien loin du compte. Assise devant le portrait qui prouvait les mensonges de mon mari, je sentis mon cœur céder et mon cerveau prendre la relève. Je considérai mon

alliance et ma bague de fiançailles avec des tremblements. Je devais cesser de faire l'autruche, sortir de ce
fichu rêve. Nier n'était plus possible. Les images ne
trompaient pas. Les faits non plus.

Un : Peter venait de Boston, pas de New York.

Deux : Peter avait été marié à une femme qui était
morte assassinée.

Trois : Peter me mentait depuis le premier jour.

Quatre : J'étais dans la mouscaille jusqu'au cou.

Le temps sembla s'arrêter lorsque, baissant les yeux,
j'avisai le gros titre sous la photo. J'eus alors l'impression que le monde qui tourbillonnait impétueusement
autour de moi s'arrêta net sous les néons de la bibliothèque. Moi qui m'imaginais que la situation ne pouvait se gâter davantage, je me fourrais le doigt dans
l'œil.

Le journal titrait :

« Un policier interrogé dans l'enquête sur la mort
de sa femme. »

33

« Les autorités de la police de Boston ont interrogé l'époux de la femme assassinée lors du braquage d'une épicerie fine, le mois dernier. L'officier Peter Fournier, jeune recrue des forces de police de Boston, a refusé de répondre aux questions des journalistes quand il a quitté les quartiers généraux de la police en compagnie de son avocat dans la nuit.

Âgée de vingt ans, Amanda Fournier est décédée de multiples blessures par balle lors d'un braquage qui a eu lieu le 21 septembre dernier. Réceptionniste dans un cabinet de pédiatrie de Crescent Street, elle est entrée dans l'épicerie fine voisine, le Jake's Deli, peu avant midi. Selon les témoins, un homme masqué s'est engouffré derrière elle. Elle a été abattue de plusieurs balles quand elle a hésité à lui donner son sac. Le braquage n'a occasionné aucun autre blessé.

Le rapport d'autopsie du bureau du coroner du comté de Suffolk confirme que Mme Fournier était enceinte.

Les inspecteurs ont refusé de révéler si M. Fournier avait été entendu pour un simple interrogatoire de routine. Une source proche de l'enquête a toutefois qualifié de "suspects" les événements entourant le meurtre.

Les voisins du couple, qui considèrent les Fournier comme un ménage soudé, ont appris avec stupéfaction l'interrogatoire de M. Fournier. Il en va de même des collègues de M. Fournier au sein de la police de Boston, dont l'un décrit la jeune recrue de vingt-six ans, ancien ranger des forces armées américaines, comme un élément extrêmement compétent sur qui tous peuvent compter. »

J'interrompis ma lecture. Une sorte de grisaille s'abattit sur le monde autour de moi, comme si on avait actionné un variateur de lumière. Incapable de respirer, je clignai des yeux et attendis que mon cœur se remette à battre.

Je remarquai alors une photographie sous l'article. Avec un frisson, je découvris le portrait accompagné de la légende « Amanda Fournier ». La jeune femme avait les cheveux coiffés en coque très haute et les yeux ombrés de noir. Face à ce cliché, deux réflexions surgirent en même temps dans mon esprit : on aurait dit une photo d'album de lycée, *ma* photo d'album de lycée ! Je me remémorai ce que Peter m'avait répondu lorsque je l'avais interrogé sur ses drôles d'horaires.

« Et puis… je t'ai regardée dans les yeux. Je n'ai pas foutu un pied dans une église depuis ma communion, je te le jure, mais, à cet instant, je me suis senti touché par la grâce. C'était comme si Dieu m'envoyait un ange du ciel. »

Tu m'étonnes ! Je demeurai assise devant l'écran sans pouvoir détacher mon regard de feu Mme Fournier.

Je ne me souviens pas d'avoir imprimé l'article, ni quitté la bibliothèque, ni même enfourché ma Vespa. Lorsque je sortis de mon état de choc et pus enfin former une pensée, je me trouvais devant la poste centrale, sur Whitehead Street. Sur le trottoir, un clochard à la peau cuivrée leva les yeux du chapeau de paille qu'il tressait quand je m'arrêtai d'un coup de guidon dans un nuage de poussière. La poste abritait un téléphone public, installé dans une cabine à l'ancienne aux allures de confessionnal, sombre et fermée par une porte. C'était de ce réduit retiré que j'avais appelé l'université pour annoncer l'abandon de mes études. L'endroit offrait tout ce que je recherchais à cet instant : l'intimité, l'obscurité, la confession.

Comme j'entrais dans le bâtiment, pareille à un zombie, un nouveau titre de journal me traversa l'esprit.

« L'épouse d'un policier disjoncte. »

34

Je pénétrai dans le bureau de poste dans une sorte de transe et extirpai de ma poche une poignée de pièces de vingt-cinq cents, avant de m'écrouler dans la cabine téléphonique des années 1930 logée dans un coin de l'établissement puis d'en refermer la porte. Plusieurs pièces glissèrent de mes doigts et allèrent tinter sur le marbre poussiéreux entre mes pieds lorsque je composai le 411, pour les renseignements téléphoniques.

Il fallait que je sache ce qui s'était passé après l'interrogatoire de Peter. Je devais remonter aux sources, aller au fond des choses. S'il y avait un fond...

Après avoir obtenu le numéro de la police de Boston auprès des renseignements, je le composai, puis insérai ma monnaie dans l'appareil. Un détail de l'article passait en boucle dans ma tête, comme un bandeau d'information défilant au bas d'un écran de télévision. J'en avais des haut-le-cœur.

Amanda Fournier était enceinte. Comme moi.

Je transpirais tellement que le combiné faillit me glisser des mains lorsque la dernière pièce cliqueta dans l'appareil et que la sonnerie retentit.

— Police de Boston.

— Bonjour, je souhaiterais parler à l'inspecteur… Yorgenson, demandai-je en consultant le nom dans l'article que je tenais à la main.

— Un instant, répondit le flic bourru du standard.

— Yorgenson, annonça une voix encore plus bourrue, quelques instants plus tard.

— Jane Baker, me présentai-je avec un nasillement du Sud très convaincant – à croire que ma démence passagère boostait mes talents d'actrice. Je travaille pour la société de cautionnement Tony's Bail Bonds, à Miami. Nous procédons à quelques vérifications en vue de l'embauche d'un certain Peter Fournier. Il semblerait qu'il ait été impliqué dans une affaire d'homicide. J'ai trouvé votre nom dans un article du *Boston Globe*. Pourriez-vous m'apporter quelques précisions à ce sujet ?

J'espérais, malgré tout, une bonne nouvelle. En dépit des mensonges et des manigances, je nourrissais encore l'espoir d'entendre une explication valable, la confirmation qu'il ne s'agissait que d'une grossière erreur.

— Miami ? lâcha Yorgenson. Alors c'est là que ce danger public a atterri ? Je me ferai une joie de vous éclairer sur son compte, madame. Ce fils de pute a tué sa femme en toute impunité. À l'heure qu'il est, il devrait moisir en taule.

35

J'ouvris la porte de la cabine, le souffle court. Une étrange pression, une pesanteur nouvelle saturait l'air, comme si de l'eau s'était engouffrée dans le bureau de poste poussiéreux à mon insu, me submergeant lentement.

— Ça vous en bouche un coin ? reprit l'inspecteur. C'est vrai que Pete n'a pas vraiment le look du psychopathe. Un vrai charmeur, surtout avec ces dames.

— Comment pouvez-vous en être sûr ?

— Après le meurtre, une enquête a été menée dans les règles de l'art. On s'est tout de suite penché sur le cas de Fournier, plus pour le blanchir qu'autre chose, remarquez. Mais voilà qu'on découvre une facette très intéressante de la recrue de l'année : figurez-vous que plusieurs plaintes pour violence avaient été déposées contre lui. Et puis, à en croire les rumeurs, monsieur aimait faire la fête le nez enfariné, et il était séparé de sa femme. On apprend alors par l'un des amis d'Amanda que c'est à cause du bébé. Il voulait qu'elle avorte, elle a préféré demander le divorce. Ça faisait des mois qu'il la harcelait quand elle est morte. Il la suivait au travail, filait jusque chez eux les hommes qui travaillaient avec elle. Il lui aurait affirmé à plusieurs reprises que s'il ne pouvait pas l'avoir, personne ne l'aurait.

Yorgenson marqua une pause, laissant ses révélations produire leur effet.

— Je ne sais pas si ça figure dans les journaux, mais Amanda a reçu plusieurs balles. La première dans l'abdomen. Le premier officier arrivé sur les lieux n'a pas tardé à raccrocher après les faits, avec une pension d'invalidité mentale. Il paraît qu'il crèche dans la station de métro de l'hôtel de ville, maintenant.

Il laissa échapper un ricanement amer.

— Et vous croyez que le Pete angoissait pendant son interrogatoire ? Pas du tout ! Il était tranquillement assis, avec ses grands yeux glacials de bébé et son sourire de petit péteux, comme si nous étions des superpotes en train de mater un match des Sox au zinc du coin. Son alibi était tout prêt. Il ne s'est même pas fatigué à demander si nous avions d'autres pistes. On aurait dit que ça l'amusait.

— Mais alors, pourquoi n'a-t-il pas… ?

— Fini derrière les barreaux ? Il n'y a pas un jour où je ne me pose la question. Après tout, c'était un cas classique de mari abusif qui vire meurtrier, une affaire qui aurait dû être résolue en un rien de temps. Et pourtant… Le proc' a refusé d'engager des poursuites, il n'a même pas voulu nous aider à obtenir un mandat de perquisition pour vérifier si l'arme du crime ne se trouvait pas chez lui. Je serais prêt à parier que l'oncle de Fournier y est pour quelque chose. Jack était directeur de l'Inspection générale à l'époque, il a dû menacer de dévoiler les petits secrets infamants qu'il gardait en stock et tirer toutes les ficelles nécessaires pour étouffer l'affaire dans l'œuf. Ce pourri de Fournier a quand même été obligé de démissionner, avec le grabuge que j'ai fait. C'était toujours ça.

Je fermai les yeux. Mes poumons se vidèrent d'un seul coup et mon front cogna contre mes genoux.

— Si vous voulez mon avis…, reprit Yorgenson.

À cet instant précis, mon crédit s'épuisa et la ligne fut coupée.

Quand je reposai le combiné sur son support, son déclic résonna comme un coup de feu dans le silence. Une balle en plein cerveau. Je considérai mes mains d'un œil fixe. Elles tremblaient au rythme de mon cœur, qui me martelait violemment la poitrine.

Je sortis d'un pas égaré, étourdie, éblouie par le soleil. On aurait dit que je revenais de travaux forcés, tant j'étais harassée, lessivée. Les marches et le trottoir blanchis par le soleil étaient vides. Le sosie de George Hamilton qui tressait des feuilles de palmier devant le bureau de poste avait déserté. Et il n'était pas le seul, pensai-je en levant les yeux sur un ciel si bleu que c'en était cruel. Ma raison aussi.

Je laissai mon scooter à sa place pour marcher. Je suivis la rue vers le sud, passant devant un chantier. Assis sur un chariot à outils à l'ombre d'un palmier royal, des ouvriers noirs et mexicains me dévisagèrent ostensiblement, avec avidité. Si ce genre d'attention me rendait d'ordinaire nerveuse, ce matin-là je soutins leur regard, les défiant de me siffler, de m'adresser la parole ou de me provoquer. Continuant à errer sans but, je tournai dans une rue bordée de palissades. Mais où allais-je comme ça ? Je n'avais plus de maison. Je n'en avais même jamais eu.

Quelle triple imbécile ! Les avertissements s'étaient multipliés, juste sous mes yeux, mais je les avais ignorés les uns après les autres. Maintenant, c'était terminé. J'avais été bernée, blousée, flouée. Le plus inquiétant, et le pire, c'est que j'étais moi-même l'auteur de cette duperie.

Peter n'était pas mon meilleur ami, il n'était pas l'amour de ma vie. J'éclatai de rire en repensant à l'existence heureuse au parfum de bien-être et de crème solaire que je me figurais, moins de vingt-quatre heures plus tôt. Au lieu de me dorer au soleil sur le pont supérieur du Stingray, je me retrouvais dans un bourbier d'une noirceur et d'une profondeur inimaginables. Et je n'avais pas la moindre idée de la façon d'en sortir. Un bourbier dans lequel je m'étais enfoncée de mon plein gré, comme Alice dans le terrier du lapin. Oui, c'était cela, me dis-je en longeant la rue ensoleillée, flirtant avec la démence. J'étais Alice, Peter, le lapin blanc, et Elena… la reine de cœur. Et on lui avait coupé la tête.

Key West n'était autre que le Pays des merveilles. C'était une théorie qui tenait parfaitement la route, en particulier pour qui a déjà mis les pieds dans Duval Street après les douze coups de minuit.

36

Vingt minutes plus tard, je garai mon scooter devant la maison et me rendis tout droit dans le placard de la chambre à coucher. Je sortis une valise, que je dépliai à même le sol de l'armoire pour y jeter en vrac des sous-vêtements, quelques T-shirts et un jean. Mes yeux se posèrent sur la grande boîte blanche qui, perchée sur l'étagère la plus haute, contenait ma robe de mariée. Je secouai la tête. Voilà une chose que je n'emporterais pas. *Cadeau, Peter !*

En car, je pouvais rallier Homestead, petite ville de Floride où j'avais grandi, en quatre ou cinq heures. Ma mère n'était plus là, mais je connaissais encore quelques personnes là-bas, notamment une grand-tante qui pourrait m'héberger quelques jours. Je soulevai le combiné du téléphone pour appeler un taxi. Peut-être pourrais-je décrocher un boulot dans le magasin Gap qui m'employait pendant les grandes vacances, le temps d'envisager la suite la tête froide.

Je relâchai le téléphone aussi sec. Minute papillon ! À quoi pensais-je ? Ce serait évidemment le premier endroit où me chercherait Peter. Je partais du principe qu'il consentirait à me voir le quitter mais, s'il fallait en croire l'inspecteur de Boston, il n'avait pas hésité à traquer sa première femme quand elle avait voulu divorcer. Je saisis ma tête entre mes mains et m'assis sur le lit.

Mon mari me réserverait-il le même sort ? Me harcèlerait-il, moi aussi ? M'assassinerait-il lors d'une mise en scène de braquage ? Je plaquai ma main sur ma bouche. C'était ce qui était arrivé à Elena. Ce n'étaient pas des Jamaïcains qui les avaient tués, elle et l'employé de la station-service. C'était Peter.

Soudain, tout s'éclaircit dans mon esprit. Il avait abattu sa collègue avec le pistolet-mitrailleur que j'avais vu sur son bateau, il avait inventé cette histoire de hold-up de toutes pièces. C'était forcément une affaire de drogue. D'où la présence du FBI. Peter faisait l'objet d'une enquête fédérale.

Je sus, à cet instant précis, que j'avais découvert le pot aux roses. Et je n'arrivais pas à croire que je m'étais voilé la face si longtemps. Peter n'était pas mon héros, il n'était pas l'amour de ma vie. C'était un flic corrompu, un dealer, un tueur sans pitié.

Et maintenant, Sirène ? Je m'affalai sur le lit et, étendue, scrutai le plafond. Au bout d'un moment, je me redressai et sortis la carte de l'agent fédéral, la tournant et retournant entre mes doigts, les yeux rivés sur le téléphone.

Sans doute la meilleure solution était-elle de le contacter. Il savait dans quel guêpier je me trouvais, il pourrait m'aider. Il me l'avait dit lui-même. Non, surtout pas ! Je me donnai une petite tape avec la carte sur le front. Si je l'appelais, tout finirait par éclater au grand jour : mon homicide involontaire, et la façon dont Peter avait fait disparaître le cadavre de Ramón Peña.

Je posai mes mains sur mon ventre et, contemplant le renflement qui s'en emparait déjà, je m'imaginai donner naissance à mon enfant derrière les barreaux. Hors de question ! Je froissai la carte dans ma main et me recroquevillai sur le lit. Je ne pouvais raisonnablement pas prévenir le FBI ; cela reviendrait à sauter dans un taxi pour la prison la plus proche. Il me fallut un peu plus d'une heure pour envisager une troisième possibilité et commencer à discerner un plan d'action, ainsi que les modalités de sa mise en œuvre. C'était une idée complètement folle.

Tout à fait mon rayon !

37

J'entrepris d'abord de ranger soigneusement tous les vêtements que j'avais sortis, je remis la valise à sa place et fouillai de fond en comble mon tiroir à chaussettes pour en extraire le moindre petit *cent* de pourboire que j'avais économisé en vue d'offrir une montre à Peter pour notre anniversaire de mariage. Deux cent onze dollars. Ce n'était pas lourd, mais je devrais m'en contenter.

Fourrant rapidement l'argent dans la poche de ma banane de footing, j'enfilai un T-shirt de sport, un short et des baskets. Je terminai par un petit passage dans la salle de bains pour appliquer une touche de gloss sur mes lèvres et m'attacher les cheveux en une jolie queue-de-cheval. Je devais être à mon avantage. Cet après-midi, j'avais rendez-vous avec le Tueur de Floride.

C'était le souvenir du flash d'information de l'hôpital qui m'avait donné cette idée : la disparition de cette femme à Marathon, et la rumeur qui localisait à présent le tueur en série dans l'archipel des Lower Keys. Dix-neuf jeunes femmes avaient disparu, comme volatilisées. Je serais la vingtième.

Je n'avais pas épousé le dernier des idiots. Pour fonctionner, mon plan ne devait comporter aucune faille. Ma disparition éveillerait sans aucun doute les soupçons de mon mari. Sans mentionner ceux de mon nouvel ami du FBI. Mais je n'avais pas le choix. Si je voulais échapper à cet homme et sortir de la tombe que je m'étais creusée, je devais tenter le tout pour le tout. C'était mon unique chance.

Après un dernier regard au reflet que me renvoyait le miroir de la salle de bains, je jetai un coup d'œil à ma montre. Bientôt midi. Je revins dans la chambre et contemplai, à travers les stores, la mer qui scintillait sous le soleil. Le bateau de Peter n'était pas en vue. Pas encore… Je partais avec une avance de six ou sept heures. Je ne voulais surtout pas arriver en retard à mon propre enterrement.

Après avoir verrouillé la porte de la maison, je remontai mon T-shirt de footing gris pour me tapoter le ventre.

— Souhaite-nous bonne chance, lançai-je à mon bébé. Maman va en avoir besoin.

Dix minutes plus tard, je longeais à pleins gaz Smathers Beach en scooter. Une fois n'était pas coutume, seules quelques personnes paressaient sur la plage de sable blanc. Une femme tressait les cheveux mouillés de sa fille pendant que deux ou trois vieillards grassouillets et de la couleur du cuir jetaient leur ligne dans une mer d'huile. Je levai la tête en direction d'un biplan qui traversait le ciel en bourdonnant, traînant derrière lui une banderole publicitaire : « VENEZ AU GREEN PARROT ! TOUT PRÈS DU KM 0 DE LA ROUTE 1 ! LE BAR LE PLUS AU SUD DU PAYS ! »

Le kilomètre zéro. Exactement où je me trouvais. Moins que zéro, même.

J'appuyai brusquement sur mes freins lorsque je repérai ce que je cherchais. Un grand échalas d'adolescent coiffé de dreadlocks blond cendré était assis sur la promenade de béton, dans une sorte de position de yoga. L'un des nombreux gosses des rues, skateurs acharnés et adeptes de rock punk que comptait Key West ; encore un jeune traînard des plages qui était descendu jusqu'au patelin le plus méridional de la côte Est des États-Unis pour Dieu sait quelle raison, fuyant

Dieu sait quoi. Moi aussi, je fuyais, mais dans la direction opposée. Ce pour quoi j'avais besoin de son aide. Je me plantai devant lui.

— Excuse-moi.

Il brandit un doigt, les yeux fermés, et resta ainsi un moment. Quand il se leva enfin, un sourire candide éclairait son visage hâlé.

— B'jour, m'dame, me salua-t-il avec un accent texan. J'm'excuse de vous avoir fait attendre, j'pratiquais juste un peu de respiration zen. Qu'est-ce que j'peux faire pour vous ?

Curieusement, la plupart des conversations se déroulaient ainsi à Key West.

— Ça va paraître un peu bizarre, mais je me demandais si tu pouvais aller faire une petite course pour moi.

— De la drogue ? m'interrogea-t-il avec méfiance.

— Non. Non, pas du tout. De la corde.

Il me dévisagea.

— De la corde ? De la vraie corde, quoi ? Vous voulez vous pendre, ou quoi ? Je marche pas dans ces combines maso, moi.

— Bien sûr que non, ce n'est pas du tout ce que tu imagines. En fait, j'ai besoin de paracorde. C'est spécialement conçu pour les parachutes, et je m'en sers pour ma petite affaire de parachutes ascensionnels. Mais je suis en rade et c'est mon ex-mari qui tient l'unique magasin de fournitures marines de l'île. Je ne veux pas faire à ce salopard le plaisir de me pointer en personne dans sa boutique, tu comprends.

La paracorde se révélait en fait un accessoire indispensable à mon plan d'évasion. Ce lien avait été retrouvé sur les lieux de plusieurs disparitions attribuées au Tueur de Floride. J'avais bien conscience que ma justification était aussi louche que ma requête, mais je ne m'y attardai pas. Malgré la taille réduite de Key West, il y régnait une saine atmosphère urbaine digne d'une grande métropole et un vent de gauche et de « nique la police » soufflait dans ses rues. Même si le jeune fumeur d'herbe faisait le rapprochement entre ma course et ma disparition, il n'irait certainement pas voir les flics. En fait, je n'aurais pu rêver meilleur intermédiaire qu'un ado abîmé qui traîne dans les rues.

— Alors, qu'est-ce que tu en dis ? demandai-je en lui donnant un petit coup de coude.

— De la paracorde, hein ? Plutôt bizarre, remarqua-t-il en rajustant ses *dreads*. Mais depuis un mois que j'suis ici, j'ai vu pire comme bizarrerie. Vous tombez bien, j'fais dans la corde, ce matin. Dix dollars, ça vous va ?

— Affaire conclue.

Je lui fis signe de me suivre jusqu'à mon scooter.

39

Une fois en possession de la paracorde achetée par le jeune cow-boy zen, je fis escale dans une friperie de Bahama Village, puis à CVS. Je ressortais de la pharmacie avec deux sacs pleins à ras bord quand une SDF d'une vingtaine d'années m'accosta. Maigre, les yeux défoncés par le soleil et la drogue, elle portait un bébé dans les bras. Je ne pouvais pas vraiment me le permettre, mais je m'arrêtai néanmoins pour lui donner un dollar, en priant pour ne pas finir bientôt comme elle. Je repris ensuite ma Vespa jusqu'à Flagler Street pour déjeuner dans ma *bodega* préférée. Pendant que je dégustais lentement mon sandwich cubain, le soleil progressait jusqu'à son zénith.

D'après mes estimations, Peter ne se mettrait pas à ma recherche avant environ minuit. Avec un peu de chance, il attendrait même jusqu'au matin.

Mon déjeuner terminé, je regagnai Smathers Beach, au sud-est de l'île, et poussai jusqu'au tronçon le plus désert de la plage, près de l'aéroport. Là, je garai mon scooter et traversai le sentier sablonneux en direction des dunes. Je longeai la plage jusqu'à un endroit où les herbes hautes m'arrivaient à la poitrine, et m'accroupis parmi la végétation. Il n'y avait personne sur le sable, personne dans l'eau. C'était le moment.

Je commençai par mettre sens dessus dessous mon sac-banane, dans lequel j'avais pris soin de ranger mes clés et mon portefeuille. Puis j'utilisai les ciseaux achetés à la pharmacie pour couper une longueur de corde, que j'abandonnai sur mon Discman. L'étape suivante était celle que je redoutais le plus, mais aussi la plus cruciale. Je sortis un petit paquet du sac CVS et l'ouvris. Les lames de rasoir étincelèrent comme des éclats de miroir dans la lumière vive de l'après-midi lorsque j'en extirpai une de la boîte. J'examinai ensuite la surface de ma peau, hésitante. La gorge serrée, je finis par porter mon choix sur le mollet gauche.

Les dents enfoncées dans ma lèvre inférieure, j'approchai la lame de ma peau pour y découper une entaille. Un sifflement de douleur s'échappa de ma bouche quand j'incisai timidement sous le pli du genou. Je prolongeai ensuite mon geste vers le haut de la jambe en enfonçant le métal plus profondément, écartant les chairs.

Au début, seules quelques gouttes de sang s'écoulèrent de la plaie, mais, à force de fléchissements de genou, le filet grossit et j'obtins bientôt un joli ruisselet rouge qui dégoulina sur mon mollet et mon talon, puis noircit le sable. À cloche-pied, je sautillai çà et là pour asperger les environs : ma banane, les herbes et le bout de paracorde. Au bout de dix minutes, j'avais dressé le décor parfait. Un vrai carnage.

Peter s'étant tiré dessus pour fignoler sa scène de crime, je pouvais bien donner un peu de ma personne.

M'éloignant de quelques bonds, je m'assis dans le sable, où je nettoyai ma peau et pansai minutieusement ma plaie à l'aide de l'eau oxygénée, de la gaze et des bandages que je m'étais procurés à la pharmacie. Plus minutieusement encore, je ramassai ensuite le moindre petit déchet produit par l'opération. Puis je m'approchai de ma scène de crime et, d'un ultime coup de pied, projetai un peu plus de sable sur l'ensemble. Le menton posé sur le pouce, je contemplai le résultat comme un peintre devant sa toile. Enfin, je me relevai.

Je devrais m'en satisfaire.

Croisant les doigts, je tournai les talons et m'éloignai.

40

Il faisait noir comme dans un four. Le sol de béton était jonché de mégots de cigarettes et de petites bestioles frétillantes auxquelles je préférais ne pas penser. Un fort relent d'urine me piqua les yeux. C'était parfait. Je verrouillai la porte des toilettes publiques de la plage, à bonne distance de ma scène de crime fabriquée de toutes pièces.

L'endroit se révélait d'une angoissante sordidité, mais je ne m'attardai pas sur ce point. Le côté réservé aux femmes disposait d'une porte à loquet et d'un lavabo en état de fonctionnement, c'était tout ce qui m'importait. J'ouvris le robinet rouillé et farfouillai dans mon sac CVS. Vingt minutes plus tard, je m'observai dans le miroir. Le reflet qu'il me renvoya m'offrit une minute de divertissement bienvenue.

Mes cheveux humides, coupés par mes soins, viraient déjà au blond platine, et la dose de noir autour de mes yeux aurait fait pâlir d'envie un raton laveur. Avec ma jupe écossaise d'élève catholique, mon T-shirt noir Social Distortion et les Doc Martens montantes que j'avais dénichés à la friperie, je ressemblais à un hybride de Courtney Love et de diseuse de bonne aventure à la rue. Je n'avais négligé aucun détail. Je ressemblais à toutes les fugueuses adeptes de rock punk qui faisaient la manche dans les environs de Duval Street. Il était temps de prendre la route.

Un bus municipal reliait Key West à Marathon, mais ce serait la première chose que Peter vérifierait si ma petite mise en scène échouait à le berner. J'avais donc décidé de recourir à l'auto-stop, avec l'espoir de trouver des touristes de passage qui ne risquaient pas de faire le rapprochement entre la disparition de la jeune et jolie Jane Fournier et ma réincarnation punk.

Le vent se levait et les premières ombres dorées s'étiraient déjà sur le sable quand j'émergeai sur la plage. Un vrombissement attira mon regard vers le ciel, où un petit coucou à hélices perdait de l'altitude. De joyeux touristes sur le point d'atterrir au paradis.

— Un conseil : passez votre tour à l'heure des shots de gélatine ! criai-je dans leur direction.

Je posai les yeux sur l'océan et contemplai la courbe de l'horizon vers lequel je m'acheminais presque sans un sou et sans ami, avec seulement un enfant à naître. Je mis alors le cap vers le premier pont et tout ce que cette chienne de vie me réservait, battant le béton de la piste de jogging de mes lourdes Doc Martens.

41

Le Stingray lancé à pleine vitesse se mit à ricocher comme une pierre sur l'eau lorsque Peter accéléra, libérant les trois cents chevaux que le moteur avait dans le ventre. *Key West dans toute sa splendeur*, songea-t-il en admirant l'or rougeoyant du coucher de soleil à travers les gerbes d'eau. Du vent dans les cheveux, une bière froide à la main et de la sériole plein la glacière.

Les nuages rosés à tribord lui rappelaient la couleur de l'eau quand ils avaient donné le cadavre de Teo en pâture aux requins, dans l'après-midi. La dope que Peter leur avait achetée, à Elena et lui, aurait dû être pure. Il l'avait payée au prix de la pure. Or, elle était coupée. Pas beaucoup, mais assez pour leur coûter la vie à tous les deux.

Il prit une nouvelle goulée glacée de Corona avant de reposer la bouteille dans le porte-gobelet, ses yeux bleus vissés sur l'horizon. Il pensa alors ce qu'il pensait toujours quand sonnait le glas et que quelqu'un devait y passer. *Quel putain de gâchis !*

Le crépuscule était tombé quand ils pénétrèrent dans la baie. Peter coupa le moteur et se rangea d'une main experte le long de la digue. Il remarqua alors que toutes les lumières étaient éteintes derrière les fenêtres. D'un bond, il descendit du bateau et pénétra dans la maison, laissant Morley attacher le Stingray et décharger.

— Jane ?

Ses chaussures de sport n'étaient plus dans le placard. Il se dirigea vers la porte d'entrée, constatant que sa Vespa avait disparu, elle aussi. Il regagna la chambre, passa un appel téléphonique. Personne. Raccrochant, il s'assit sur le bord du lit, perdu dans ses réflexions. Il regarda encore le placard. Tous leurs sacs étaient encore là. Tous ses vêtements. Il se tourna alors vers leur photo de mariage, qui trônait sur l'étagère, près du lit.

— Merde !

Assis à la table de pique-nique, Morley découpait le poisson pour en garnir des sacs de congélation quand Peter émergea de la maison.

— Que se passe-t-il ? lança son supérieur.

— C'est Jane. Il y a un problème.

Je montai péniblement sur la minuscule saillie de l'accotement du pont en entendant grandir la plainte monocorde d'un camion à l'approche. Il s'en fallut de peu. Aveuglée par les phares, le côté du visage griffé par les gravillons, j'aurais pu toucher du bout des doigts le flanc du semi-remorque qui me dépassa à pleins gaz dans des grincements de ferraille. Mais j'aurais tout aussi bien pu terminer sous ses dix-huit roues.

Mes jambes faiblirent lorsque le souffle d'air sifflant déplacé à son passage me déséquilibra, manquant me renverser par-dessus le garde-fou qui m'arrivait au genou, et me précipiter dans la mer. Au moins le chauffeur avait-il eu la bonté de ne pas me déchirer les tympans avec son avertisseur pneumatique, à l'inverse de son petit camarade qui m'avait doublée avec fracas, quelques minutes auparavant.

Je descendis de l'accotement d'un bond et repris courageusement ma route dans la lumière rouge des feux arrière du semi-remorque, balançant sur mon épaule mon sac CVS, qui ne contenait plus qu'un demi-paquet de crackers et une bouteille d'eau presque vide.

Mes provisions s'épuisaient, et si mes jambes se portaient plutôt bien mes pieds me faisaient souffrir le martyre. Après presque quatre heures de marche dans mes Doc Martens d'occasion, les ampoules commençaient à y fleurir.

Les points rouges des feux de position d'un pétrolier qui mouillait au large brillaient dans le lointain et, au-dessus, des milliards d'étoiles bleu argent constellaient le ciel nocturne étonnamment clair. Ce spectacle me rappela le soir de mon mariage. Étendus à l'arrière de la maison, Peter et moi avions bu des Coors Light en nous embrassant dans le noir comme des adolescents et en guettant les étoiles filantes.

Il devait déjà s'être lancé à ma recherche.

D'après mes calculs, j'avais couvert une trentaine des cent soixante-dix kilomètres qui séparaient Key West du continent par l'Overseas Highway, mais la prudence me dictait de mettre encore quelques kilomètres entre lui et moi avant de commencer l'auto-stop. Plus je serais loin de Key West, moins le conducteur qui s'arrêterait risquerait d'établir un lien entre moi et ma disparition programmée.

Je marchai encore dix minutes avant de m'autoriser une pause lors de laquelle, assise dans le sable, je terminai mes biscuits salés. Je m'assoupis une seconde, mais je me relevai de force. Je ne pouvais plus attendre, je devais trouver une voiture tout de suite, sous peine de m'endormir sur le bord de la route.

À cette heure, Peter était sûrement rentré de sa partie de pêche. Or, l'Overseas Highway constituait le seul itinéraire possible pour sortir de Key West. Si je me trouvais encore là au matin, il me rattraperait. Je ne pouvais pas prendre ce risque.

Alors que je me hissais sur mes pieds endoloris, deux phares percèrent l'horizon derrière moi. Je rejoignis la chaussée et tendis un pouce timide. L'intensité des phares diminua tandis que la voiture ralentissait, la radio à fond. Quel genre de personne s'arrêterait pour prendre une auto-stoppeuse sur ce tronçon de route isolé ? Je retins mon souffle. Un bon Samaritain ? Un cinglé ? Peter ?

Lorsque les feux m'illuminèrent et que le véhicule s'immobilisa, je dus me mordre la lèvre pour contrôler son tremblement. Ce n'était pas une voiture, comme je l'avais cru, mais un pick-up vintage gonflé. Des planches à voile dépassaient de son plateau cerise, et l'autoradio crachait une chanson d'AC/DC à plein volume. Prenant une profonde inspiration, je braquai les yeux sur les deux occupants de la camionnette. Le conducteur paraissait relativement inoffensif. Jeune, les cheveux courts d'un blond tirant sur le roux, il ne portait pas de T-shirt. Son passager non plus, un homme plus âgé au physique nerveux et à la mine patibulaire, qui tenait une bouteille coincée entre ses genoux et arborait, sur l'avant-bras, un tatouage de sirène bien pourvue par la nature. Je tressaillis en notant leurs yeux vitreux et rougis, avant de flairer l'odeur d'herbe qui se dégageait de la voiture.

Dans quoi m'étais-je fourrée ?

— Salut, la rockeuse ! me lança le conducteur défoncé en baissant « Hells Bells ». On t'embarque ?

Le rebut de Red Hot Chili Peppers, à côté de lui absorba une lampée de liqueur Southern Comfort et rota.

— Le taxi est un peu bondé mais, attends un peu, je vais te faire de la place, ajouta-t-il en s'essuyant le visage.

Des picotements de peur glacials fourmillèrent le long de ma colonne vertébrale. Je savais que j'aurais dû attendre d'être entourée de plus d'habitations, de plus de lumière, pour commencer le stop.

— Tout compte fait, j'ai changé d'avis, les gars, répliquai-je en m'éloignant. Je vais marcher, merci. De toute façon, mon copain ne va plus tarder.

Mon cœur se mit à battre frénétiquement dans ma gorge quand le pick-up s'ébranla. Je dus réprimer mon envie de pleurer quand il se mit à rouler au pas, au même niveau que moi.

— Sérieux, on ne demande que ça, de te prendre.

Soudain, le véhicule s'emballa et exécuta un demi-tour frein à main juste devant moi.

— Ouais, allez, arrête de faire ta salope, maintenant ! cracha le maigrichon en ouvrant sa portière avec un sourire. On va pas te violer. Promis.

43

Abandonnant mon sac en plastique, je piquai un sprint dans la direction opposée. L'ordure à la peau sur les os s'esclaffa avant de lancer un hurlement rebelle, auquel succéda un ronflement de moteur. D'un regard par-dessus mon épaule, je vis que le pick-up partait en marche arrière.

S'ils essayaient de me foutre la trouille, c'était réussi.

J'étais sur le point de bifurquer pour me tapir dans les broussailles sur le bord de la route lorsque j'aperçus d'autres phares. Une voiture débouchait du pont, au sud. Je me ruai sur la chaussée avec des gestes frénétiques des bras. Le véhicule ralentit et s'arrêta à trois mètres de moi. C'était une Mercedes noire.

— Eh bien ! Tout va comme vous voulez ? me demanda le conducteur avec un accent britannique, tandis qu'un jack russell hargneux se mettait à aboyer sur le siège passager.

Je n'eus pas le temps de répondre que le pick-up pilait devant la berline de luxe dans une gerbe de sable et que ses deux occupants bondissaient sur la route.

— Tire-toi si tu veux pas finir à l'hosto, pauv' con !

lança le sale type au tatouage en brandissant sa bouteille d'alcool comme une massue.

Au lieu de prendre la fuite dans un crissement de pneus, comme je le craignais, le conducteur de la Mercedes se pencha par sa fenêtre avec un sourire.

— Brrr ! À l'hôpital ? Non merci, répliqua-t-il d'une voix fantasque et efféminée à l'intonation shakespearienne. Mais nous pourrions jouer au docteur à l'arrière de votre camionnette de gros costauds, qu'en pensez-vous ? Je fais le docteur. Qui veut être examiné le premier ?

J'étais visiblement tombée sur l'un des nombreux membres de la communauté homosexuelle de Key West.

Le sac d'os tatoué s'approcha de l'aile de la voiture noire en faisant tournoyer sa bouteille d'un geste adroit.

— La seule chose qui va être examinée, c'est ton portefeuille, tantouse ! Dès que je t'aurai fait avaler toutes tes dents.

L'Anglais ouvrit alors sa portière, et ma mâchoire se décrocha. Sous son beau visage aux cheveux noirs, l'homme cachait une imposante charpente d'un bon mètre quatre-vingts et un buste body-buildé flanqué de bras si musclés que son polo noir menaçait de craquer.

— Excusez ma hardiesse, jeune homme, poursuivit-il en s'avançant vers le sociopathe, ses bras veinés croisés sur sa poitrine extralarge. Vous a-t-on déjà dit que vous aviez des yeux de toute beauté ? Laissez-moi deviner... Vous êtes sagittaire ?

Mes deux poursuivants considérèrent un instant l'homosexuel au physique de catcheur avant d'échanger un regard rempli d'horreur et de prendre leurs jambes à leur cou. Une planche de bodyboard passa par-dessus bord et échoua sur la route lorsque le pick-up démarra en trombe.

— J'ai compris : trois, c'est un de trop, soupira l'armoire à glace en m'adressant un clin d'œil. Si ce n'est pas la triste histoire de ma vie…

44

— Sir Frank, pour vous servir, se présenta l'Anglais en s'avançant vers moi, main tendue, avant de désigner son jack russell. Et voici mon fidèle écuyer, Rupert. Ce ne sont pas des amis à vous, j'espère ?

— Pas du tout, répondis-je en serrant la grande main de Frank. Juste deux pauvres types qui voulaient me prendre en stop. Merci beaucoup de vous être arrêté. C'est une habitude, chez vous et Rupert, de secourir les demoiselles en détresse ?

— Pour vous dire la vérité, nous préférerions un damoiseau, mais une fois n'est pas coutume, nous ferons une exception pour vous. Montez donc ! Nous n'allons qu'à Little Torch, mais vous serez la bienvenue parmi nous jusque-là.

— D'abord, vous me sauvez, puis vous proposez de me véhiculer ! Si la route ne m'avait pas rendue si crasseuse, je vous sauterais dans les bras.

— Si la route ne vous avait pas rendue si crasseuse, je vous laisserais faire, repartit Frank, sourire aux lèvres. En réalité, j'ai un petit service à vous demander. Je crains que Rupert et moi n'ayons festoyé avec un peu trop d'exubérance, ce soir. Il y a parfois des contrôles sur ce tronçon de route et nous préfére-rions ne pas terminer au poste. Vous, en revanche, vous paraissez plutôt sobre. Seriez-vous d'accord pour prendre le volant ?

Prendre le volant ? D'une Mercedes ? Quelle question !

— Sans aucun souci, répondis-je. Si Rupert n'y voit pas d'inconvénient…

Sir Frank se pencha dans le véhicule pour s'entre-tenir avec son chien.

— Rupert vous fait dire de monter et d'écraser le champignon.

Avec un sourire à mon nouvel ami aux muscles bien bronzés, je contournai le véhicule pour m'installer à la place du conducteur. Un prince charmant homosexuel tout droit débarqué de la vieille Angleterre pour secourir une auto-stoppeuse, il n'y avait qu'à Key West qu'on voyait cela.

Je découvris un intérieur tout en bois, avec de somp-tueux sièges en cuir qui fleuraient l'eau de Cologne hors de prix. *Et moi qui serais volontiers montée dans un camion chargé de poules*, pensai-je en refermant la portière avec un lourd claquement sonore. La chance finissait enfin par me sourire.

J'enclenchai le levier de vitesse automatique et appuyai sur l'accélérateur. Avec un grondement, la voi-ture fit une embardée dans un nuage de sable et s'élança sur la route comme un fauve libéré de sa cage.

— Tout doux, tout doux, susurra Frank en sortant une flasque en argent de sa boîte à gants pour en boire une gorgée. Je crains de ne pas avoir bien entendu votre nom.

— Nina.

C'était le premier prénom qui m'était passé par la tête.

— À la vôtre, belle Nina ! lança Frank en avalant une nouvelle gorgée.

Je prenais plaisir à la promenade. Je n'étais jamais montée dans une Mercedes, et encore moins au volant d'une telle splendeur. J'aimais cette conduite, et tout particulièrement la vitesse à laquelle les garde-fous défilaient dans un flou continu de chaque côté de la route, creusant la distance entre Peter et moi. Mon plan d'évasion prenait un meilleur tour que prévu.

— Ce n'est pas très prudent de faire de l'auto-stop sur l'Overseas, Nina. Auriez-vous quelque chose à fuir ? Ou à suivre ?

— Ni l'un ni l'autre, mentis-je encore. Je suis en vacances à Big Pine avec des copines. Je viens du New Jersey. Je les ai perdues quand on faisait la fête dans Old Town.

— Du New Jersey ? répéta Frank en lorgnant mes vêtements de magasin caritatif avec un renfrognement dubitatif. Je vois.

— J'adore votre voiture ! remarquai-je pour changer de sujet.

Il sourit en écartant de son visage ses cheveux noirs arrangés en une coupe désinvolte. Ses yeux sombres paraissaient presque bridés et ses dents semblaient un peu trop parfaites, au point que je me demandai s'il n'avait pas des couronnes.

— C'est drôle que vous me disiez cela, répondit-il, c'est exactement ce que j'ai dit à son propriétaire quand il m'a pris en stop, il y a environ une heure. Vous n'imaginez pas les efforts qu'il m'a fallu pour faire rentrer cette grosse enflure dans le coffre.

Avais-je bien entendu ? J'eus un petit rire hésitant avant de me retourner vers lui. Il but une nouvelle gorgée à sa flasque, puis fixa la route sans un mot. Seul le sifflement de l'air troublait la nuit. Au bout d'un long et lourd silence gêné, il éclata de rire.

— Ling ling ling ling ling ling ling, chantonna-t-il sur l'air du générique de *La Quatrième Dimension*, avant de pouffer de nouveau. Je m'excuse, c'était trop tentant. Vous auriez dû voir votre tête. Vous n'avez pas beaucoup le sens de l'humour, belle Nina. Cela étant, je ne plaisante pas quand je vous dis que faire du stop est une activité dangereuse. Vous avez de la chance, je suis quelqu'un de bien. Vous imaginez ce qu'un petit branleur complètement barjo pourrait vous faire sur cette route, au milieu de nulle part ?

— Oui, merci encore, soufflai-je en déglutissant.

Était-ce une impression ou les choses prenaient-elles soudain une tournure très étrange ? Je m'efforçais de garder les yeux sur la route quand un éclair jaillit à ma droite, suivi d'un déclic sonore. Frank tenait un Polaroïd entre ses mains. Il arracha le cliché éjecté de l'appareil et le remua du bout des doigts. Et maintenant, il prenait des instantanés ?

— La photo est une de mes passions, remarqua-t-il en soufflant sur le film. Vous ne devinerez jamais mon slogan préféré, ici, en Amérique. « Ne prenez que des photos, ne laissez que des empreintes de pas. » Vous avez l'air choquée. Ne me dites pas qu'une jolie fille comme vous n'aime pas qu'on la prenne en photo ?

C'est alors que me revint une bribe du flash d'information que j'avais vu à l'hôpital, au sujet du Tueur de Floride. Je faillis quitter la route, la respiration soudain bloquée.

La Mercedes volée et son propriétaire dans le coffre tenaient peut-être de la plaisanterie, mais l'emballage de pellicule Polaroïd retrouvé sur les lieux de la disparition d'une prostituée, lui, n'était pas une blague.

À cet instant, Frank brandit de nouveau l'appareil.

— *Cheese !*

45

— Vous avez une belle ossature du visage, vous savez, remarqua-t-il en agitant son second cliché, tandis que nous poursuivions notre route. Un ami à moi est dénicheur de mannequins. Que diriez-vous d'un relooking ? Je pourrais faire des merveilles pour vous. Je pourrais vous prendre en très gros plan… Il faudra déjà que je m'occupe de ces vilains cheveux. Dites-moi, vous avez confié votre couleur à un aveugle ? Mais vous pourrez prendre une douche dans mon camping-car.

À la mention de ce véhicule, ma gorge se serra, comme si on venait de la bourrer de chiffons. Les spéculations sur le Tueur de Floride faisaient état d'un camping-car. Je remarquai alors le porte-clés qui pendait au contact. Ce détail m'avait échappé jusque-là.

Oh non…

Je fermai les yeux, les mains soudain agitées de tremblements sur le cuir du volant. Le porte-clés représentait un écu noir décoré d'un aigle. J'avais côtoyé suffisamment de militaires à Key West pour reconnaître le symbole des troupes aéroportées. Or, qui disait troupes aéroportées disait parachute… et paracorde.

Mais comment un ressortissant britannique pouvait-il appartenir à l'armée américaine ?

— Alors, qu'en dites-vous ? Des très gros plans ? Êtes-vous tentée ?

La moindre petite molécule de salive dans ma bouche s'évapora instantanément. Tout à coup, des lumières pointèrent au loin. Une enseigne lumineuse rouge se dessina derrière une petite fenêtre. Un bar. J'écrasai la pédale d'accélérateur.

— Je dois aller aux toilettes, annonçai-je d'une voix faible. Je vais m'arrêter.

— Pas la peine, mon camping-car se trouve juste un peu plus loin. Vous pourrez y aller là-bas, il n'y en a que pour une seconde.

Sans lâcher le champignon, j'actionnai le clignotant.

— Je ne peux vraiment pas attendre une seconde.

— Très bien, acquiesça Frank en posant son appareil photo. Comme on dit : « Quand faut y aller, faut y aller. »

Peut-être me trompais-je à son sujet. Peut-être avais-je tiré des conclusions hâtives. Mais peu importait : mon sauveur s'était de toute façon révélé bien plus louche que je ne le soupçonnais.

Alors que je freinais pour m'engager sur le parking, il reboucha sa flasque et la rangea dans sa boîte à gants. Quand il en ressortit la main, ses doigts serraient la crosse d'un pistolet noir mastoc. Il enfonça le canon dans une de mes narines.

— Tout bien réfléchi, continue de rouler, pétasse ! me commanda-t-il avec un accent new-yorkais.

Son intonation n'avait plus rien de britannique. Ni même d'homosexuel.

— Et que ça saute !

46

Le jack russell se mit à aboyer dans l'espace réduit derrière les sièges tandis que les lumières rouges du bar disparaissaient sur ma gauche.

— Qu'est-ce que c'est ? parvins-je à bégayer malgré mon émotion.

— Ça ? Un Walther P99, répondit Frank en agitant l'affreuse arme sous mes yeux.

Dans sa voix profonde et glaciale ne perçait plus aucune note fantasque.

— Pourquoi faites-vous ça ?

Mon rythme respiratoire s'affolait, je frôlais l'hyperventilation. Je ne voulais pas croire que j'étais à ce point le jouet du destin. J'avais dû m'endormir au bord de la route, m'enliser dans un horrible cauchemar. C'était, en tout cas, l'impression que cela donnait.

Comment était-ce possible ? Mon plan consistait à mettre en scène un enlèvement. Pas à en subir un vrai !

— Tu sais ce qui me débecte le plus ? me demanda Frank sur le ton d'un Robert De Niro. Les nénettes comme toi qui croient qu'il leur suffit de remuer leur petit cul pour que tout le monde soit à leurs pieds. Si j'étais une bonne femme, je me pendrais à la puberté.

Je te jure que je le ferais. Vous êtes vraiment trop immondes !

Dans ma terreur délirante, je me souvins d'avoir lu quelque part que certaines victimes essayaient de s'humaniser. En théorie, un ravisseur brutalisait moins facilement quelqu'un qu'il considérait comme un être humain.

— S'il vous plaît, ne faites pas ça. Je suis enceinte. S'il vous plaît, laissez-moi partir !

— Enceinte ? Le père est au courant ?

— C'est vous ? repris-je pour détourner son attention de moi. L'homme dans les journaux, c'est vous ? Le responsable de la disparition de toutes ces femmes ?

— À ton avis ? soupira-t-il. Le Tueur de Floride ! Ah, ces foutus journalistes, il n'y en a pas un pour trouver un pseudo original ! Et toi ?

Une violente douleur éclata dans ma bouche quand il m'étrilla les lèvres et les dents avec le canon de son pistolet.

— Toi, tu ferais mieux de la boucler avant que je broie tes jolies pommettes si délicates.

Ma tête se mit à tourner et la surface de la route à onduler derrière le pare-brise. Mon estomac se ratatina en un nœud inextricable. J'étais assaillie d'irrépressibles nausées. Les crackers, l'épuisement et la plus violente épouvante de ma vie me retournaient l'estomac, dont le contenu se mit à bouillonner et ballotter, réclamant une libération immédiate. Je me penchai pour vomir par la fenêtre lorsqu'une idée me traversa l'esprit. Après tout, qu'avais-je à perdre ?

D'une volte-face, je rendis tripes et boyaux sur les genoux du Tueur de Floride. Comme il beuglait de dégoût, je détachai sans réfléchir sa ceinture de sécurité.

Le moteur hurla lorsque j'écrasai la pédale d'accélérateur en braquant violemment le volant à droite.

Malgré le déploiement de l'airbag, la friction de la ceinture me brûla le cou lorsque nous percutâmes de plein fouet un poteau téléphonique. Le capot se plia contre le pare-brise et le fracassa. Dans la violence de la collision, la Mercedes se souleva, bascula vers la droite et dérapa sur le garde-fou de béton dans un horrible crissement d'ongles géants sur un tableau noir, me déchirant les tympans. Puis la voiture bascula en arrière par-dessus le parapet, nous emportant avec elle.

Les étoiles scintillèrent à travers le verre éclaté du pare-brise tout au long de notre chute libre, jusqu'à ce que la voiture fende l'eau dans un « plouf » retentissant. Le choc projeta violemment ma tête en avant, comme si j'avais reçu un méchant coup de batte de base-ball par-derrière.

Les flots noirs et froids s'engouffrèrent très vite dans le véhicule, bien trop vite pour me donner le temps de trouver une issue. J'essayai d'ouvrir la portière, mais elle pesait trop lourd. L'eau m'arrivait déjà au cou. J'eus tout juste le temps d'avaler une dernière bouffée d'air avant d'être engloutie par la masse liquide.

Je ne distinguais plus rien. La voiture semblait décrire des zigzags et des tête-à-queue en sombrant. Je ne savais même plus si j'avais la tête en bas ou en haut. À ma panique s'ajouta une étrange et subite paralysie. Stupidement, je me demandai si je pouvais espérer trouver une poche d'eau ou si je devais retenter d'ouvrir la portière. Je m'aperçus alors que ma fenêtre était ouverte. Aussitôt, j'entrepris de m'extraire de la carcasse de la voiture. Sans succès. Je me croyais bloquée à l'intérieur lorsque je compris que la ceinture m'entravait.

Alors que je m'escrimais à la détacher, une douleur m'élança dans l'épaule droite. Le jack russell me mordait sous l'eau. Après l'avoir repoussé à l'aveuglette, je réussis enfin à me libérer, mais ses crocs se refermèrent sur mon talon lorsque je me glissai par la fenêtre. Je me retournai et, tendant le bras, agrippai une pleine poignée de fourrure pour l'entraîner dans mon sillage.

J'ignore qui, de l'animal ou de moi, haletait le plus fort quand nous fendîmes enfin la surface. Comme je le tirais par le collier en direction des palétuviers qui poussaient sous l'empierrement de la route, le cabot referma encore ses mâchoires sur mon bras.

— Arrête ! lui hurlai-je. Recommence et je t'abandonne pour de bon !

Il faut croire qu'il reçut le message. Il poussa un faible geignement et, adouci, se laissa remorquer. C'était à peine si j'arrivais à nous maintenir tous les deux à flot avec mes lourds godillots.

Lorsque je me trouvai assez près du rivage pour avoir pied, je me retournai vers l'endroit où la voiture avait sombré sans apercevoir aucun signe du Tueur de Floride. Avait-il réussi à s'en sortir vivant ? J'espérais bien que non. Mais tout était survenu si vite…

Le jack russell m'emboîta le pas avec un aboiement quand je sortis de l'eau et traversai les taillis et le sable en direction de la chaussée. Je lâchai un juron. Les fondations de la route formaient un mur incliné dans ma direction, rendant son escalade difficile. Un bon mètre séparait le haut de mon crâne du bord supérieur du garde-fou.

Perchée sur un grand morceau de bois flotté, ce ne fut qu'au bout de quatre tentatives que je réussis à saisir le parapet en sautant. L'inclinaison m'empêchant de m'aider de mes pieds, je restai alors suspendue dans le vide, à osciller d'avant en arrière. J'essayais en vain de balancer une de mes lourdes bottines sur la balustrade quand un bruit d'éclaboussure retentit dans mon dos.

— Nina ? cria le Tueur de Floride depuis la mer, avec un calme angoissant. Ah, te voilà ! Attends-moi.

48

— Je suis sûr que tu t'inquiètes pour moi, reprit-il en pataugeant dans l'eau. Voyons… J'ai une clavicule cassée, le visage déchiqueté et du verre plein l'œil mais, à part ça, je me porte comme un charme.

En sanglotant, je jetai ma jambe en l'air de toutes mes forces. Cette fois, je réussis à atteindre le haut du parapet du bout de ma chaussure trempée, mais mon pied glissa aussitôt. J'oscillai dans le vide, impuissante, tandis que les clapotements enflaient derrière moi. Avec un hurlement, j'effectuai une nouvelle tentative, mais j'étais trop terrifiée pour ne serait-ce qu'effleurer ma cible. Derrière moi, les bruits d'éclaboussures se changèrent en craquements de broussailles écrasées.

— Tes bras ne fatiguent quand même pas déjà, dis-moi ? Mais qu'est-ce que tu fabriques ? Tu ne sais pas qu'il est illégal de fuir les lieux d'un accident ?

Encore une seconde et il me rattraperait. J'avais les bras aussi mous que des spaghettis cuits. Je devais y arriver. Je balançai tout mon corps vers le haut… et ratai mon coup !

— Pas mal, Nina ! observa le Tueur de Floride, alors que la pesanteur me ramenait à mon point de départ. Tu y étais presque.

Je me mis à envoyer des coups de pied à l'aveuglette. Le talon d'une de mes Doc Martens toucha son visage dans un délicieux impact. Avec un hurlement d'animal étranglé, il s'effondra à genoux, les mains plaquées sur le nez.

Avec le peu de forces qui me restaient, je changeai de prise, puis me hissai d'une traction. J'enroulai ensuite mon bras droit autour du garde-fou et basculai par-dessus. J'eus l'impression qu'un muscle se déchirait dans mon abdomen, avant de m'écrouler sur le bitume. La plainte stridente d'un poids lourd résonna alors comme un roulement de tonnerre dans mes oreilles.

C'est une blague ! Ce fut la dernière pensée qui me traversa l'esprit tandis que je gisais ventre à terre sur la chaussée, éblouie par les phares aveuglants d'un camion qui fonçait droit sur moi. Pétrifiée, je ne pouvais que fixer ces lumières qui grandissaient dans des hurlements d'avertisseur pneumatique. Les freins du poids lourd poussèrent alors un interminable couinement métallique.

49

Le camion s'arrêta à moins de deux mètres de moi dans un énorme soupir. De mon poste d'observation, quasi recouverte par la masse de métal au râle caverneux, la calandre paraissait aussi haute qu'un gratte-ciel. J'avais l'impression que mon cœur s'était arrêté en même temps que le poids lourd, et mes principales fonctions cérébrales avec.

— Mais ça va pas la tête ! cria une voix.

Je levai les yeux. À plusieurs mètres au-dessus de moi, une quadragénaire à la chevelure blonde pointait un visage furibond par la fenêtre du passager du semi-remorque. Elle bondit de la cabine pour me tirer brutalement en position verticale. Je me laissai faire et demeurai plantée sur la route, à la dévisager d'un regard vide. C'était l'une de ces femmes épaisses que les gens voudraient voir délestées de plusieurs kilos pour pouvoir les qualifier de superbes. Mais je m'égarais : je nageais en plein stress post-traumatique.

— Non mais t'es complètement malade, ma pauvre ! lança-t-elle en me secouant. Tu te rends compte que mon mari aurait pu t'écrabouiller ? Tu as eu beaucoup de chance ! Mais qu'est-ce qui t'est arrivé, t'es toute trempée ! T'as trop bu ? Pris de la drogue ? Tu as pris de la drogue, c'est ça, hein ?

Je jetai un regard au garde-fou avant de me retourner vers la femme, la bouche ouverte. Où était passé le Tueur de Floride ? S'apprêtait-il à surgir ? Était-il caché quelque part ? Ou en fuite ?

— Elle ne dit pas un mot, Mike ! cria la femme au chauffeur du camion. Je crois qu'elle n'est pas d'ici. Préviens la police sur la CB.

— Non, articulai-je enfin. Attendez.

J'aurais voulu lui raconter ce qui s'était produit, ma rencontre presque fatale avec le Tueur de Floride, mais je pris conscience que je ne le pouvais pas. Je devais éviter tout contact avec la police. En dépit de ces péripéties, j'avais encore une chance d'échapper à Peter.

— Ce n'est pas la peine, repris-je. J'ai rompu avec mon copain. Nous nagions au large, et quand nous sommes revenus... euh... il m'a larguée. C'est vrai que je l'ai fait cocu avec son cousin hier soir, mais quand même... Enfin bref, me voilà coincée ici, sans argent. J'essayais de rentrer en stop, je crois que j'ai dû m'endormir.

— T'endormir ? Si tu t'endors souvent comme ça sur la route, tu vas finir par te réveiller dans un cimetière, petite cruche ! Faire du stop ? Tu es folle à lier. Tu ne pouvais pas appeler ta famille ?

— Ma mère ne sait même pas que je suis ici. S'il vous plaît, n'appelez pas la police. Ma mère va me mettre à la porte si elle l'apprend.

— Où tu habites ?

— À Boca Raton, répondis-je, au petit bonheur la chance.

— Je préviens les flics ou pas, Mary Ann ? cria le chauffeur du haut de sa cabine.

La solide bonne femme ancra ses yeux dans les miens d'un air farouche.

— Pas la peine, répondit-elle au bout d'une seconde, avant d'ajouter à mon intention : On va jusqu'à Miami. Est-ce que ça peut t'aider ?

Me sauver la vie, même.

— Oui, merci beaucoup.

Elle secoua la tête.

— Allez, viens.

Dans la cabine, un homme chauve avec une barbe blanche à la Hemingway se tenait la figure collée contre le volant, la respiration bruyante. Son visage inquiet rivalisait de blancheur avec les frisotis qui lui mangeaient le menton.

— Je suis vraiment désolée, monsieur, m'excusai-je.

Pour toute réponse, il secoua la tête tandis que sa femme refermait la portière.

— Je t'avais bien dit que cette course dans les Keys valait le détour, Mike, observa-t-elle. Ouvre bien les yeux, on ne sait jamais, si d'autres jeunes ont l'idée de pioncer au beau milieu de la route.

Lorsque le poids lourd redémarra dans un crissement de gravillons, je me tournai vers la fenêtre. Les abords de la chaussée étaient déserts et pas un seul mouvement n'agitait la mer ni les broussailles. Le Tueur de Floride était sûrement tapi sous le pont. *Comme un troll*, pensai-je, encore étourdie par la panique.

Tandis que le camion prenait de la vitesse, Mary Ann farfouilla dans la couchette derrière elle et me tendit une serviette. Je m'enroulai dedans et, pelotonnée contre la portière du passager, regardai les étoiles défiler derrière la vitre. Le long de la route, les lampadaires dessinaient une courbe au-dessus de l'eau noire, comme autant de repères d'un jeu de points à relier. Que représenterait le schéma final ? Probablement davantage de destruction, de doute, d'horreur, de souffrance. J'étais maudite. Où que j'aille, la mort et la folie finissaient toujours par me rattraper. Je commençais à me demander si je ne dégageais pas une odeur qui les attirait. Je tentai de comprendre pourquoi. L'explication se trouvait-elle dans ma nature ? Dans mon incorrigible crédulité ?

Tandis que le camion vrombissait dans un long virage sur l'Overseas Highway, j'aperçus une petite lueur au loin, au-dessus de la mer. Le minuscule feu de navigation d'un voilier. Ou Ramón Peña... Mes paupières tombaient lentement, pareilles à des chapes de plomb. C'était l'âme de l'homme que j'avais écrasé avant d'autoriser Peter à le noyer dans l'océan. C'était la raison de mon malheur, de mon destin de bête traquée. Mon mari n'était pas le seul à avoir du sang sur les mains. Je méritais d'être hantée.

Et, sur cette pensée, je sombrai dans le sommeil.

TROISIÈME PARTIE

Nina, la New-Yorkaise

50

Je suis assise dans du blanc, à quelques heures de mon mariage. Je porte une robe blanche mousseuse, et des bigoudis blancs dans les cheveux. Même mes séparateurs d'orteils déploient, entre mes ongles de pied fraîchement vernis, un blanc chaste et virginal. Avec un sourire, je découvre les roses blanches qui tapissent l'ensemble des surfaces de la salle de bains, répandant un éclat presque douloureux dans l'intensité de la lumière de Floride qui inonde la pièce. Alors que j'applique les dernières touches de mascara sur mes cils face au miroir de maquillage, un tambourinement retentit à la porte.

— Sortez les mains en l'air ! crie Peter, sa voix amplifiée par un mégaphone. Votre petite culotte bien en évidence !

Je pouffe de rire, mais mon hilarité retombe à la seconde où je perçois le toussotement d'un moteur à essence actionné par une corde de démarrage. Une tondeuse ? Interloquée, je me retourne vers la porte. Tout à coup, des éclats de bois jaillissent dans la pièce, égratignant mon visage, et la lame d'une tronçonneuse traverse le battant. Sous mon regard paniqué, la chaîne en rotation s'efface pour laisser apparaître un visage dans la déchirure du bois. On dirait Jack Nicholson dans Shining. *Je crois d'abord que c'est Peter, mais je me trompe. Ce visage vaguement asiatique, c'est celui du Tueur de Floride.*

— Comment va ma belle Nina ? lance-t-il en révélant ses couronnes d'une blancheur éclatante.

En me retournant pour fuir, je trébuche sur le rebord de la baignoire. Je me retiens au rideau de douche, mais ses anneaux se décrochent un à un de la tringle et je bascule en arrière dans l'eau chaude. Tandis que je me débats pour sortir de la cuve, je m'aperçois qu'elle n'est pas remplie d'eau, mais de sang. À côté de moi flottent les cadavres d'Elena Cardenas et de Ramón Peña, serrés l'un contre l'autre comme un couple en lune de miel. Couverte de sang, je me mets à hurler en battant des bras. La moitié du visage de Ramón Peña est arrachée, révélant des os dont la blancheur ressort sur la mare rouge pour former une vision d'épouvante.

Je me réveillai dans l'obscurité, pantelante, en proie à des battements de cœur frénétiques. Je crus succomber d'une crise cardiaque lorsqu'une silhouette noire apparut au-dessus de moi.

— L'ange de la mort, lâchai-je.

— Maman ?

Emma actionna l'interrupteur de ma lampe de chevet, dont la luminosité me brûla les yeux. Elle me secoua par l'épaule.

— Réveille-toi, maman ! On est en retard. Je ne trouve pas ma nouvelle chemise American Eagle. Tu sais, la jolie bleue ? Oh, là, là, tu es toute trempée !

Tu es malade ? Tu n'as pas attrapé la grippe A, quand même ?

Si seulement ! On peut guérir de la grippe A. Je tirai mon drap par-dessus ma tête, et épongeai mon front moite de sueur avec le dessous de mon oreiller. Mes cauchemars revenaient toujours infecter mon existence. Même au bout de vingt ans.

— Oh, je vois ! reprit Emma. Tu as bu trop de champagne à mon anniversaire. C'est ça. Tu as la gueule de bois !

Elle me taquinait, bien entendu.

— Très drôle ! répondis-je en repoussant mon drap avec un sourire. Ta chemise bleue est sur un cintre dans ma penderie, lavée et repassée, madame la reine de la soirée. Et surtout ne me remercie pas pour hier soir. Ce n'est pas comme si cette petite sauterie m'avait coûté un bras. Mais je crois que ça valait le coup d'être condamnée à manger de la pâtée pour chat quand je serai vieille.

Emma me tira la langue, à quoi je répondis par la même grimace. Il existait une véritable complicité entre nous, la même qu'entre deux sœurs et meilleures amies réunies, mais en mieux. Nous partagions tout, même notre garde-robe, ce qui avait le chic de l'énerver. Je pouvais comprendre. Je n'aurais pas vraiment été ravie d'avoir une mère qui rentre dans mes jeans.

— Tu ne seras jamais vieille, me répondit-elle en grimpant dans mon lit pour me cravater. Tu sais combien d'abruties de mères m'ont demandé si tu étais ma grande sœur ? Même les copains de Mark's Collegiate te mataient. C'est vraiment trop injuste ! Je croyais que c'était Blanche-Neige qui était censée être la plus belle. Allez, Méchante Reine, débarrasse le plancher !

— Jamais ! répliquai-je avec un gloussement.

Emma me chambrait encore. À quarante ans, je me maintenais difficilement dans la catégorie « jolie sans plus » en carburant au tapis de course et à la diète, un régime qui finirait par me mener tout droit dans la tombe. Emma, qui avait hérité des charmes sombres de Peter et atteignait presque déjà le mètre quatre-vingts, était quant à elle d'une beauté étourdissante.

Un avis que partageaient d'autres que moi. Régulièrement, elle recevait des propositions très sérieuses d'amis d'amis pour entrer dans le mannequinat. Mais, moi vivante, elle devrait d'abord me passer sur le corps.

Copines ou pas, je me montrais très protectrice à son égard. Sans doute trop. Mais peu m'importait. Je savais de quoi le monde était fait, je mesurais toute la précarité de l'existence et la facilité avec laquelle le moindre faux pas pouvait précipiter la perte de tout un chacun. Je voulais offrir à Emma une belle vie, une vie normale, une vie sans danger. C'était tout ce qui comptait.

— À ta place, je ne me ferais pas de souci pour ma beauté, ma petite, répondis-je en lui tapant sur le front avec l'articulation de mon index. Mais cette cervelle, c'est une autre paire de manches.

J'esquivai promptement l'oreiller qu'elle brandit.

— Merde ! m'exclamai-je quand j'aperçus l'heure sur mon iPhone qui se rechargeait sur la table de chevet. Pourquoi ne m'as-tu pas dit qu'il était si tard ?

51

Il pleuvait des trombes lorsque, quatre heures plus tard, je me lançai sans parapluie dans une course folle entre mon taxi garé en triple file sur la 46e Rue Ouest et l'Aretsky's Patroon. Bien mal m'en prit : malgré la petite trentaine de mètres qui me séparait du restaurant, le déluge me doucha complètement.

Je me glissai dans l'établissement bondé en râlant intérieurement. C'était couru d'avance. Il pleut toujours quand on est en retard pour son tout premier déjeuner d'affaires avec son patron, et qu'on n'a pas pensé à regarder la météo. Pour couronner le tout, le comptoir des réservations était tenu par une espèce de mannequin scandinave, la sveltesse incarnée. Elle nota ma dégoulinante présence avec un haussement de sourcils avant de m'adresser un sourire aimable.

— Bienvenue au Patroon. Votre nom ?

Je gardai la tête haute et le port aussi princier que possible, m'évertuant à donner l'impression que le look « bain habillé » était de la dernière mode.

— Bloom, annonçai-je, écartant les cheveux ruisselants qui tombaient dans mes yeux, avec un sourire qui se voulait à la fois courtois et professionnel. Nina Bloom.

Par chance, mon patron n'était pas encore arrivé, ce qui me laissa le temps d'aller me ravaler la façade chez les dames avant de regagner la banquette discrète où l'on m'avait assise. Là, je pus me détendre et savourer la vue. Placé avec soin dans la nouvelle Mecque des déjeuners d'affaires, le gratin des médias, en costume sur mesure, faisait affaire aux côtés du gotha des *fashionistas* botoxées. Entre les bouteilles de San Pellegrino, je repérai Ivanka Trump et Anderson Cooper en pleine discussion. Disons plutôt que j'ignorai avec affectation Ivanka et Anderson, comme si nous étions en mauvais termes. Depuis deux décennies que j'habitais Manhattan, j'avais tout de même appris une ou deux ficelles du bon New-Yorkais qui se respecte.

Peu après, je levai mon verre en direction de l'influente clientèle, sourire aux lèvres, puis absorbai une gorgée d'eau pétillante. J'avais débarqué à New York en 1994 sans rien d'autre que mes vêtements sur le dos et mon enfant dans le ventre. J'avais donc d'excellentes raisons de boire à ma santé. La première étant d'être encore en vie.

Je me remémorai le tourbillon des premières années. Le bouge sordide au coin de Madison Square Garden où j'avais travaillé jusqu'à ce que mon ventre s'arrondisse. Le repaire de Chinatown où je m'étais procuré mes faux papiers. Le cagibi de Spanish Harlem où j'avais ramené Emma après lui avoir donné naissance, au Lenox Hill Hospital.

Ma « carrière de manitou », comme disait Emma, n'avait débuté que plus tard. Avec un *curriculum vitæ* créé de toutes pièces, une formation au New York

Career Institute et un paquet de chance, j'avais réussi à décrocher mon premier boulot sans tablier ni plateau : assistante juridique chez Scott, Maxwell & Bond, l'un des cabinets d'avocats d'affaires les plus puissants de la ville. Si c'était avant tout un moyen d'arrondir les fins de mois, le travail m'avait passionnée dès le premier jour. J'étais enthousiasmée à l'idée de jouer un rôle, aussi minime fût-il, dans les affaires en cours, la résolution des problèmes et les réunions stratégiques. Après des années de chaos, je puisais un certain réconfort dans le droit, avec son autorité, sa rationalité, son calme et sa noblesse intrinsèque.

Une chance inespérée s'était présentée à moi à la suite d'une *class action* lors de laquelle j'avais su me rendre utile. Mon patron, Tom Sidirov, ténor du barreau dont les qualités humaines n'avaient rien à envier à son talent professionnel, m'avait pratiquement imposé de suivre des études au City College, puis à la faculté de droit de Fordham. Tout cela aux frais du cabinet. Il m'avait fallu près de dix ans de travail et de cours du soir, ponctués par des milliers d'heures de trajet dans le métro new-yorkais, mais j'avais réussi. J'étais devenue avocate. J'avais même décroché le barreau de New York du premier coup. Depuis trois ans et demi, ma carrière prenait doucement son envol. Je n'allais pas passer associée dans un futur proche, mais je travaillais sur mes propres affaires, avec mes propres clients et ma propre assistante.

Tout mon dur labeur, au cabinet comme à la maison, commençait à porter ses fruits. Et quels fruits ! songeai-je, installée dans le restaurant décoré avec goût. Dans un pays où la vie suit généralement un cours rectiligne, j'avais négocié un sacré tournant. Je retrouvais enfin des bonheurs que je croyais à jamais perdus.

La stabilité. La rigolade. Et, oserais-je seulement prononcer le mot : l'espoir.

Au bout de vingt ans et mille kilomètres, peut-être avais-je enfin assez fui. Dans les bavardages de haute volée et les cliquètements de vaisselle, je crois que j'éprouvai même, un infime instant, un sentiment de sécurité. La suite des événements ne m'en parut donc que plus malvenue, que plus injuste. Car, à l'heure où je me portais tranquillement un toast, mon supérieur n'était pas mon seul rendez-vous.

Pendant que, confortablement assise au chaud et au sec, je me félicitais comme une imbécile, un réveil brutal m'attendait déjà. Et le retour de bâton s'annonçait très douloureux.

52

— Cette place est prise ? me demanda Tom, cinq minutes plus tard.

Chauve et menu, mon mentor ressemblait davantage à un chauffeur de bus à la retraite qu'à l'un des avocats conseils les plus réputés du pays, ce qui n'était pas pour déplaire à cet habile sexagénaire diplômé *summa cum laude* de la faculté de droit de Columbia, et ancien prétendant coriace au titre de boxeur amateur des Golden Gloves.

— Vous, quand vous parlez de déjeuner, vous ne plaisantez pas, remarquai-je.

— Disons que lorsqu'il s'agit de soudoyer ma protégée, je sors le grand jeu, répondit-il en tortillant une moustache imaginaire.

— Votre protégée ? Nous y voilà donc ! J'ose à peine vous demander de m'en dire plus sur ce projet urgent dont vous souhaitiez me parler.

— Une initiative bénévole à laquelle participent plusieurs cabinets vient d'être lancée, m'expliqua Tom en faisant tourner son BlackBerry comme une toupie sur la table. Je n'en sais pas beaucoup plus, si ce n'est que le projet porte le nom de « Mission Disculpation » et que l'on m'a chargé, hier, de trouver le ou la volontaire qui représenterait notre cabinet. Vous, si saint Antoine a entendu mes prières. La mission commence lundi.

— Et ProGen ?

Depuis un mois, je travaillais au sein d'une équipe chargée de rassembler les contrats d'une fusion dans le secteur des biotechnologies. Depuis peu, je n'avais plus besoin de compter les moutons pour m'endormir le soir : il me suffisait de me replonger dans le bouillon de pâtes alphabet que composaient les réactifs, génomes, protéomes et thérapies cellulaires.

— Nous trouverons quelqu'un pour vous remplacer, répondit Tom en me bénissant d'un signe de croix avec son téléphone. Je sais que c'est une mission de dernière minute. D'où le déjeuner et ma gratitude éternelle. Alors, qu'en dites-vous ?

Comme si la question se posait… Tom était comme un père pour moi. Mieux, un parrain de conte de fées.

— Je dis oui, répondis-je avec un sourire.

— *Mamma mia !* Combien dé fois il faudra qué jé vous lé dise ? se récria-t-il en prenant l'accent de Bensonhurst, quartier italien de Brooklyn où il avait grandi. Quand on essaye dé vous achéter, né dité jamais oui tout dé suite.

Il sortit une enveloppe de sa poche et la glissa sur la table. J'en soulevai le rabat, découvrant deux billets. Le souffle me manqua. Il s'agissait de places de choix dans les premiers rangs du Yankee Stadium pour le match qui se tenait le soir même, entre les Yankees et les Red Sox. La première rencontre de la saison entre New York et Boston. Je ne connaissais qu'une seule personne plus fervente supportrice des Yankees que moi : Emma.

— Oh, Tom ! m'exclamai-je, aux anges. Waouh ! Je suis...

— Affamée ? me coupa ma bonne fée avec un clin d'œil en s'emparant de son menu. Goûtez donc l'entrecôte. C'est la meilleure de la ville.

53

Il y a des bons et des mauvais jours, songeait Peter Fournier en s'émerveillant de l'immensité et du luxe du nouveau Yankee Stadium, depuis la tribune médiane. Et il y a des jours parfaits.

— C'est ça, Boston ! Allez ! hurla-t-il à pleins poumons alors que Beckett reprenait place sur le monticule.

De sa célèbre façade à sa structure basse et circulaire qui donnait l'impression d'assister au match depuis le marbre, en passant par ses écrans plats géants à chaque virage, l'antre à plus d'un milliard de dollars des Yankees tenait ses promesses de petit paradis sur terre pour les amateurs de base-ball. Même pour un farouche supporter des Sox comme lui. Même après qu'on eut extrait des fondations du stade le maillot d'Ortiz, qu'un ouvrier du bâtiment acquis à la cause de Boston y avait enfoui pour jeter un sort aux New-Yorkais.

Et puis, assister dans ce lieu à un match de rêve où les Sox menaient de trois points à la huitième manche, avec de nouveau Beckett au lancer, cela tenait du miracle. Comble du bonheur, il vivait ce moment privilégié en famille, avec sa superbe femme, Vicki, et leurs jumeaux de neuf ans, Michael et Scott. Comme lors de ses séjours à Disneyland et de son incroyable virée en Europe, l'an passé, la tribu Fournier s'en donnait à cœur joie.

Ils avaient répondu à l'aimable invitation de Tom Reilly et Ed O'Connor, deux fédéraux de New York que Peter avait rencontrés lors de la formation de la National Academy du FBI, un an auparavant. En réalité, il s'agissait plutôt d'un retour sur investissement puisque, au printemps, Peter les avait conviés en famille à Fort Myers pour un match d'entraînement entre Boston et New York. Les deux agents fédéraux au physique d'ours étaient assis de chaque côté des Fournier, flanqués de leurs maisonnées respectives, adeptes des Yankees. Les moqueries fusaient de part et d'autre dans une ambiance bon enfant.

En hochant la tête, Peter regarda ses jumeaux, le sourire aux lèvres. La vie réservait parfois de drôles de surprises. Cadet d'une fratrie de dix gosses nés d'une mère sans le sou dans une cité de South Boston, il n'avait jamais, au grand jamais, voulu d'enfant. Pour être franc, il trouvait entière satisfaction dans le mariage. Il ne voyait rien de plus gratifiant, amusant et rangé que d'avoir une femme monogame et fidèle dans sa vie. Mais, à l'âge de cinquante ans et à l'occasion de son troisième mariage, Peter avait été frappé d'une soudaine révélation : il avait engrangé suffisamment d'argent pour se payer une vaste demeure, des nounous et des écoles privées, autant de solutions qui lui permettraient de se soustraire aux désagréments de la paternité.

La réalité avait dépassé ses espérances. Jamais il n'avait eu à renifler une seule couche, et encore moins à en changer. En outre, il était seul à décider à quels matchs de base-ball et spectacles de Noël sans intérêt il daignait assister. Il n'avait à s'occuper de rien, si ce n'était orchestrer autant d'inoubliables moments de bonheur familial que nécessaire pour assurer sa tranquillité. Comme cette mémorable sortie au stade. Être papa se révélait un jeu d'enfant !

Beckett débuta par une balle rapide, laissant Jeter, son adversaire, bouche bée. Peter serra la main de Vicki lorsque leur fils Michael, d'ordinaire lymphatique, bondit de son siège pour taper avec excitation dans toutes les mains de la famille. Beckett réussit ensuite sa deuxième prise avec une balle cassante, que Jeter tenta en vain de frapper. Peter considéra le lanceur des Red Sox avec une vénération empreinte de passion. Quel joueur ! Il n'était qu'à un pas du panthéon du base-ball et il faudrait plus que les cris de cinquante mille New-Yorkais pour le retenir.

La dernière. Allez, Josh ! La dernière, vieux. S'il te plaît !

Beckett lança une balle tire-bouchon que Jeter frappa par-dessous. Youkilis courut depuis la première base, mais la balle rebondit sur le toit de l'abri des joueurs new-yorkais et se perdit dans la foule.

Et merde, raté ! Heureusement que Jeter avait frappé hors-jeu.

Sur l'immense écran suspendu au fond du champ centre apparut le visage d'une ravissante adolescente qui sautillait sur place en brandissant la balle, comme si elle venait de gagner à la loterie. Peter scruta avec une attention accrue l'écran haute définition de la taille d'un immeuble de six étages. Cette fille lui rappelait quelqu'un. Quelque chose dans son sourire lui évoquait la photo d'album de lycée de sa mère. Il adorait ce portrait, tout comme il adorait sa défunte maman, même si elle n'avait pas été foutue de garder ses cuisses fermées. Cloué sur son siège, Peter regarda repasser sur l'écran la séquence de la jeune spectatrice en train d'attraper la balle à une main. Il y eut même un arrêt sur image.

Sa Heineken lui glissa soudain des doigts, lui éclaboussant les chevilles.

La jolie blonde qui serrait l'adolescente dans ses bras lui rappelait encore plus quelqu'un. Sa défunte femme, Jane.

54

Son cœur s'emballa, mais il garda une voix calme pour s'adresser à son fils.

— Tu me les prêtes, fiston ?

Aussitôt, Scott lui tendit les jumelles qu'avait apportées un agent du FBI.

— Bien sûr, papa.

Peter porta l'instrument à ses yeux, ignorant le tonnerre d'acclamations qui s'éleva des gradins quand Jeter frappa une flèche entre les joueurs de champ extérieur, anéantissant les efforts de Beckett. Lentement, il fouilla du regard les tribunes derrière l'abri des Yankees, où avait atterri la balle. Les jumelles glissèrent sur les spectateurs : des hommes et des femmes en costume ; Billy Crystal ; une poignée de supporters des Yankees aussi gras que bêtes qui pointaient du doigt une fillette noire coiffée d'une casquette de Boston ; la version revue et corrigée de Rudolph Giuliani, sans la mèche rabattue sur son cuir chevelu dégarni… Il parcourut méthodiquement toutes les rangées et les sections, de haut en bas, une par une. Il scruta ensuite la foule qui remplissait les allées. Au bout de cinq minutes d'observation scrupuleuse, sa recherche n'avait rien donné. Il y avait trop de gens, trop de visages. Aucun d'eux n'appartenait à Jane. La femme de l'écran lui ressemblait probablement sous un certain angle, mais rien de plus. Il rendit les jumelles à son fils.

Pour une raison inexplicable, il pensait de plus en plus souvent à son ex-femme depuis un an. Il lui arrivait même de rêver d'elle la nuit. Il dînait avec elle près de la digue, à l'arrière de leur maison, comme lors de leur premier rendez-vous. Ou alors, il refermait ses mains sur son cou sur une plage déserte et maintenait sa tête sous l'eau pendant qu'elle se débattait à coups d'ongles. C'était dans sa tête.

Débarrassé des jumelles, il vit qu'A-Rod avait atteint la première base et que Beckett rentrait au vestiaire.

— Oh non ! hurla son fils Scott. C'est trop nase !

À côté d'eux, l'agent Tom Reilly exécuta une petite danse de la victoire, secoué par un incontrôlable rire idiot.

Tu sais ce qui me fait marrer, moi, Tom ? aurait voulu demander Peter à son pote du FBI. *C'est la façon dont je te soutire des renseignements sur les futures interdictions fédérales en matière de stupéfiants. Et tu sais ce que je fais de ces tuyaux et de ceux que je récolte, l'air de rien, auprès de tes trous du cul de collègues de la DEA ? Je les vends aux cartels. Tu as déjà entendu parler des contrôleurs du trafic aérien ? Eh bien, moi, je suis un contrôleur du trafic de drogue. Beckett a peut-être foutu en l'air un match parfait, mais moi, j'ai amassé des millions l'an dernier, mon petit Tommy. Et exonérés d'impôts, avec ça. Pas mal pour un pauvre flic en tenue de Floride. Oui, tu peux toujours te marrer !*

Avec un sourire, il ébouriffa la tête blonde à la peau hâlée de son fils.

— Ne t'en fais pas, Scott, ce n'est pas la fin du monde. Ce n'est pas une petite déception qui va abattre un homme. Et qu'est-ce que je t'ai dit à propos de ce mot qui commence par *n* ?

— Pardon, papa, s'empressa de s'excuser Scott, penaud. Je voulais dire nul.

— Je préfère ça, approuva Peter en lui tapotant gentiment l'épaule, avec un clin d'œil à l'adresse de Reilly. C'est beaucoup mieux. N'oublie pas que les mots que l'on utilise sont le reflet de notre véritable caractère.

55

Il était 8 h 45, ce mercredi matin, quand je pénétrai dans une tour de verre noir étincelante à l'intersection de la 57ᵉ Rue et de la 3ᵉ Avenue. Un badge de visiteur accroché au revers de ma veste, je souris à la douzaine de jeunes avocats du Global 100, qui patientaient dans la salle de conférences du vingt-troisième étage, aussi affûtés que des crayons fraîchement taillés. Je promenai mon regard sur les noms de prestigieux cabinets d'affaires déclinés à chaque place. Certaines de ces firmes agissaient pour le compte d'États, pas moins. Quel réconfort de savoir des avocats disposés à travailler gratuitement. Si c'était bien ce dont il s'agissait...

Hélas, j'avais participé à d'autres initiatives du même genre qui impliquaient beaucoup de nobles discussions et de longs déjeuners à passer en notes de frais, mais peu de véritable travail juridique ayant un réel impact sur quoi ou qui que ce fût. Une chose était certaine, j'étais prête à trimer comme une dingue pour mon patron, Tom Sidirov. Pour la balle de Derek Jeter qu'Emma avait attrapée la veille au soir. Pour le privilège d'avoir assisté du premier rang au retour en force des Yankees. Pour cela, s'il le fallait, je bosserais quarante heures par jour.

Je faisais le plein de café et de brochures informatives quand un éclat de cheveux flamboyants apparut dans mon champ de vision.

— Toi ici ! m'écriai-je.

— En chair et en os ! répondit Mary Ann Pontano, une jolie rousse au teint de porcelaine, alors que nous tombions dans les bras l'une de l'autre. Merci, Seigneur ! Je vais peut-être survivre à la conférence de la mort, tout compte fait.

Je ris en la serrant de nouveau dans mes bras.

Mary Ann était la première amie avec qui je m'étais liée à New York. Elle habitait l'appartement voisin du réduit miteux dans lequel j'avais emménagé sur la 117e Rue, dans Spanish Harlem, deux semaines après être descendue du car Greyhound à Port Authority.

Différentes des autres habitants de l'immeuble par notre condition de femme célibataire et notre méconnaissance de la langue espagnole, nous nous étions tout naturellement rapprochées. Surtout à l'heure de descendre laver notre linge dans la buanderie digne du *Silence des agneaux*, qui occupait le sous-sol de l'immeuble. Mary Ann m'avait aidée à trouver un emploi de serveuse et un pédiatre pour Em. C'était aussi elle qui m'avait encouragée à devenir assistante juridique.

— Ça fait tellement longtemps, Mary Ann…

Elle sourit. Déjà, lorsque je l'avais rencontrée, elle évoquait davantage une jeune envoyée spéciale de la guerre du Golfe qu'une ancienne combattante du conflit devenue officier de la police de New York à son retour au pays. Elle avait su tirer profit de sa force de caractère et de son physique pour décrocher une place en or comme investigatrice au sein d'un cabinet international.

— Ne t'en fais pas, va. Je vous connais, vous, les avocats d'affaires capitalistes et cupides. Vous avez tellement de fric à compter que vous n'avez pas une minute à vous. Alors, pour la populace…

— Que veux-tu ? On ne peut pas tous vivre à la dure dans les rues chic de Scarsdale, avec un mari dentiste et deux petits bouts.

— C'est Bronxville, OK ? rectifia Mary Ann. Je te préviens, ce n'est pas la même chose. À Bronxville, on ne fait qu'une bouchée de ces garces de Scarsdale. Bref, rappelle-moi juste ce que nous faisons ici ?

— Nous nous apprêtons à sauver des vies, voilà ce que nous faisons, intervint un petit homme avenant avec une tignasse brune indisciplinée en entrant brusquement dans la salle de conférences, les bras chargés d'un carton d'archives. Bienvenue à Mission Disculpation New York.

Il flanqua le carton sur la table dans un grand bruit sourd, avant de poursuivre :

— Puisque le temps, c'est de l'argent, je n'en perdrai pas. Je suis Carl Fouhy, cofondateur et directeur de cette commission. Et je suppose que vous êtes les cerveaux les plus brillants de cette ville dans le domaine juridique. Ou les moins indispensables… Dans un cas comme dans l'autre, j'ai besoin de vous. Mais, surtout, des hommes et des femmes sur le point d'être exécutés ont besoin de vous.

Il actionna les interrupteurs tandis que, dans un bourdonnement, un écran brillant descendait du plafond. Un diaporama de visages durs et résignés défila alors devant nos yeux.

— Vous ne me croiriez pas si je vous énumérais le nombre d'erreurs que nous avons repérées dans des affaires qui se sont conclues par une condamnation à mort, reprit Fouhy. Lors des identifications des témoins, des conclusions médico-légales, sans parler du travail de défense, parfois tout bonnement merdique. Dans certains cas, les avocats n'enquêtent pas sur les témoins, ne contactent pas les experts ou arrivent ivres et s'endorment au procès. C'est là que vous entrez en jeu. Votre rôle est de rééquilibrer la balance pour que ces hommes et ces femmes, qui n'ont pour la plupart ni argent ni instruction, soient traités équitablement, comme n'importe qui d'autre.

Il souleva le couvercle du carton et en extirpa d'épaisses enveloppes jaunes, qu'il nous distribua sans manière.

— Voici les affaires sur lesquelles vous travaillerez. Vous pourrez les découvrir dans un instant, lorsque nous aurons terminé. En première page, vous trouverez les coordonnées de l'avocat de l'accusé. Nous vous demandons de collaborer avec lui. Vous intervenez à titre consultatif, pour rencontrer cet avocat et vous assurer avec lui que tout a été couvert : le rapport de police, les divers appels… Nous cherchons des erreurs, des témoins. Repérez une étourderie et vous sauverez peut-être une vie. Maintenant, si quelqu'un veut bien rallumer la lumière, je vais revenir sur deux ou trois cas dans lesquels nous avons réussi à faire annuler la condamnation. Nous passerons en revue la procédure, puis ce sera à vous de jouer. Pour toute question, vous pouvez me contacter, ou joindre les conseillers, Jane Burkhart et Teddy Simons. Pour le reste, je suis sûr que vous saurez vous en sortir tout seuls. Improvisez, gagnez et sauvez une vie !

56

Une demi-heure plus tard, nous prenions quartier au Starbucks de la 3ᵉ Avenue en compagnie de Samantha Joyce, avocate dans le cabinet qui employait Mary Ann.

— Et moi qui trouvais le *speed dating* rapide ! observa mon amie.

— À vos marques ! Prêts ? Partez !

Lorsque j'eus prononcé ces mots, nous sortîmes chacune le dossier qui nous avait été remis. Je feuilletai l'épaisse liasse de feuilles que contenait mon enveloppe. L'affaire concernait un dénommé Randall King, condamné à mort pour avoir assassiné deux convoyeurs d'un fourgon blindé lors d'un braquage à Waterbury, dans le Connecticut. Je montrai à Mary Ann la photo d'identité judiciaire du prisonnier. Crâne strié de tresses, cou de taureau, il regardait l'objectif d'un air mauvais.

— Waouh, j'ai écopé d'un braqueur de banques. Le bol ! Ça va être une partie de rigolade.

— Et moi, d'un dealer qui a assassiné sa famille ! s'écria Samantha Joyce. Au Texas !

— Et vous trouvez que vos affaires craignent ?

renchérit Mary Ann, qui survolait son dossier bouche bée. J'ai un loser qui a été arrêté pour une vieille affaire d'homicide non résolue dans le sud de la Floride !

Comme toujours, mon cœur se serra à la mention de cet État.

— Un foutu tueur en série, rien que ça ! ajouta-t-elle. Regarde.

Mes dents se plantèrent dans ma tasse, et une gerbe brûlante de café au lait m'éclaboussa du nez au menton. Mary Ann me tendait une photocopie d'un article du *Miami Herald*. Un titre court s'y étalait en grosses lettres :

LE TUEUR DE FLORIDE ARRÊTÉ ?

57

17 mai 2001

LE TUEUR DE FLORIDE ARRÊTÉ ?

Lundi soir, les inspecteurs du comté de Palm Beach chargés des affaires non résolues ont placé un agent de l'État de Floride en détention provisoire pour un meurtre remontant à 1993. Des sources policières confirment que des preuves ADN ont mené à l'arrestation d'un résidant de Florida City dénommé Justin Harris.

Tara Foster, étudiante de Boca Raton, avait disparu en juin 1993 après une mission de bénévolat au sein de l'administration du centre correctionnel de Homestead, en Floride. Un an plus tard, sa dépouille a été retrouvée enveloppée de plastique dans le parc national des Everglades.

Grâce aux échantillons ADN prélevés sur son cadavre, les inspecteurs des affaires non résolues ont rouvert l'enquête ce mois-ci en portant leurs efforts sur l'obtention d'ADN des suspects présumés. La jeune femme ayant été ligotée avec de la paracorde, lien retrouvé sur les lieux des terribles disparitions attribuées au tristement célèbre Tueur de Floride au début des années 1990, les inspecteurs ont d'abord recherché d'anciens soldats parachutistes parmi les témoins initiaux de l'affaire. L'ADN de Justin Harris, vétéran de la 101e unité aéroportée et gardien à la prison de Homestead, correspond aux prélèvements effectués sur les vêtements de la victime. Justin Harris a été placé en détention sans caution.

Le sang se mit à battre dans mes jugulaires et mes tempes. Sur mes genoux, la photocopie devint floue, comme si je la voyais à travers un vieux morceau de verre.

Tout à coup, tout s'évanouit autour de la table à laquelle j'étais assise en compagnie de Mary Ann et de Samantha – les klaxons du flot de voitures sur la 3e Avenue, les cris des serveurs commandant les cafés, le bruit d'avion à réaction des percolateurs –, laissant place à un torrent d'images et de sensations que je croyais avoir réussi à chasser de ma mémoire : les étranges yeux noirs du Tueur de Floride, l'odeur pénétrante d'eau de Cologne dans sa voiture, la douleur qui me déchirait les bras tandis que je m'accrochais à la vie et qu'il surgissait de l'écume, derrière moi.

— Hé, Nina ! m'appela Mary Ann qui me dévisageait d'un air inquiet. Tu vas bien ? Tu es presque aussi pâle que moi.

— Ça va, m'entendis-je répondre.

Prenant mon courage à deux mains, je tournai la page. Un autre article de presse dressait la liste de toutes les victimes présumées du Tueur de Floride. Je parcourus les visages en photo, m'arrêtant sur l'avant-dernier. Les traits de la « Victime 20 » m'étaient familiers. Et pour cause : c'étaient les miens, sur ma photo d'album de lycée.

J'éprouvai alors la même impression que dans ce fameux rêve où l'on se retrouve sur les bancs de l'école, sur le point de passer une toute dernière interro que l'on n'a pas du tout révisée, cette crise de panique qui brûle l'estomac à la subite prise de conscience que c'est foutu, que le pire est arrivé, que l'on est démasqué.

— Tu sais, me lança Mary Ann, si cette affaire t'intéresse tellement, on devrait faire échange. Le Connecticut est à… quoi ? Deux heures de route, tout au plus. Je ne sais pas ce que je vais faire de mes enfants si je dois partir pour la Floride. Et tu as vu la couleur de ma peau : rien que les ampoules fluorescentes me donnent des cloques. Tu peux bien rendre un petit service à ta vieille Mary Ann ! Et puis, c'est une affaire médiatique, ça fera un max de pub à ton cabinet. Tu passeras associée en un rien de temps.

— Une affaire médiatique ? répétai-je. Ah bon ?

— Justin Harris ? intervint Samantha. Oui, j'en ai entendu parler sur Channel Four. Non, arrête ! Tu as le Tueur de Floride ?

— Ça m'en a tout l'air, répondit Mary Ann, contrariée. Tu veux échanger ?

— Pour passer mon temps libre avec un maniaque sexuel auteur de meurtres en série ? déclara la grande brune. Attends, laisse-moi réfléchir. Euh… non merci.

Mary Ann se tourna vers moi.

— S'il te plaît ! En souvenir du bon vieux temps.

Mon regard tomba alors sur les coordonnées indiquées sur la première page du dossier. L'avocat d'Harris était établi à Key West. Aussitôt, ma crainte d'être reconnue par Mary Ann dans le trombinoscope de victimes laissa place à l'angoisse de la mort. Un souvenir surgit dans mon esprit. Le corps d'Elena criblé de balles, étalé sur le sol de la station-service. J'essayai en vain de chasser cette sanglante pensée d'une gorgée de café latte. Retourner à Key West ? Pas après dix-sept ans. Pas même après soixante-dix-sept ans. Si je venais à croiser Peter, ce serait moi qui écoperais de la peine de mort.

Je rendis le dossier à mon amie comme s'il me brûlait les doigts.

— Impossible, répondis-je d'un ton catégorique. Je suis désolée, l'examen d'entrée à l'université d'Emma approche à grands pas.

Le mensonge glissa sur ma langue avec la facilité habituelle. J'imagine que j'aurais dû culpabiliser, mais je n'éprouvais pas le moindre remords.

— D'accord, opina Mary Ann. D'accord… C'était couru d'avance, j'ai tiré le mauvais numéro. Je tire toujours le mauvais numéro.

Non, ça, c'est moi, fus-je tentée de lui faire remarquer.

58

Je décidai de rentrer au cabinet à pied. C'était une de ces belles et radieuses journées de printemps new-yorkais qui vous font oublier les contraventions à trois chiffres, les grèves des transports en commun et les accidents de grue. Mais, pour une raison étrange, je n'étais pas d'humeur à rêvasser aux averses d'avril ou à humer le parfum des tulipes de Park Avenue.

De retour dans mon petit bureau du quarante-quatrième étage d'une tour de Lexington Avenue, je fermai la porte et me postai à la fenêtre pour observer les gens pressés qui entraient et sortaient de la gare de Grand Central. Au sud de l'Empire State Building, la pointe de Manhattan miroitait sous le soleil de midi, déployant son labyrinthe magique comme des pièces de Monopoly sur un gigantesque tapis oriental. Devant ce tableau, je songeai au spectacle que m'avait offert la ville la première nuit de mon arrivée, avec ses maquereaux et ses filles de la 8e Avenue qui vendaient leur corps contre un peu d'herbe. J'en avais parcouru, du chemin, depuis cette nuit-là.

Je serrai les bras contre mon ventre. D'abord envahie de tristesse, je cédai bientôt à une colère furieuse. Que le passé me revienne en pleine figure maintenant, juste au moment où ma vie prenait tournure, c'était plus qu'une coïncidence. C'était comme un fait exprès. Une affaire médiatique… N'avais-je donc pas assez souffert comme ça ? J'avais dû batailler pour construire ma vie, supporter les remarques et les propositions indécentes des patrons de restaurant et des clients, tous plus arriérés les uns que les autres, endurer les froncements de sourcils du conseil de copropriété pour le crime d'être une jeune mère célibataire. Et tous ces bus et ces métros archipleins, tout ce travail, ces tâches ménagères et ces devoirs qui ne me laissaient pas une seconde de répit… Et, surtout, cette terreur noire qui venait m'étreindre aux heures les plus sombres de ces longs premiers mois où Emma souffrait de coliques ; cette succession de nuits où je la berçais, emmaillotée, en me joignant à ses pleurs, convaincue qu'au lever du jour j'aurais tout raté et que je perdrais mon bébé, mon emploi, ma liberté. Cela ne suffisait donc pas ? me demandai-je en contemplant le ciel bleu. Tous ces sacrifices pour ma fille, cette obligation de jeter sans cesse des regards par-dessus mon épaule alors que je m'épuisais à la tâche ? N'avais-je pas assez payé de ma personne ?

Et puis, ce n'était pas comme si je n'avais pas tenté de me racheter. Environ un an après mon arrivée à New York, après avoir déniché un studio convenable et un emploi de serveuse correctement rémunéré dans un *supper club* de SoHo, j'étais tombée sur un article sur le Tueur de Floride dans le *Post*. Le lendemain soir, rongée par la culpabilité, j'avais récupéré Emma à la crèche et pris le métro jusqu'à Hoboken, dans le New Jersey. D'une cabine publique au bord de l'Interstate 95, j'avais téléphoné au bureau de New York du FBI et laissé sur le répondeur une description du Tueur de Floride, de son chien et de sa voiture.

Au fil des ans, il m'était arrivé de penser à dénoncer Peter de la même manière, mais je redoutais de le voir l'apprendre grâce à ses nombreux contacts dans les forces de l'ordre. La police remonterait la piste de l'appel, et lorsque mon ex apprendrait que je n'étais pas morte, il nous traquerait, Emma et moi.

Je m'assis à mon bureau avec un soupir. Au souvenir du visage du Tueur de Floride, des gouttes de sueur froide perlèrent sur mon front. Le décor autour de moi s'évanouit et je me retrouvai à la rue et enceinte, à brûler le pavé dans une paire de Doc Martens d'occasion pour sauver ma vie.

Ma panique passée, je tentai de me rasséréner. Je ne m'en tirais pas trop mal. Après tout, j'aurais pu être affectée à l'affaire. Je l'avais échappé belle. Pourquoi me mettais-je dans des états pareils ? Je devais me concentrer sur mon dossier, voilà tout. Le nez dans le guidon et les doigts croisés pour que Mary Ann ne me reconnaisse pas. Toute cette affaire finirait par retomber, comme une violente tempête.

Je sortis le lourd dossier Randall King pour le poser sur mon bureau. J'allai même jusqu'à l'ouvrir. Puis j'arrêtai de me leurrer. Écartant la liasse de papiers d'un geste, je me tournai vers l'écran de mon ordinateur. Après avoir cliqué sur l'icône d'Internet Explorer, je saisis « Justin Harris » dans le champ de recherche de Google. Une fraction de seconde plus tard, je repoussai les mèches de cheveux qui tombaient devant mes yeux stupéfaits. L'arrestation d'Harris, en 2001, avait fait couler beaucoup d'encre. Les articles de journaux se comptaient par douzaines. Son exécution imminente faisait même l'objet d'une couverture spéciale sous forme de série dans l'émission matinale *Today*. Je ne regardais pas beaucoup les informations, soit, mais *Today* ! Comment avais-je pu rater cela ?

Je ne voulais pas savoir, voilà comment. Je n'avais pas suivi l'affaire du Tueur de Floride depuis dix-sept ans, je n'avais même jamais cherché à me renseigner au sujet de Peter. C'était une idée puérile, je le concevais, mais il me semblait que, si je cessais de ressasser, je parviendrais à une sorte de réciprocité karmique, et que toutes les personnes que j'avais croisées dans ma vie antérieure m'oublieraient à leur tour. Inconsciemment, j'avais décrété qu'il suffisait de ne pas s'appesantir sur les événements passés pour que la vie suive son cours comme si de rien n'était. Mais rien ne pouvait effacer le passé. Je fixai d'un air revêche l'écran de mon ordinateur. La preuve, il me poursuivait encore.

J'ouvris sur YouTube une vidéo de Fox News datée de 2006. Mon doigt avait pressé le bouton gauche de ma souris pour démarrer la lecture lorsque ma fidèle assistante, Gloria Walsh, fit irruption dans mon bureau. Je réduisis aussitôt la fenêtre d'un clic lourd de culpabilité.

— Je croyais que vous aviez la réunion sur la fusion ProGen, aujourd'hui, s'étonna-t-elle.

— Tom m'a mise sur une mission bénévole. ProGen, c'est terminé pour moi.

— Yes ! Je vais peut-être réussir à rentrer à la maison avant 19 heures, cette semaine. Une affaire intéressante ?

« Alarmante » eût été un qualificatif plus juste.

— Plutôt, oui. Mais je suis occupée. Je vous tiendrai au courant, d'accord ?

Dès que Gloria eut refermé la porte, j'augmentai le volume de mon ordinateur. Shepard Smith terminait son introduction sur les meurtres du Tueur de Floride. J'inspirai une bouffée d'air, m'armant de courage pour affronter le visage de l'assassin auquel j'avais échappé en cette lointaine nuit. Lorsque la photographie de Justin Harris s'afficha, je mis la vidéo en pause, perplexe. L'homme sur l'écran n'était pas celui qui m'avait prise en stop sur l'Overseas Highway. La légende « Justin Harris » accompagnait le portrait d'un homme en combinaison orangée à l'air très triste… et très afro-américain.

59

Je me glaçai, déboussolée, et promenai les yeux sur tout ce qui se trouvait sur mon bureau – tout sauf mon ordinateur – en tentant de recouvrer mon calme. Je déchiffrai les élégantes lettres dorées frappées sur mon exemplaire à reliure de cuir du manuel de droit *McKinney's New York Civil Practice Law and Rules*. Je souris à la photographie encadrée d'Emma et moi au ski dans le Vermont pendant nos vacances de janvier. Je passai même un moment à scruter l'aiguille des minutes de ma « pendule d'avocat », un gadget cocasse qui divisait les heures en dix sections de six minutes chacune, à l'image de la tarification que les boute-en-train de mon espèce, fêtards du monde des affaires, proposaient à leurs clients. Mais, lorsque mon regard se reporta enfin sur l'écran, un tressaillement s'empara de moi.

Justin Harris n'avait pas bougé. Rien n'avait changé. Encore moins la couleur de sa peau. Il y avait comme un problème : il ne ressemblait en rien à l'homme qui avait essayé de me faire la peau, la nuit où j'avais filé en catimini de Key West. Il ne faisait pas le moindre doute que la terrifiante armoire à glace complètement frappée qui m'avait enfoncé un canon de pistolet dans le nez était de type européen, avec éventuellement de lointaines origines asiatiques. Alors que je dévisageais le Noir au bouc, j'en vins à la conclusion la plus probable, le scénario dont Mission Disculpation nous rebattait les oreilles : les autorités de Floride étaient sur le point d'exécuter un innocent.

L'estomac soudain barbouillé, j'ouvris le lien du dernier article en date du *Miami Herald*. Après en avoir parcouru le premier paragraphe, je reculai mon fauteuil à roulettes d'un coup de pied, puis cognai mon front contre le bord verni de mon bureau. La sanction était prévue pour le 29 avril, soit vendredi en huit ! Justin Harris serait exécuté dans neuf jours.

Sauf si j'empêchais cette injustice.

Je fixai longuement le tapis berbère industriel entre mes escarpins, digérant l'idée. Puis j'émis un gémissement. J'étais la seule à pouvoir lui éviter la mort. Je devais sortir de l'ombre. C'était injuste ! J'avais passé tant de longues et pénibles années à m'ingénier à garder bien scellé le sac de nœuds de ma vie. Si je me présentais comme témoin, je serais forcée de dévoiler au grand jour tous mes petits secrets infamants, y compris ma responsabilité dans la mort de Ramón Peña. Je perdrais mon travail, et tout ce pour quoi je m'étais battue, saignée aux quatre veines.

Et Emma ? Qu'adviendrait-il d'Emma ? Son existence serait anéantie. Adieu stage de rêve au MoMA ! Adieu Brown ! Adieu la confiance qu'elle m'accordait. Comment pouvais-je l'accepter ?

Je commis alors l'erreur de jeter un nouveau regard sur l'écran. Les yeux peinés et effarouchés de Justin Harris semblaient sonder mon âme. Je n'avais pas le choix. Il en allait de la vie d'un homme. L'heure du grand déballage avait sonné.

60

Celui qui est son propre avocat a pour client un idiot.

La sentence que l'on attribuait à Abraham Lincoln me seyait à ravir ! J'employai l'heure suivante à passer la situation au microscope de mon pénétrant esprit juridique. Je commençai par dresser sur un bloc-notes une estimation détaillée des dommages, gribouillant sous des rubriques aussi joyeuses que « Futurs ex-amis » (à peu près tous) et « Ramifications juridiques probables » (licenciement du cabinet et radiation du barreau), auxquelles vinrent s'ajouter « Prescription pour homicide involontaire » et « Emma » (aux services sociaux ?).

J'étais en train de feuilleter rageusement mon fidèle *McKinney's* quand je remontai soudain sur mon front les lunettes de lecture perchées au bout de mon nez et refermai brutalement le manuel. Il existait une autre solution. C'était dingue. Complètement insensé. Et extrêmement risqué, de surcroît. Mais il ne fallait pas en attendre moins de ma part. Dans mon existence, folie et risque formaient un duo aussi inséparable que Ben et Jerry.

Si j'acceptais la proposition de Mary Ann ? Si j'acceptais de travailler sur l'affaire Harris ? Je serais ainsi aux premières loges. Peut-être même réussirais-je à trouver un moyen d'innocenter Harris sans détruire ma vie, ni – plus important encore – celle d'Emma. Ce type n'était pas coupable, c'était un fait. Partant de là, le dossier devait bien receler un élément, un détail qui avait échappé à l'attention de son avocat et prouvait son innocence. Il fallait juste le trouver et le porter devant la justice. *À Key West*, me rappela une petite voix dissidente.

Il y avait un os, en effet. Je devrais collaborer avec l'avocat d'Harris. Or, celui-ci exerçait justement dans le dernier endroit de la planète où je souhaitais me rendre. La seule idée de remettre un pied dans l'île paradisiaque – et ô combien dangereuse – du sud de la Floride me remplissait d'une irrépressible envie de me gaver de comprimés de Xanax. Je demeurai un moment assise entre les deux chaises de la fameuse expression.

Soit je déterrais et bravais mon passé, option A.

Soit je continuais à mentir comme un arracheur de dents afin de poursuivre la vaste escroquerie que représentait ma vie, option B.

Comme si j'avais le choix !

Je trouverais bien une solution. Key West était une grande ville. Je n'aurais qu'à me faire discrète. Après toutes ces années, Peter ne vivait peut-être même plus dans la région.

Je saisis mon téléphone portable, qui sembla soudain peser des tonnes. D'un tour de mollette, je sélectionnai le numéro de Mary Ann avant de me laisser le temps de revenir sur ma décision.

— Quoi ? répondit sèchement mon amie.

— J'ai réfléchi. Faisons l'échange.

— Vraiment ? me demanda-t-elle, d'une voix soudain extasiée. Tu es sûre ?

Je n'étais sûre de rien, mais je ne pouvais pas reculer face au devoir.

— Tu ferais mieux de dire oui avant que je change d'avis.

— Ouiiiiii ! Oh, Nina, je savais que tu étais une vraie amie. J'aiderai Emma à préparer son examen, je ferai tout ce que tu voudras, je te le promets. Mais, attention, pas de désistement.

Je me mordis l'intérieur de la joue.

— Pas de désistement.

61

Comme toutes mes missions suicide, j'organisai celle-ci avec ardeur.

Le lendemain matin, j'avais réussi à régler tous les détails : le vol pour Key West, l'hôtel, la voiture pour l'aéroport. Emma fut agréablement surprise d'apprendre qu'elle passerait la semaine chez sa meilleure amie, Gabby, qui habitait un hôtel particulier de Brooklyn. Il ne me restait plus qu'à faire un saut au bureau, sur le chemin de l'aéroport, pour récupérer le dossier de l'affaire Harris, que Mary Ann m'avait envoyé par coursier. Après quoi, je n'aurais plus qu'à m'efforcer de rester en vie tout en sauvant un condamné à mort.

Le tout en une semaine.

— Une partie de rigolade, marmonnai-je en tirant ma valise à roulettes jusqu'à la cuisine.

Les écouteurs de son iPod dans les oreilles, Em tambourinait avec un crayon sur son livre de trigonométrie devant un bol de Cap'n Crunch. Je lui chapardai une cuillerée de céréales en écrivant un e-mail à l'avocat d'Harris, un certain Charles Baylor, pour l'informer de mon arrivée. Je tressaillis quand j'allumai l'ordinateur portable de la cuisine et ouvris Internet Explorer. Dans l'historique figuraient des recherches sur la famille Bloom, et même sur le comté de Wicklow, circonscription irlandaise que j'avais élue comme lieu d'origine du père fictif d'Emma.

Et un ennui de plus, un ! Le moment n'aurait pu être plus mal choisi. Dans la rubrique gestion de catastrophe, j'avais suffisamment de pain sur la planche. La cassette vidéo que j'avais remise à Emma avant sa fête d'anniversaire n'avait visiblement contribué qu'à aiguiser sa curiosité au sujet de son père. Les problèmes m'assaillaient de toutes parts, je devais être sur tous les fronts. J'aurais voulu hurler qu'on me laisse tranquille avec mon identité secrète.

Emma me reprit sa cuillère.

— Maman, je voulais te demander... Pourquoi je ne ressemble pas davantage à mon père ?

C'était l'une de mes plus grandes appréhensions : que l'attention d'Emma s'arrête sur les cheveux clairs d'Aidan Beck, qui n'appartenait pas à cette population d'Irlandais bruns que représentait si bien Peter.

— Je ne sais pas, improvisai-je de ma voix la plus joyeuse. Ce que je sais, c'est que tu as hérité de son bon caractère et de son rire.

Loin d'être une andouille, ma fille accueillit mes fadaises avec un froncement de sourcils.

— Pourquoi j'ai l'impression que tu ne veux pas que j'en sache plus sur lui ?

Je dus déployer d'immenses efforts pour ne pas m'arracher les cheveux.

— C'est l'impression que je te donne ?

— Laisse béton, marmonna-t-elle, ses grands yeux bleus soudain noyés de larmes.

Certes, Em se comportait simplement comme une

adolescente de seize ans, une boule d'hormones chargée d'émotions, mais je ne pouvais pas laisser faire. Je ne pouvais pas me le permettre, ni elle. Qu'étais-je censée lui dire ? Je regrette d'avoir à te l'apprendre, ma vieille, mais ton père est un psychopathe et ta mère une menteuse pathologique ?

Je préférai donc sortir mon arme secrète. Lâchant bruyamment mes clés sur le comptoir, je m'écroulai sur le tabouret de bar en pleurant.

— J'aimerais pouvoir t'expliquer plus de choses, Emma, mais c'est impossible, sanglotai-je.

Elle contourna l'îlot pour me serrer dans ses bras.

— Excuse-moi, maman. Tu crois que je ne me rends pas compte de tout ce que tu fais pour moi, mais c'est faux. Je ne te mettrai plus en rogne avec ces histoires.

— Non, excuse-moi. Tu as parfaitement le droit de rechercher tes racines irlandaises, mais pas maintenant, d'accord ? Tu as ton entrée à l'université à préparer et tout un tas d'autres choses à faire. À mon retour, on louera *L'Homme tranquille* et on achètera des Lucky Charms pour le petit déjeuner. Il paraît que c'est plein de surprises magiques.

Alors qu'elle m'accordait une nouvelle étreinte, mon iPhone sonna. Un numéro inconnu s'afficha sur l'écran. Quelle bonne surprise cette matinée me réservait-elle encore ?

— Allô ?

— Bonjour, Carl Fouhy, de Mission Disculpation New York. Vous êtes bien Nina Bloom ?

— En personne. En quoi puis-je vous aider, Carl ?

— Étant donné que vous avez hérité de l'affaire

Harris, j'ai pensé que ce serait bien que vous rencontriez sa mère.

Sans doute Mary Ann l'avait-elle prévenu. Pas de désistement, et pour cause !

— Avez-vous un moment ?

— Pas vraiment, Carl. Je décolle pour la Floride à 10 heures.

— Vous pourriez peut-être passer au Rockefeller Center juste avant. L'affaire est au cœur de l'actualité. L'émission *Today* y consacre une partie de son édition de ce matin. À l'heure où je vous parle, je me trouve devant les studios avec Mme Harris, nous manifestons. Le but est de donner à l'affaire une portée nationale.

L'émission *Today* ? Une portée nationale ? Moi qui voulais passer inaperçue, j'étais servie. Un nœud de terreur épais comme un poing me serra soudain l'estomac. Je n'aurais jamais dû téléphoner à Mary Ann. J'avais commis une terrible erreur en acceptant de m'occuper de cette affaire.

— Nina ? Vous êtes toujours là ? Je sais que le moment est mal choisi, mais je crois qu'il est impératif que vous rencontriez Mme Harris.

Incapable de trouver une excuse valable, je me résignai à improviser sur place. Si on me demandait d'approcher d'une caméra, je tournerais les talons avec un refus catégorique. Je prendrais même carrément mes jambes à mon cou.

— Euh… D'accord, alors, répondis-je en jetant un coup d'œil à ma montre. Mais rien qu'une minute. Je serai là dans une demi-heure.

62

— Et quatre, trois, deux…

Un gringalet au crâne lisse entièrement vêtu de noir et coiffé d'écouteurs pointa le doigt sur une gigantesque caméra de studio dont le voyant rouge s'allumait.

— Et nous revoici, déclara Al Roker en lisant le texte qui défilait sur le prompteur monté sous l'énorme objectif bleuté. Aujourd'hui, nous clôturons notre série en trois volets sur l'exécution du Tueur de Floride en recevant un membre de la famille de l'une des présumées victimes de Justin Harris.

En jean et pull de cachemire bleu ciel, Peter Fournier souriait sur le canapé en face du monsieur Météo préféré de l'Amérique. Dans son dos, derrière les vitres du studio, une foule brandissait des écriteaux sur Rockefeller Plaza. C'était pour participer à l'émission que Peter était monté à New York.

— La femme de Peter Fournier n'avait que vingt-trois ans quand ses pas ont, selon toute probabilité, croisé ceux de Justin Harris. Policier à Key West, en Floride, M. Fournier est président de l'Association pour les droits des victimes du Tueur de Floride.

Monsieur Fournier, bonjour. Harris a-t-il avoué le meurtre de votre jeune épouse, Jane ?

— Non, répondit Peter d'un air sombre. Il n'a rien avoué du tout, Al. Il continue de clamer son innocence, non seulement concernant le meurtre de ma femme, mais aussi celui de la jeune Tara Foster, pour lequel il a été condamné.

Le témoin prit une inspiration face à l'œil brillant de la caméra.

— C'est pourquoi je suis, comme toutes les autres familles, soulagé d'apprendre que l'exécution va enfin avoir lieu la semaine prochaine. Cet homme doit payer pour ses crimes. Et vendredi soir, s'il plaît à Dieu, il paiera.

Al hocha la tête.

— Je ne peux évidemment pas imaginer votre douleur, mais cela fait maintenant des années qu'il y a débat sur le véritable réconfort qu'apporte la peine capitale aux familles des victimes. Quelle est votre opinion sur le sujet ?

— Il y a dix-sept ans, cet homme a enlevé ma femme et l'a tuée, et il n'a pas l'humanité de me dire où il s'est débarrassé de son cadavre afin que je lui offre des obsèques dignes de ce nom, répondit calmement Peter. Que devrais-je faire, Al ? Pardonner et oublier ? Ma peine, la peine de toutes les autres familles de victimes sera toujours là. Dante a écrit que l'enfer accueille ce qui tombe dans l'oubli. C'est exactement là où je veux envoyer Harris. Je veux qu'il tombe dans l'oubli, pour moi, pour les autres familles, et pour tous les habitants de cette planète.

— Que projetez-vous dans les jours à venir ?

— Avec les autres membres de l'association, nous

avons appris que des opposants à la peine de mort prévoyaient des manifestations. Nous serons donc en première ligne pour nous assurer que nos voix, et toutes les voix qu'Harris a fait taire, seront entendues.

— Merci, monsieur Fournier. Je vous souhaite le meilleur, répondit le présentateur. Dans un instant, Meredith nous donnera des conseils pour voyager à moindre coût.

63

La voiture que j'avais réservée pour l'aéroport me déposa devant le Rockefeller Center, au coin de la 5ᵉ Avenue et de la 50ᵉ Rue, puis redémarra aussitôt. À ma demande, le chauffeur prenait les devants pour récupérer le dossier Harris au cabinet, sur Lexington Avenue. Après avoir rencontré la mère du condamné, et m'être ainsi tiré une belle balle dans le pied, je foncerais au bureau et tenterais, par je ne sais quel miracle, d'arriver à l'aéroport à temps pour mon vol.

Fouhy se tenait au milieu de l'attroupement qui se pressait devant la vitre du 10 Rockefeller Center, où se trouvait le studio d'enregistrement de l'émission *Today*. À ses côtés, un bon morceau de femme noire coiffée d'une casquette « YES WE DID » brandissait une grande pancarte couverte d'un message écrit à la main.

« LIBÉREZ JUSTIN HARRIS !
NE TUEZ PAS MON FILS ! »
Je traversai la foule pour les rejoindre.

— Madame Harris, bonjour, je suis Nina Bloom.

Mon interlocutrice bondit sur moi, manquant me renverser, et me serra dans ses bras. Elle colla ensuite son visage souriant contre ma joue. Il se dégageait de toute sa personne un enthousiasme et un optimiste inattendus, étant donné la triste situation de son fils.

— Oh, c'est quelqu'un de bien, cette dame, je le sens, monsieur Fouhy, observa-t-elle avec un accent du Sud aussi doux que du miel, en plongeant ses tendres yeux marron dans les miens. Vous allez sauver mon Justin.

— Je vais… euh… essayer, répliquai-je en appelant d'une œillade Fouhy à la rescousse.

— Il faudra plus qu'essayer, madame Bloom, répliqua-t-elle en hochant la tête. Beaucoup plus. Vous allez le faire, un point c'est tout. Vous êtes sa dernière chance, il n'y a plus le choix.

Elle me relâcha pour fouiller dans le sac Duane Reade plein à craquer posé à côté d'elle, puis elle me tendit une photo. Je reconnus son fils adolescent, dans un uniforme de chef de la fanfare du lycée. Sur un autre cliché, il jouait sur scène au sein d'un orchestre de musiciens noirs.

— C'était au Carnegie Hall, pour un hommage à Wynton Marsalis, m'expliqua-t-elle avec un rire joyeux, dévorant la photographie du regard. Toutes ces leçons et ces répétitions ! Les voisins appelaient la police tous les quinze jours. Jamais je n'ai été aussi fière de toute ma vie.

Elle plaça ensuite un objet froid et métallique dans ma main. Lorsque je l'examinai, je me rendis compte que ce n'était pas une pièce, comme je le croyais, mais un octogone en bronze barré d'un ruban vert, blanc et bleu. Une médaille militaire.

— Justin a été décoré de cette médaille pour être intervenu sur les lieux d'un accident d'hélicoptère, pendant sa formation de ranger. Que je sache, les tueurs en série ne s'amusent pas à sortir des corps d'une épave en feu. Avant, je croyais au système, vous savez, je croyais que la vérité finirait par éclater au grand jour. Mais c'est tout le contraire. Si seulement j'avais les mots pour leur dire qu'ils font une terrible, terrible erreur, si j'avais les termes juridiques et tout le reste… C'est à vous de le faire pour moi, madame Bloom.

Elle exhala un soupir, luttant pour garder son calme.

— C'est pour ça que je devais vous voir. Pour que vous compreniez ce que je sais, que vous connaissiez le Justin que je connais. Ce n'est pas lui. Justin n'est pas un monstre. Tout ça, ce sont des craques. C'était le meilleur de mes petits, le plus gentil. C'était son frère, la mauvaise tête, à toujours lui chercher des crosses. Mais Justin ne rendait jamais les coups. Non, il ne ferait pas de mal à une mouche.

— Mme Bloom va faire tout ce qu'elle peut, madame Harris, intervint Carl Fouhy avec douceur. Maintenant, elle doit vraiment partir prendre son avion.

— Attendez, s'il vous plaît, me pria Mme Harris sans me lâcher du regard. Vous avez un enfant, madame Bloom ?

— Une fille.

Elle sourit.

— Comment s'appelle-t-elle ?

Je lui rendis son sourire.

— Emma.

— Que feriez-vous si on vous enlevait Emma pour la tuer ?

— Tout ce qui est en mon pouvoir, répondis-je sans une seconde d'hésitation.

Elle laissa échapper un bruyant soupir.

— C'est bien, jugea-t-elle en hochant la tête. Justin est entre de bonnes mains. Dieu a entendu mes prières. Mon petit ne risque plus rien.

Je lui rendis la médaille, mais elle la refusa d'un geste de la tête.

— Non, gardez-la, insista-t-elle tandis qu'une larme, une seule, glissait sur l'arrondi délicat de sa joue noire. Et ne la perdez pas.

Je considérai la médaille, puis Fouhy. Voilà pourquoi il avait tant insisté au téléphone. Ce fumier voulait me savoir motivée, s'assurer que je m'impliquerais sur le plan affectif, que je ne me contenterais pas de travailler machinalement. Il voulait que je voie de mes propres yeux que Mme Harris était un être de chair et de sang, une femme bonne et chaleureuse, une mère aimante désespérée, prête à tout pour sauver son enfant.

Je m'éloignai, les yeux humides. Mission accomplie.

64

Il était 8 h 55 lorsque Peter Fournier emprunta le tunnel de sortie des studios de la NBC pour déboucher sur la 50e Rue Ouest, près du Rockefeller Center.

— Chéri, tu as été épatant ! gazouilla au téléphone sa femme, Vicki. Je n'arrive toujours pas à le croire. Je nage en plein rêve : te voir bavarder avec Al Roker, comme larrons en foire... Un peu plus et je m'évanouissais. Attends, je te passe les garçons.

— Papa, t'as été génial ! lança Scott.

— Ouais, trop ! hurla Michael d'un peu plus loin. Mon père est le plus cool !

— Merci, les enfants ! Je vous aime, moi aussi. Promis, je vous raconte tout dès que j'arrive à l'hôtel.

Il rabattit le clapet de son téléphone en souriant. Il s'était débrouillé comme un chef. Il appréhendait un peu de subir les effets du trac au moment de s'exprimer en direct sur une chaîne nationale, mais, lorsque le voyant rouge s'était allumé il s'était senti comme un poisson dans l'eau, égal à lui-même, calme, maître de la situation. Lui qui avait toujours été persuadé de pouvoir crever le petit écran venait d'en acquérir la certitude. Dans une autre vie, il aurait pu être comédien ou présentateur de talk-shows. Il avait la gueule, le charme... Pouvait-on le taxer de narcissisme sous prétexte qu'il savait pertinemment qu'il en avait plus dans le pantalon que n'importe qui dans cette ville ? N'importe qui dans cet État ? N'importe qui dans ce pays ? Sa stratégie consistait d'ordinaire à adopter un profil bas, mais, une fois n'est pas coutume, il avait pris un risque calculé. Car il y avait de l'argent en jeu.

L'association pour les droits des victimes comptait parmi ses membres Arty Tivolli, le multimillionnaire de Palm Beach propriétaire d'une chaîne d'hôtels. Après s'être lié d'amitié avec le gentleman à la tête argentée et aux poches insondables, Peter avait réussi à le convaincre de se pencher sur le projet de rachat de l'unique terrain de golf en friche de Key West pour le transformer en un immense hôtel de luxe. Depuis un an, il travaillait en étroite collaboration avec la société d'Arty, le Tivolli Group, qu'il présentait aux conseillers municipaux et membres du conseil de zonage qui « gagnaient à être connus ». Si tout se déroulait comme prévu, Peter encaisserait une part faramineuse des opérations. Une manne à sept chiffres, la plus grosse somme qu'il eût jamais gagnée. Du moins en toute légalité.

Son passage dans l'émission matinale n'était donc nullement motivé par un désir de voler sa place de présentateur vedette à Matt Lauer, ni même par un besoin de pleurer sa chère Jane. Son activisme au sein de l'association pour les droits des victimes et son prêchi-prêcha indigné contre Justin Harris retransmis sur tous les postes de télévision de la nation ne s'adressaient en réalité qu'à une seule personne : Arty, qui s'était vu enlever sa fille unique par le Tueur de Floride en 1991.

Perché sur son petit nuage, Peter contempla le chaos tourbillonnant du centre de Manhattan, avec ses camions de livraison qui reculaient et ses taxis en double file qui klaxonnaient. C'était l'heure de pointe et une cohue d'hommes d'affaires et d'ouvriers du bâtiment le doublait d'un pas pressé pour s'engouffrer dans les larges rues transversales.

Quels jobards ! Au boulot, bande de larbins dégonflés ! Et que ça saute !

Même si la fonction appareil photo de son téléphone portable ne valait pas un clou, il entreprit de prendre quelques clichés pour les gosses : la porte du fameux studio d'enregistrement, un policier qui passait à cheval, un coursier à vélo qui fumait une cigarette de l'autre côté de la rue... Il s'apprêtait à prendre un pigeon en train de picorer un doughnut dans le caniveau lorsqu'une grande blonde débaula au coin de l'immeuble adjacent au Rockefeller Center, côté est. C'était le genre de femme qui faisait tourner les têtes. Il y avait chez elle quelque chose de tellement new-yorkais : sa cuisse crémeuse, sa démarche qui semblait crier « dégagez le passage ! », son blond platine qui sentait le salon de coiffure à plein nez.

Le sourire tranquille de Peter s'évanouit lorsqu'elle se tourna vers la droite pour évaluer le flot de voitures. Il baissa son téléphone. Pétrifié et muet de stupeur, il regarda alors sa femme morte s'engager sur la chaussée.

65

— Et merde ! m'exclamai-je lorsque, tournant sur la 5ᵉ Avenue, je regardai l'heure sur mon iPhone.

J'aurais dû être déjà en route pour l'aéroport. Mon chauffeur serait obligé de mettre le turbo, et peut-être de griller quelques feux rouges sur le chemin de JFK si je ne voulais pas rater mon avion. Un instant, j'envisageai de l'appeler pour lui demander de venir me chercher sur la 5ᵉ Avenue, mais j'y renonçai aussitôt. À cette heure de la matinée, le centre de Manhattan était tellement congestionné, et la circulation tellement imprévisible, que je mettrais moins de temps en le rejoignant à pied.

Accélérant le pas, je traversais pour rejoindre le trottoir d'en face lorsque le carillon de mon iPhone me notifia la réception d'un SMS. Je jetai un regard à l'écran, redoutant un nouveau contretemps, avant de lâcher un soupir. C'était Emma. Évidemment ! Je la voyais presque comme si j'y étais, installée pour sa première heure d'étude à la bibliothèque de Brearley, en train de pianoter des messages en douce, ses livres ouverts sous son nez, son portable sous la table. Du pouce, j'effleurai le bouton « Afficher » sur l'écran tactile.

« Willlllsonnnnnn !! », lus-je sur mon téléphone.

Dans ma folle précipitation, je trouvai le temps de sourire, puis de rire tout haut. C'était une référence au passage le plus stupide, mais aussi notre préféré, du film *Seul au monde*. Unique survivant d'un crash d'avion, Tom Hanks s'y prend d'une amitié totalement absurde pour un ballon de volley de la marque Wilson. C'était devenu, pour Emma et moi, une façon de nous passer le bonjour. Tout au long de la journée, nous échangions par texto des plaisanteries ridicules que nous seules comprenions.

Un autre tintement m'annonça l'arrivée d'un nouveau message.

« Pirc groupe des années 1980 ? REO Speedwagon ? »

Étant passée par là, je me voyais dans l'obligation de la contredire.

« Presque, tapai-je sans cesser de marcher, un exercice d'une lenteur affligeante chez les plus de seize ans. Culture Club. Leur tube : "Do You Really Want to Hurt Me". Et pour faire mal, ça faisait mal. Cherche Boy George dans Google si tu ne me crois pas. »

« OK, répondit Emma en un claquement de doigts. Bataille de répliques de film ! *Toy Story* : "J'appelle pas ça voler, j'appelle ça tomber avec panache !" »

« Ça sert à quoi, un ranger de l'espace ? », pianotai-je, cette fois en un temps record. Emma serait fière de moi.

Je rangeai mon iPhone dans ma poche, une boule dans la gorge. Les larmes me montèrent aux yeux et, sans m'arrêter de marcher, je cédai à d'incontrôlables

sanglots devant les boutiques pour touristes, les maga-
sins de bagages et les pizzerias hors de prix de la
5e Avenue. Non, Emma ne serait pas fière de moi. Pas
du tout.

Je reniflai dans le revers de mon imperméable Burberry de contrefaçon. Que penserait-elle de moi quand
la vérité éclaterait au grand jour ? Quand elle découvrirait que je lui mentais depuis ses premiers pas ? Que
j'étais un imposteur ? Qu'un homme était mort par ma
faute ? De qui me moquais-je ? Vouloir innocenter
Harris en une semaine tout en évitant de détruire le
château de cartes de ma vie, c'était placer la barre très
haut, même pour quelqu'un doté d'une imagination
aussi féconde que la mienne. J'avais évité un écueil au
Rockefeller Center, mais ce n'était que le début des
ennuis. Plus j'avancerais dans cette affaire, plus je
risquerais gros. Bon sang, qu'est-ce que je fichais ?
J'avais un satané cadavre dans mon placard, et voilà
que je m'apprêtais à insérer tranquillement la clé dans
la serrure et à la tourner.

Mon téléphone carillonna encore.

« Il y a un serpent dans ma botte ! », m'écrivait
Emma.

Je secouai la tête. *Il y a un serpent dans ta famille,
ma chérie.*

66

Peter évoluait avec aisance parmi la foule de la 5ᵉ Avenue, à un demi-pâté de maisons de Jane.

Il ne savait pas trop ce qui le surprenait le plus : qu'elle fût encore en vie ou qu'elle fût encore si sublime. Quel âge avait-elle maintenant ? Quarante ans ? Il fallait la voir ! Cette classe, cette assurance, cette taille mannequin, ce port royal. Audrey Hepburn dans *Diamants sur canapé*. Il ne lui avait adressé qu'un regard, mais il savait que c'était elle. Il n'en doutait pas une seconde. Comme il savait que c'était bien la femme qu'il avait entrevue sur l'écran du Yankee Stadium.

Peter n'était pas homme à s'émouvoir de l'improbabilité de pareilles coïncidences. Il prêtait la plus grande attention aux détails et mettait un point d'honneur à ne jamais rien oublier, ni personne. Surtout pas un visage. Dans son secteur d'activité, c'était une question de survie.

Malgré ses cinquante ans, ses sens et son instinct n'avaient rien perdu de leur acuité. *Bravo, Jane !* la félicita-t-il intérieurement en la suivant à la trace. Peu de gens sur cette planète pouvaient se vanter d'avoir roulé Peter Fournier dans la farine. *En fait, personne d'autre que toi*, observa-t-il pour lui-même d'un air songeur.

Comme elle s'engageait dans la rue transversale à sa gauche, il accéléra le pas pour réduire la distance. Un monstrueux bâtiment ancien tout crasseux se dressait au bout, à deux pâtés de maisons : Grand Central Terminal. Il avait visité la gare avec sa famille le jour de leur arrivée à New York. Des tunnels. De l'obscurité. Des trains lancés à pleine vitesse. Des masses humaines. Un endroit propice aux accidents... ou aux actes de violence gratuite.

Il portait sur lui sa seconde arme de service, un petit Glock rangé dans un étui à sa cheville, mais il ne pouvait raisonnablement pas tirer dans une gare qui grouillait de policiers antiterroristes. Ce qui lui laissait le choix entre la petite matraque plombée à déclenchement automatique qu'il dissimulait, en toute illégalité, au creux de ses reins depuis ses débuts au sein de la police de Boston, ou sa ceinture à boucle couteau. Adjugé pour la ceinture. Il pouvait dégainer et rengainer la lame en un tournemain. Lui ouvrir l'artère fémorale et passer son chemin. Il se représenta la scène. Ne pas lui accorder un regard. Remonter à sa hauteur par le côté, poignarder, scier.

Cette perspective ne lui plaisait guère plus que celle de planter un clou au marteau n'enchante un charpentier. En fait, il n'en tirait pas le moindre plaisir. Cet acte ne naissait que d'un cruel impératif économique : protéger ses marges et ses affaires. Il n'était pas une brute, juste un des rares représentants de cette race d'hommes qui ne craignent pas d'utiliser la violence pour ce qu'elle est, à savoir un instrument d'une incomparable efficacité.

Une douce et douloureuse chaleur emplit sa poitrine au souvenir des incroyables heures romantiques qu'il avait partagées avec Jane. Son corps sculptural et bronzé ruisselant quand elle sortait de la mer. Le grand classique du mégaphone devant la porte de la salle de bains. Les plis aussi coupants que des lames de rasoir qu'elle imprimait au fer à repasser dans ses chemises d'uniforme. Aucun doute, de toutes ses défuntes épouses, Jane restait de loin sa favorite.

Suivant la légère pente qui débouchait sur Grand Central, Peter contempla la fugueuse avec regret.

— Oh, Sirène, on s'est bien amusés tous les deux, pas vrai ? souffla-t-il, les yeux rivés sur le dos de l'élégant imperméable ivoire. Quel gâchis !

Je ne pleurais plus qu'à petits sanglots lorsque je quittai Vanderbilt Avenue pour pénétrer dans Grand Central, et mes larmes avaient séché quand j'empruntai le majestueux escalier en direction du grand hall. Comme toujours, la magie opéra dans le décor de marbres crémeux et de majestueuses fenêtres, sous la constellation d'étoiles de l'immense plafond vert. Il me suffisait de traverser cette élégance surannée en tailleur pour me sentir chic et new-yorkaise jusqu'au bout des ongles. Souvent, je m'imaginais dans un vieux film, telle Eva Marie Saint dans *La Mort aux trousses*.

Trente secondes plus tard, j'avais rejoint le gigantesque espace aux allures de cathédrale dans le long couloir bordé de commerces qui mène à Lexington Avenue. Je passai une bijouterie, une boutique de mode, un stand de cireur de chaussures, un Starbucks. Comme une nouvelle vague de voyageurs se déversait dans le couloir et remontait l'escalier reliant les lignes de métro de Lexington Avenue à la gare, je me rabattis sur la gauche. Mais visiblement pas assez. Je grimaçai de douleur quand un crétin pressé de Wall Street en costume rayé m'écrasa le pied droit. Les orteils traversés par un terrible élancement, je m'adossai contre le mur et retirai mon escarpin à bout ouvert pour vérifier que je n'avais perdu aucun doigt de pied.

— Surtout, ne vous excusez pas ! hurlai-je, de rage et de douleur.

Ma fureur retomba aussi vite qu'elle était venue. L'atroce sensation dans mon pied s'évanouit, oubliée. À l'entrée du couloir fourmillant de monde se tenait un homme. Grand, beau, les cheveux courts poivre et sel, les yeux bleus, il demeurait immobile comme une statue dans le flot de passants. Et il me dévisageait.

Détachant le regard, je me rechaussai, puis, terrorisée, je pris la direction de la sortie, piquant un sprint digne d'un athlète sur la ligne d'arrivée.

C'était impossible. Impensable. Et pourtant… Peter m'avait retrouvée.

Peter s'aplatit contre le mur, près d'un téléphone public. Il l'avait filée à trop courte distance. Jane s'était arrêtée, elle avait regardé derrière elle. L'avait-elle vu ? Difficile à dire, avec les milliers de gens qui défilaient entre eux dans le couloir. Il ne pouvait cependant pas écarter cette possibilité.

Bon Dieu, il se serait foutu des baffes ! Après toutes ces années, elle ne s'attendait sûrement pas à recevoir une petite visite de son cher mari. L'effet de surprise était crucial, et voilà qu'il avait tout foutu en l'air en la talonnant de trop près. Qu'est-ce qu'il avait branlé ? Où étaient passées la patience et la retenue tranquilles dont il s'enorgueillissait tant ? Mais il était trop tard pour pleurnicher, maintenant. Il fallait agir.

Après avoir compté jusqu'à trois, il risqua un regard dans le large hall. Il fouillait l'entrée du métro, sur la droite, quand il crut voir un éclair ivoire franchir la porte au bout du couloir. Nom de Dieu, elle ressortait ! Il se lança à sa poursuite. Jane se serait donc contentée de traverser la gare ? Sans prendre de train ?

— Hé, là, doucement ! gronda une voix d'homme.

Peter se retourna. Sur le seuil d'un magasin de

photographie, un officier de la police de New York harnaché de la tenue antiterroriste complète, gilet pare-balles et fusil d'assaut inclus, le toisa avec une expression qui lui intimait clairement de se tenir à carreau. Ce n'était vraiment pas le genre d'attention qu'il recherchait, surtout à cet instant. Se retenant de répliquer par un doigt d'honneur, il ralentit sur-le-champ et adressa à son collègue une inclinaison de tête et un petit geste d'excuse de la main.

Il plissa les yeux quand il émergea sur Lexington Avenue. Il regarda à droite, à gauche, puis de l'autre côté de la chaussée emboutreillée de camions de livraison, de bus et de taxis jaunes, levant la tête vers le sommet du Chrysler Building, juste en face de lui. Pas d'imperméable clair en vue. Audrey Hepburn avait foutu le camp. Rien de rien. Et il n'avait baissé la vigilance que cinq secondes.

C'était ça le problème, dans cette foutue ville dont tous les habitants brassaient de l'air comme des forcenés à longueur de journée, pensa-t-il, furieux. Il était tellement facile de s'y déguiser en courant d'air ! Jane devait l'avoir vu.

Et, maintenant, elle avait disparu.

69

Ce n'est pas vrai, ce n'est pas vrai, me répétais-je, collée contre une tablette garnie de pots de lait et de sachets de sucre près de la vitrine du Starbucks plein à craquer de Grand Central. J'étais trempée de sueur, à deux doigts de l'hyperventilation.

Peter ? Ici ? Maintenant ? Comment était-ce possible ? Je n'en savais rien du tout. J'avais un mal fou à respirer ; alors, aligner deux pensées cohérentes…

Lorsque je ne fouillais pas du regard Lexington Avenue, je me dévissais la tête en direction de la vitrine et de la porte latérales du café, qui donnaient sur le couloir de la gare, prête à m'enfuir en hurlant en direction du grand hall pour tenter d'attirer l'attention d'un policier antiterroriste si mon ex venait à entrer. Je tremblais comme un lapin pris au piège. Je n'avais pas encore atterri à Key West que je me retrouvais déjà embarquée dans une angoissante partie de cache-cache, à jouer ma vie.

Tout en scrutant les visages qui défilaient derrière le panneau de verre, je tentai de me raisonner. Peut-être devenais-je paranoïaque. Peut-être avais-je simplement vu un homme qui ressemblait à Peter. Après tout, je m'apprêtais à retourner à Key West, il représentait sans aucun doute le centre de mes préoccupations, sans mentionner le cœur de mon inconscient. Peut-être mon cerveau surstressé s'était-il emballé. Mais peut-être pas !

Il me fallait agir. Je me retournai vers Lexington Avenue. De mon poste d'observation, j'apercevais la voiture qui devait me conduire à l'aéroport, à l'arrêt devant le bâtiment qui abritait mon cabinet. D'un geste hâtif et maladroit, j'ouvris mon sac pour en sortir la carte que m'avait laissée le chauffeur, un Antillais très aimable répondant au nom de M. Ken.

— Allô, euh, monsieur Ken ? C'est Nina Bloom. Avez-vous pu récupérer le paquet à mon bureau ?

— Il est juste à côté de moi, sur le siège passager.

— Parfait. Vous voyez le Starbucks sur le trottoir, en face de vous ? Je suis juste là, derrière la vitrine. Pourriez-vous me prendre devant, s'il vous plaît ?

— Tout de suite.

— Merci, monsieur Ken, le félicitai-je de vive voix, dix secondes plus tard, après avoir traversé le trottoir comme une flèche pour m'engouffrer dans la berline.

Et merci les téléphones portables !

Après avoir verrouillé la portière, je me tassai sur la banquette arrière. M. Ken haussa un sourcil interrogateur dans le rétroviseur.

— Vous avez oublié votre café, madame Bloom ? s'enquit-il de son accent chantant.

— Oh, je l'ai déjà bu, merci, mentis-je en jetant un coup d'œil par la fenêtre, paniquée. Maintenant, si nous pouvions nous mettre en route pour JFK, ce serait formidable.

Je me ratatinai davantage sur la banquette, retenant ma respiration jusqu'à ce que M. Ken appuie sur le champignon.

Posté au coin de la 42ᵉ Rue et de Lexington Avenue, Peter dévisageait les passants. Il jeta un dernier regard désespéré au trottoir noir de monde devant Grand Central. Rien. Pas d'imperméable ivoire. Ni de l'autre côté de la rue, ni nulle part. Il avait merdé. Jane s'était évaporée. Quelle foirade ! Il la tenait presque.

Alors qu'il rageait sur le trottoir, un souvenir se forma dans son esprit : sa première et unique chasse à l'arc avec son père, dans le New Hampshire, quand il avait sept ans. Il était en train de pisser dans la forêt quand un énorme ours noir avait surgi à trois mètres devant lui. Il n'avait pas eu le temps de pousser un cri qu'un sifflement lui caressait les oreilles et qu'une flèche se fichait dans l'œil de l'animal. La bête s'était écroulée comme un meuble renversé. Son père était descendu de sa cache et s'était agenouillé devant l'animal mort, agitant l'air pour ramener l'odeur du sang vers son visage et humer avec bruit, comme un grand chef au-dessus d'une marmite. Peter avait bien failli se faire dessus quand le vieux l'avait empoigné brutalement pour lui fourrer la tête sur l'ours éclaboussé d'hémoglobine. Il lui avait collé le nez contre le museau noir et ensanglanté de la bête.

— Dans c'te vie, ou c'est toi qu'as la peau d'l'ours, avait lancé ce salaud avec son accent franco-canadien et son haleine imbibée d'alcool, ou c'est l'ours qu'a ta peau. C'est toi qui choisis, d'ac ?

Il savait que Jane vivait à New York et qu'elle travaillait dans le coin, c'était toujours ça de pris. Bon sang, rien que de la savoir en vie, c'était quelque chose. La débusquer n'était plus qu'une question de temps.

Son téléphone sonna. L'écran l'informa qu'il s'agissait de sa femme, Vicki. Au milieu des coups de klaxon de l'avenue, il leva les yeux vers les innombrables fenêtres. Sa rage s'apaisait, laissant place à la patience tranquille et instinctive du chasseur.

— Ne t'en fais pas, p'pa, j'aurai la peau de l'ours, déclara-t-il en portant son téléphone à son oreille. Je l'ai toujours eue et ça n'est pas près de changer.

QUATRIÈME PARTIE

Le retour de l'épouse prodigue

71

J'ignorais l'heure qu'il était lorsque je me réveillai en sursaut, renversant les transcriptions du procès de Justin Harris. Après une heure d'escale à Atlanta, j'avais embarqué dans un coucou de cinquante places d'une exiguïté déconcertante. Je rangeai le dossier, puis me penchai sur le minuscule hublot en m'interrogeant sur le temps de vol restant. Nous survolions une étendue ininterrompue d'eau qui, sous l'éblouissant soleil du Sud, arborait la couleur de l'argent et le brillant du papier d'aluminium.

Mon estomac recommença à faire des nœuds. Cet éclat, c'était la lumière de Floride. La lumière de Key West.

Avais-je trompé le danger ? Semé Peter ? Je n'en savais trop rien. Je détachai mon regard de la mer lorsque le haut-parleur de la cabine émit un « ding dong » et que l'hôtesse annonça le dernier quart d'heure de vol. Un quinquagénaire plutôt bel homme m'adressa un sourire de l'autre côté de l'allée centrale. La peau pâle et les cheveux blond vénitien, il portait un bermuda et un T-shirt gris frappé du sigle de l'université de New York. Il était australien, et bien éméché. Je le savais parce qu'il avait essayé de me faire du gringue devant la porte d'embarquement, à Atlanta. En d'autres circonstances, je l'aurais sans doute laissé faire. Un verre n'aurait pas été de trop.

— Au paradis ! lança Crocodile Dundee avec un geste théâtral un peu tordu, brandissant son gobelet en plastique dans ma direction.

Je lui souris poliment avant de me détourner. Plutôt au paradis *perdu*.

Je reposai les yeux sur le hublot, derrière lequel une grande construction apparut au milieu de la mer. Je serrai les paupières, le cœur à l'arrêt, les dents et les tympans broyés par la tension. Mon dos se couvrit d'une sueur moite qui colla ma chemise à ma peau, et la carlingue du petit avion sembla soudain se refermer sur moi comme un cercueil pour m'enterrer vivante.

Cette structure de béton, c'était l'Overseas Highway, la route où j'avais failli mourir, victime du Tueur de Floride, il y avait presque vingt ans de cela. Comme si cette vision ne suffisait pas à m'infliger une crise cardiaque, l'avion entama sa descente et la chaude lumière blanche de Floride se réfléchit sur un bateau de plaisance, puis un autre, et encore un autre, tous identiques au Stingray de Peter. Une terreur foudroyante me submergea. Je n'aurais jamais dû revenir. C'était insensé. J'étais insensée. J'avais échappé à l'enfer, pourquoi y retournais-je ?

— Oh, je suis vraiment navrée, mon chou, roucoula dans mon oreille une voix à l'accent du Sud.

C'était l'hôtesse, une femme blonde et trapue d'une petite cinquantaine d'années. Elle me prit la main.

— Je connais cette expression. Ne vous inquiétez pas, ça arrive à tout le monde d'avoir le mal de l'air.

Même à moi. Si je peux faire quelque chose pour vous…

Faites faire demi-tour à l'avion, fus-je un instant tentée de lui répondre. Cependant, rien ne m'assurait que je serais davantage en sécurité ailleurs. Où aurais-je bien pu me cacher, maintenant que Peter m'avait retrouvée ?

D'un geste sec, l'hôtesse m'ouvrit un sac pour vomir au moment où les trains d'atterrissage se dépliaient avec un bourdonnement. Des étoiles noires scintillèrent à l'intérieur de mes paupières et je fus saisie d'un violent haut-le-cœur. Avec une longue éructation sonore et embarrassante au possible, je rendis les cacahuètes grillées au miel et le Coca-Cola Light généreusement servis par la compagnie aérienne. Lorsque je jetai un nouveau regard de l'autre côté du couloir, mon camarade australien était plongé dans une lecture attentive de son magazine de bord.

Je m'essuyai la bouche avec une serviette. Formidable ! Le séjour commençait fort. Très fort !

72

Après avoir aspergé mon visage d'eau, je me sentais un peu mieux lorsque je descendis l'escalier métallique pour rejoindre la terre ferme. Le petit aéroport de Key West paraissait égal à lui-même, aussi relax et brûlé par le soleil que ses bagagistes. Du tarmac, on apercevait l'eau bleu cristal qui miroitait derrière le grillage de la piste, apaisante, belle, attrayante.

J'arrachai mes yeux à ce spectacle pour suivre la file de jeunes hommes et femmes d'affaires souriants, parés pour un séjour placé sous le signe de la fête. Mais, contrairement à eux, je ne venais pas pour des vacances. Plutôt pour une opération kamikaze. *Tu fais ce que tu as à faire et tu fous le camp !* me rappelai-je.

Devant l'aéroport, un grand Noir de la taille d'un joueur de NBA, lunettes de soleil Aviator sur le nez et visière verte vissée sur la tête, me tapa sur le coude.

— Mademoiselle ?

Seigneur, m'avait-il reconnue ?

— Quoi ? aboyai-je presque.

— Avez-vous besoin d'un taxi jusqu'à votre hôtel ? s'enquit-il avec méfiance, un doigt pointé sur la voiture derrière lui.

Cinq minutes plus tard, nous nous arrêtions devant le Hyatt. Après avoir réglé la course et le pourboire du chauffeur de taxi, je traversai le parking aussi vite que s'il s'agissait d'un champ de bataille. Dans le hall, une réceptionniste noire corpulente m'adressa un sourire placide.

— Nina Bloom, lut-elle quand je lui tendis ma carte de crédit. Ah oui, je viens de recevoir un appel vous concernant.

Un appel ?

— Votre cabinet vous a surclassée. Ils doivent beaucoup vous apprécier, vous avez été transférée dans notre suite, au dernier étage.

Ce ne fut qu'après avoir remis son pourboire au groom et verrouillé la porte avec soin que je respirai pour la première fois depuis le matin. Je découvris une suite magnifique, d'une luxueuse élégance avec ses meubles de cuir blanc, ses comptoirs en quartz noir et ses œuvres d'art moderne aux tons vifs. La baie vitrée donnait accès à une terrasse privée sur le toit, pavée de carrelage mexicain et dotée d'une spacieuse méridienne arborant mon nom. Un gigantesque panier garni de fleurs tropicales, de boîtes Godiva et d'un magnum orange et vert de Veuve Clicquot m'attendait sur le plan de travail. Le message, signé de mon patron, indiquait : « Merci d'agir pour la bonne cause, Nina. Pulvérisez-les. » Au moins faisais-je un heureux !

Dans l'un des magazines de l'hôtel, je trouvai un article sur les préparatifs de la Célébration de l'indépendance de la Conch Republic – la République des Conches, ainsi que s'était autoproclamée Key West dans une vaste plaisanterie. Duval Street serait le théâtre d'une course de lits et, bien sûr, l'alcool y coulerait à flots. Peut-être n'était-ce pas plus mal, au final. Avec un peu de chance, l'ensemble des services de police, Peter inclus, ne saurait plus où donner de la tête face à l'afflux accru de touristes.

Je m'affalai sur un canapé bas en cuir blanc et téléphonai à Emma.

— Je suis arrivée, lui annonçai-je. Je suis vannée.

— Je te crois ! Tu as vraiment la vie trop dure, maman. Surtout, profite bien de ton voyage « d'affaires » à Key West. Et ne te bousille pas le dos en dansant le limbo jusqu'au petit matin.

Je secouai la tête. Elle ne comprenait pas. Elle ne pouvait pas imaginer ce que j'aurais donné pour fuir cet endroit, foncer tout droit à l'aéroport et rentrer à la maison.

— De ton côté, tu n'as pas intérêt à faire la java avec Gabby, mademoiselle Je-Sais-Tout. Je t'aime, Wilson. Je t'appelle demain.

Après avoir raccroché, je composai le numéro de l'avocat d'Harris, Charles Baylor, afin de l'informer de ma visite le lendemain, mais mon appel demeura sans réponse. Pour changer… Je m'apprêtais à prendre une douche lorsque mon regard se posa sur la vue. Le soleil entamait sa descente et le ciel se teintait d'un bleu électrique si profond qu'il en paraissait irréel. Avec une nouvelle secousse de la tête, je me remémorai ce dernier coucher de soleil sur Mallory Square lors du *Spring Break*, quand je dansais et chantais sur du Bob Marley avec la certitude de pouvoir nager dans le bonheur et l'insouciance jusqu'à la fin de mes jours. Comme je me trompais…

En dépit de ce mauvais souvenir, et du principe qui m'interdisait de mêler travail et plaisir, je décidai d'aller m'installer sur le toit avec un verre d'eau et la bouteille de champagne. Si quelqu'un avait besoin d'un petit remontant à cet instant, c'était bien moi.

Réflexion faite, je ne m'encombrai pas du verre d'eau lorsque je mis le cap sur la méridienne blanche, semant dans mon sillage l'enveloppe d'aluminium du bouchon de Veuve Clicquot.

73

Le cabinet de Charles Baylor était situé sur Terry Lane, dans Old Town, à un pâté de maisons de la résidence d'Hemingway. Une boîte de Dunkin' Donuts dans une main et un plateau de cafés dans l'autre, je pressai sa sonnette du bout du coude à 9 heures tapantes, ce vendredi matin.

Une scie mugissait à l'arrière de la maison. Sous le porche, une bicyclette rouillée tenait compagnie à des bouteilles de plongée déglinguées. Dans quel genre de cabinet travaillait ce Baylor ? Profitant d'un bref retour au silence, je posai les cafés par terre et tambourinai du poing sur la porte. Elle finit par s'ouvrir une minute plus tard, révélant un type torse nu. La peau bronzée et les yeux troubles, il portait un bandana vert, des lunettes de protection et un masque qui lui couvrait la bouche et le nez. Il s'essuya les mains sur son unique vêtement, un jean coupé.

— Ouais ?

— Je cherche Charles Baylor. L'avocat.

— Il est absent pour le moment, répondit l'homme en retirant son masque, révélant un large sourire benêt.

Je suis Charlie Baylor, le charpentier. Je peux peut-être vous aider ?

Je réprimai un roulement d'yeux. *Tout le plaisir est pour moi, gros malin !*

— Nina Bloom, de Scott, Maxwell & Bond. On m'a chargée de vous assister sur l'affaire Harris. Je vous ai laissé une bonne douzaine de messages.

— Nom d'un petit bonhomme ! s'exclama Baylor, forçant sur l'accent de péquenaud. Vous d'vez êt' Mam'selle New York City, ici présente pour inculquer au plouc des plages deux, trois ficelles du métier. J'ai bien eu tous vos appels et ceux de ces donneurs de leçons de Mission Disculpation. Mais vous, vous n'avez pas reçu mon e-mail ? Merci, mais non merci ! Mon client est entre des mains compétentes. Vous devriez vérifier sur votre BlackBerry. Je crois que j'ai mis comme objet : « Cherchez donc un arbre à serrer dans vos bras. » Je crains que vous ne deviez avaler tout ce café toute seule. Dommage… À plus !

Dans le genre con puant, j'avais décroché la timbale. Comme il me refermait la porte au nez, je lâchai promptement la boîte de doughnuts pour la pousser dans l'entrebâillement. J'étais venue à Key West pour tout un tas de raisons, mais pas pour y perdre mon temps.

— Des mains compétentes, hein ? criai-je alors qu'il posait un regard surpris et peiné sur le carton écrasé par terre. Dites-moi, que fabriquez-vous là derrière, monsieur Baylor ? Un cercueil pour Harris ?

Il retira son bandana pour passer les doigts dans ses cheveux sable. Il devait avoir la petite quarantaine, mais il se dégageait une certaine jeunesse de son visage mince et tanné. Il ressemblait davantage à un paysagiste qu'à un avocat. Avec des yeux de la couleur du ciel que j'avais admiré de ma terrasse, la veille au soir. Mais je m'égarais…

— Un cercueil pour Harris ? répéta-t-il en souriant. Ça, c'est cruel, ma p'tite dame. C'est que vous commenceriez presque à me plaire. Je vous en prie, appelez-moi Charlie. Quand comptent-ils changer le nom de votre cabinet en Scott, Maxwell & Sale Carne ?

Je soutins son regard, avant de m'autoriser mon premier sourire.

— Invitez-moi à entrer et nous en parlerons, Charlie.

74

La maison de l'avocat se divisait en deux parties : la première, superbe, avec des planchers vernis de pin d'Elliott doré, une rampe et un escalier tournants entièrement rénovés, une cuisine fonctionnelle en marbre blanc tout droit sortie d'*Architectural Digest* ; la seconde, saccagée, avec des cloisons de plâtre brisées et des bidons remplis à ras bord de détritus qui lui donnaient plus qu'un air de *crack-house*. Par bonheur, je fus rapidement escortée à travers le chantier jusqu'à une étude derrière la cuisine, une pièce lambrissée de chêne aux finitions soignées. Charlie posa violemment ce qui restait de la boîte de doughnuts sur un bureau immaculé, puis sortit d'un minibar une canette de Heineken en forme de baril.

— Vous n'avez plus de jus d'orange ? observai-je avec un regard ostentatoire à ma montre.

— À Key West, c'est ça, le jus d'orange, répliquat-il en décapsulant la canette.

Je faillis m'évanouir lorsque mes yeux accrochèrent un diplôme de droit de Harvard encadré au mur, son coin inférieur droit décoré d'un petit bandeau avec la mention « *magna cum laude* ».

— Ça coupe la chique, hein ? remarqua Charlie en se balançant sur son fauteuil. J'ai raté la mention très honorable de vraiment peu. En fait, je crevais d'envie d'aller à Yale, mais l'équipe de football a complètement merdé, cette année-là.

Il but une longue gorgée qu'il ponctua d'un rot avant de s'emparer d'un beignet à la crème pâtissière écrabouillé.

— Comment avez-vous atterri ici ? lui demandai-je.

— Vous savez ce que racontent les gens, qu'il y a une femme derrière tout ça ? C'est Jimmy Buffett qui le dit.

Il se mit alors à chantonner « Margaritaville » la bouche pleine :

— *Some people claim that there's a woman to blame. But I know…*

— Arrêtez, par pitié.

— D'accord, d'accord, accepta-t-il en mâchant son doughnut. Pas de femme à blâmer, de mon côté. J'imagine que, comme pour tout le monde, les choses sont lentement allées à vau-l'eau jusqu'à ce que j'échoue sur cette côte. Pour tout vous dire, cette maison appartenait à mon grand-papa, un pétrolier texan. Il l'a gagnée au poker à soixante-dix ans. La légende familiale raconte qu'il est venu y jeter un coup d'œil et qu'il a renvoyé au Texas le télégramme suivant : « Si tout va comme je veux, vous ne me verrez plus jamais sobre. »

— Une histoire touchante…

— Bref, il y a quelques années, j'ai hérité de la baraque et de sa boîte à outils poussiéreuse. Quand j'aurai retapé ce petit bijou pour lui redonner toute sa gloire, je ne sais pas trop ce que je ferai de mes deux mains. Un ami qui bosse pour la chaîne de décoration HGTV pense que j'ai le profil idéal pour devenir un de ces beaux mecs qui jouent les charpentiers du petit écran. Vous croyez qu'ils gagnent combien ?

— Vous êtes trop vieux pour ça.

Il avala sa dernière bouchée de beignet avec une gorgée de bière avant de lâcher un grognement.

— Ne le dites à personne, mais je nourris aussi l'ambition de devenir le prochain John Grisham ou Ernest Hemingway. Vous avez visité la maison de notre Papa national ? Savez-vous que certains des chats qui y logent ont six orteils ?

— Et savez-vous qu'Hemingway s'est tué d'un coup de fusil ? m'empressai-je de répliquer. C'est bien joli tout ça, mais il est temps de nous pencher sur l'affaire Harris. J'ai le dossier, mais je voudrais que vous m'expliquiez par vous-même, en quelques mots, à quel moment les choses ont commencé à dégénérer.

— En quelques mots… D'accord, voyons… Disons que les choses ont complètement dégénéré au moment où les flics lui ont dit : « Au fait, Harris, t'as le droit à un avocat. » Et qu'il n'a pas cru bon de répondre : « Où est le téléphone ? »

Il s'enfonça dans son fauteuil pivotant et posa sa canette en équilibre sur son torse nu.

— Harris a creusé sa propre tombe. Il a commencé par dire aux flics qu'il ne connaissait pas Foster. Mensonge numéro un. Quand ils l'ont confronté aux résultats ADN, il s'est soudain souvenu avoir eu avec elle des rapports sexuels consentis à la prison où il travaillait comme gardien, et elle comme bénévole. Et il a cru bon d'ajouter que cette jeune musicienne, titulaire d'une bourse de mérite de surcroît, était – je cite –

« une vraie petite cochonne », qu'elle aimait le gifler et le griffer, et qu'il lui passe les menottes avant qu'ils fassent leurs petites affaires dans le réduit du concierge. Exactement ce qui, d'après lui, s'est produit au matin de sa disparition. Il a déclaré avoir rejoint une autre femme, sa fiancée, après son service et avoir passé la journée avec elle au Seaquarium de Miami. Mais quand la police a vérifié son alibi, la fiancée a nié en bloc.

— C'est du n'importe quoi.

— Du *grand* n'importe quoi. C'est la raison qui a poussé mon illustre cabinet à me confier le dossier quand le premier avocat d'Harris a été radié du barreau pour avoir truandé ses clients dans des affaires immobilières. Comme vous, j'ai été assez crétin pour croire en Harris, vous voyez. Du moins, assez pour aller devant le tribunal.

— Que s'est-il passé ?

— Tout le problème, c'est que le jury n'a pas voulu croire qu'un gardien noir et pauvre puisse avoir des rapports sexuels consentis avec une étudiante blanche angélique qui faisait du bénévolat dans la prison où il travaillait. La mère de Foster était assise au premier rang, elle se crispait et se mettait à sangloter à la seule mention d'une relation entre Harris et sa fille. L'idée ne plaisait pas tellement aux jurés non plus. Ça s'est terminé par un coup de théâtre et une condamnation à mort.

Charlie bâilla, puis il lécha la crème pâtissière qui lui restait sur les doigts.

— J'ai démissionné de mon cabinet un an plus tard. J'imagine que cette affaire me travaillait. Alors voilà, en quelques mots. J'ai quasiment tout perdu en essayant de sortir Harris de ce merdier. Comment comptez-vous vous y prendre pour y arriver en une semaine ?

— Je ne sais pas, répondis-je en me levant. Mais je vais faire un truc auquel vous n'avez sans doute pas pensé depuis un moment.

— Ah ouais, et on peut savoir quoi ? s'enquit-il en se redressant dans son fauteuil.

— Je vais essayer, bon sang !

75

Il était 16 heures quand mon charter atterrit à Raiford, où Justin Harris était détenu dans le couloir de la mort de la prison d'État de Floride. Située dans les environs de Jacksonville, cette ville est quasiment à la frontière nord de l'État de Floride, une sacrée distance depuis Key West, qui se trouve à l'extrême sud. Pour des questions purement pratiques, Charlie avait conseillé à Harris de prendre un avocat dans le secteur, mais celui-ci n'avait rien voulu entendre. Pour le condamné, c'était lui ou personne. Ce qui me conduisait à me poser de sérieuses questions sur sa capacité de jugement.

Je dépassai une poignée de jeunes manifestants assis sur des voitures stationnées sur l'étendue d'herbe roussie qui faisait face au pénitencier de haute sécurité. À mon passage, une adolescente fluette en robe à fleurs vintage brandit une pancarte dans ma direction.

« À BAS LA PEINE DE MORT. LIBÉREZ JUSTIN HARRIS ! »

— Je fais de mon mieux, marmonnai-je en approchant de la clôture de barbelés acérés qui entourait le parking de la prison.

Avec ses palmiers royaux, son parc bordé de haies et ses murs blanchis à la chaux hérités de l'époque des missions espagnoles, l'entrée de Raiford évoquait davantage une villégiature du XIXᵉ siècle qu'un établissement pénitentiaire. Une impression qui m'abandonna définitivement à la seconde où je découvris son intérieur austère d'acier et de béton. La porte s'ouvrit en bourdonnant et émit un lourd claquement quand son verrou se referma dans mon dos. Je n'avais encore jamais mis les pieds dans une prison, mais je compris très vite qu'aucun film ne rendait avec fidélité l'horreur déprimante des lieux. De tous côtés se répercutaient des échos de cris incompréhensibles, de télévisions à plein volume, de chasses d'eau, de chocs métalliques.

Je repensai à cette lointaine nuit sur la route du bord de plage, à Ramón Peña, au destin auquel j'avais échappé. Y avais-je réellement échappé ? Chaque fois que je croyais avoir semé le sort, il resurgissait comme un feu follet.

Mon permis de visite délivré et mon sac fouillé, un gardien hispano-américain aux épaules larges m'escorta sans un mot dans un long corridor de ciment flanqué de murs dépouillés. Après vingt minutes d'attente, Justin Harris entra d'un pas clopinant dans le parloir du quartier des condamnés à mort, entravé par des chaînes qui reliaient ses poignets à ses chevilles. Comme si cela ne suffisait pas, le surveillant qui l'accompagnait l'attacha comme une bête sauvage à un anneau de fer fiché dans le sol à côté de la table. Il demeura ensuite dans les parages, posté derrière une grande fenêtre en verre armé d'où il ne nous quitta plus des yeux.

Je détaillai l'homme qui se tenait devant moi. Il était plus épais que sur la photo de Fox News. Son corps grand et fort s'était engraissé et ses épaules, ses bras et son buste massifs semblaient s'affaisser, comme si quelque chose s'était effondré au plus profond de lui. Il fixa sur moi des yeux vides, la respiration haletante. Une bosse bleuâtre pointait sur son crâne tondu.

— Où est Charlie ? me demanda-t-il enfin. Je croyais que j'avais une visite de mon avocat.

— Je m'appelle Nina Bloom. Je travaille dans un cabinet new-yorkais, on m'a désignée pour assister Charlie dans cette affaire. Qu'est-il arrivé à votre tête ?

— Ça ? demanda-t-il en pointant son doigt sur son ecchymose avec un sourire niais. J'ai fait une chute en ski nautique.

J'exhalai un soupir sans détacher mon regard du sien. Il lui restait une semaine à vivre et il jouait au plus malin. C'était à se demander si cet homme n'avait pas complètement perdu la raison.

— Je sais que vous n'y êtes pour rien, Justin, déclarai-je avec calme. Je suis là pour vous aider.

Ses yeux s'écarquillèrent, traversés par un éclair de colère. Il se redressa sur sa chaise dans un cliquetis métallique.

— Ah oui ? Et comment vous le savez ? Parce que je suis noir et que vous avez voté pour Obama ? Écoutez-moi bien. J'ai été ranger, j'ai combattu pour ce pays avec fierté pendant la première guerre du Golfe, et aujourd'hui on ferme Guantanamo ! Peut-être qu'avec vos copains de l'Aclu, vous devriez laisser tomber mon cas et aller défendre les libertés d'un terroriste pour qu'il soit relâché dans la nature.

— Je sais que vous croyez en ce pays, Justin, répliquai-je, sur un ton encore plus calme, en sortant sa médaille de mon sac.

— Qui vous a donné ça ? demanda-t-il d'une voix indignée.

— Votre mère. Je suis ici pour elle autant que pour vous.

Ses yeux se fixèrent sur la médaille. Il inspira, retint sa respiration, puis hocha la tête et ferma les paupières avant de laisser échapper une larme.

— C'est ici qu'ils ont exécuté Ted Bundy, vous le saviez ? observa-t-il avec détachement. La chaise électrique est au bout du couloir. On m'a dit que je peux aussi opter pour l'injection. Le problème, c'est qu'ils ont raté il y a quelques années, ils n'ont pas été fichus de trouver la veine. Le type s'en est tiré avec des brûlures chimiques de plusieurs dizaines de centimètres sur les deux bras.

— Je vais vous sortir d'ici, Justin.

Il lâcha une profonde expiration et me considéra longuement. Il m'adressa alors un sourire, son premier sourire sincère. Mon regard s'arrêta sur ses dents droites et ses fossettes. Une infime seconde, il me rappela le jeune chef de fanfare qui souriait sur la scène du Carnegie Hall.

— Je m'excuse pour la blague sur Obama, je ne le pensais pas, reprit-il en pressant ses mains l'une contre l'autre comme pour une prière. Je sais ce que vous cherchez à faire, mademoiselle Bloom, et je vous admire. C'est bien d'essayer d'aider des désespérés. Vous m'avez l'air de quelqu'un de bien, et je vous remercie de croire en mon innocence. Mais le gouverneur de Floride ne m'accordera pas de sursis. Je me suis mis dans ce pétrin tout seul, je me suis résigné à en subir les conséquences. J'ai vécu ma vie. Ce n'était pas si formidable que ça, au final. Maintenant, il est temps d'en finir.

— Regardez-moi, insistai-je avec fougue. Je ne vous parle pas de sursis, je vous parle de vous sortir d'ici, Justin. Je sais que votre ADN a été retrouvé sur Tara Foster à la suite d'un rapport sexuel consenti, je sais que votre fiancée a menti. Je vais tirer cette affaire au clair. Vous souvenez-vous de quelque chose, d'un détail qui puisse corroborer votre alibi ?

— C'était très agréable de discuter avec vous, Nina, mais ma lecture m'attend, répliqua Justin en tapant à la fenêtre de verre armé.

Alors que le gardien l'emmenait, il se retourna.

— Attendez, vous pouvez faire quelque chose pour moi.

Je me redressai sur ma chaise.

— Quoi ? Qu'est-ce que c'est ?

— Si vous voyez ma mère, dites-lui que je l'aime et que je vais bien. Et dites-lui que je ne veux pas la voir à l'exécution, d'accord ?

Je hochai la tête et, en soupirant, le regardai se faire reconduire en cellule.

76

Charlie jouait de la guitare *lap steel* dans la véranda de son pavillon lorsque j'arrivai chez lui le samedi matin, aux environs de 9 heures. Les paupières fermées, il promenait le *bottleneck* de verre sur les cordes de l'instrument posé sur ses genoux, totalement envoûté par la mélodie stridente qu'il lui arrachait. Il ouvrit des yeux injectés de sang lorsque je grimpai comme une furie les marches du perron pour débrancher d'un coup sec l'amplificateur.

— Je constate que l'écriture n'est pas la seule passion que vous partagez avec Hemingway, observai-je en balançant un coup de pied dans les canettes qui gisaient entre ses pieds.

Le pack de Heineken était à moitié éclusé. Avait-il bu toute la nuit ? Ou seulement depuis son réveil ? Il avala en tout cas une lente gorgée de bière avant de lever les yeux vers moi.

— Comment va Justin ? Toujours aussi optimiste ? Vous savez que *Today* m'a contacté pour me proposer de plaider sa cause en direct ? Quand je lui en ai parlé, il s'est mis dans une rage folle. Il a formellement refusé que j'y aille. Il ne veut pas qu'on le défende. Il en a marre de la taule, marre de la vie, marre de tout. Comment voulez-vous que j'essaie de sauver la vie d'un homme qui n'a manifestement qu'une seule envie : mourir ?

Charlie jouait du blues. Il paraissait aussi cafardeux que soûl. À l'évidence, Justin n'était pas le seul à entendre le tic-tac du compte à rebours. Son avocat se reprochait le sort du condamné, il avait l'impression de l'avoir trahi. Pis que tout, il semblait croire, comme Justin, qu'il ne restait plus la moindre once d'espoir. Je ne pouvais autoriser cela.

— Cet homme est un cas désespéré, aussi désespéré que son avocat, déclarai-je en brandissant l'épais dossier de l'affaire et la liasse des documents que j'avais imprimés à l'hôtel, la veille au soir, au fil de mes recherches. Mais cela doit changer, et tout de suite. Il faut arrêter la machine, Charlie. Nous devons repasser tout le dossier au peigne fin. Et la justice, qu'en faites-vous dans tout ça ?

Il retourna sa canette pour en extraire la dernière goutte, puis la laissa tomber sur le plancher de la véranda.

— Dans le monde où on vit, la justice tient de l'accident et l'innocence n'offre aucune protection. Ce ne serait pas d'Euripide ? En tout cas, ça sort de la bouche d'un putain de visionnaire, conclut Charlie en décapsulant une nouvelle bière.

Je lui arrachai la canette de la main pour la jeter loin de la véranda et m'assis à côté de lui.

— Saviez-vous que, au moment de l'arrestation, la photo d'Harris a été diffusée dans le journal télévisé de West Palm et qu'il a été donné en pâture aux caméras menottes aux poings ? Plusieurs éditoriaux de la presse locale ont réclamé que justice soit rendue au plus vite alors que le procès n'avait pas encore commencé. Le premier avocat d'Harris a déposé une requête pour que le procès se tienne dans le nord de l'État, dans une juridiction neutre, mais elle a été rejetée d'emblée. Vous savez aussi bien que moi que votre client était foutu d'avance.

— J'ai avancé ces éléments dans le pourvoi direct et dans le bref de *certiorari* que j'ai adressé à la Cour suprême de l'État de Floride, mais ils n'ont pas trouvé preneur. J'ai assisté à ce procès, mon joli cœur. J'ai même tenu entre les mains l'enveloppe qui renfermait la lingerie de Foster et l'ADN d'Harris. Je me suis crevé à la tâche, j'ai tout tenté. J'ai présenté à la cour un registre répertoriant tous les hommes du sud de la Floride ayant appartenu à des troupes aéroportées, un document gros comme un bottin de téléphone, pour prouver que l'accusation n'avait que des présomptions. Personne n'a rien voulu entendre. Si j'ai raccroché, c'est parce qu'Harris a écopé de la peine de mort. Je suis contre la peine capitale.

— Mais il n'est pas coupable ! hurlai-je.

— Et après ? beugla à son tour Charlie.

Je n'arrivais pas à le croire. J'étais descendue en Floride au péril de ma vie pour sauver un innocent et je me heurtais à une résistance acharnée de sa part et de celle de son avocat. Je devais trouver un moyen de donner un nouveau souffle à ce dernier. J'avais besoin de lui, je ne pourrais pas réussir seule. Pas sans révéler au grand jour le dangereux mensonge dans lequel je vivais.

— Peut-être qu'il est coupable, après tout, ajouta Charlie. Qu'est-ce que vous en savez, hein ? Vous y étiez ?

— Je le sais, c'est tout.

— Ah, j'oubliais ! répliqua le ténor des plages en se mettant à accorder sa guitare *lap steel*. En plus d'être une carne d'avocate new-yorkaise, vous êtes médium !

— Vous n'avez jamais cru à quelque chose ? Sans raison particulière, juste parce que vous en étiez convaincu au plus profond de vous ? C'est ce que je ressens dans cette affaire.

Charlie porta une autre canette à ses lèvres, avant de l'en éloigner avec un soupir.

— Et vous pensez que, parce que vous y croyez, des bonnes fées vont disperser de la poudre magique sur la porte de la cellule de Justin pour la faire disparaître, maugréa-t-il en posant sa guitare d'un geste rageur. OK. Vous avez gagné. Vous feriez mieux d'aller préparer du café pendant que je jette un énième coup d'œil au dossier. Eh ben ! On va s'amuser comme des petits fous à remâcher pour la millième fois le pire échec de ma vie.

Je passai devant lui avec un sourire pour entrer dans la maison.

— Quelle emmerdeuse, marmonna-t-il en ouvrant le dossier que j'avais apporté. Avec du lait et deux sucres, vous m'entendez ? Et un de vos doughnuts et… Ah, je vous hais, Nina… Machin-Chose !

— Je vous aime aussi, Charlie, murmurai-je pour moi seule en m'éclipsant dans la cuisine.

77

Nous passâmes le restant du samedi à trimer comme des forcenés. Installés sur le canapé de cuir fatigué du bureau de Charlie, nous étudiâmes ligne par ligne les minutes du procès d'Harris. Puis mon confrère s'assit à son bureau, où il se plongea dans une lecture attentive avec des hochements de tête, fredonnant entre deux gorgées de café tandis qu'il faisait tournoyer un ballon ovale dans sa main.

L'examen de chacune des pages du dossier du procès et de l'appel révélait un sacré beau travail de sa part. Il avait souligné les incohérences, opposé des objections à toutes les ruses de bas étage du procureur pour toucher la corde sensible du jury. Néanmoins, tout jouait contre Harris. Le juge, plus que le procureur, paraissait décidé à le condamner.

Au final, rien n'avait davantage desservi le gardien de prison au moment de déterminer le verdict que la débauche de témoignages des proches de la victime autorisée par le juge. Pas moins de seize parents, amis et camarades de classe de Tara Foster avaient défilé à la barre, donnant lieu à plus de trois heures de sanglots, de mélodrame et de déclarations déchirantes sur cette vie si prometteuse foudroyée en plein vol. Pas étonnant que le jury eût voté à l'unanimité pour la peine de mort.

Dans l'après-midi, nous avions tous les deux examiné le dossier dans sa quasi-totalité. Nous avions alors élu domicile sur le tapis d'Orient et étalé côte à côte les éléments rassemblés à la réouverture de l'enquête, en 2001, et ceux que la police avait compilés en 1994, à la découverte du cadavre de Foster.

Je me frottai les yeux face à ce déploiement de documents. Toutes les photographies, listes de preuves, chronologies et conclusions de laboratoire composaient une sorte d'œuvre d'art moderne géante. Le genre qui vous donne la migraine quand vous vous ingéniez à lui donner du sens. Malgré ma détermination à tenter absolument tout pour innocenter Harris, je commençais moi aussi à perdre espoir. Je bâillai, luttant contre la fatigue. Nous devions trouver quelque chose. N'importe quoi. Charlie secoua tristement la tête.

— Regarde celle-là, soupira-t-il avec un geste en direction de la liste des victimes du Tueur de Floride.

Sa remarque me fit l'effet d'un expresso bien serré quand je m'aperçus qu'il me montrait ma propre photo.

— Une si belle jeune femme, reprit-il en se tournant soudain vers moi. Elle ne te rappelle pas quelqu'un ?

Je lui rendis son regard avec des yeux écarquillés.

— Bien sûr ! s'écria-t-il avec un claquement de doigts. Renée Zellweger. Renée Zellweger jeune.

Je poussai un soupir de soulagement, avant de tiquer. Renée Zellweger ? Je n'avais rien contre elle, mais j'aurais préféré Gisele Bündchen.

Soudain, Charlie lança son ballon de football contre le mur, manquant décrocher son diplôme de Harvard.

— Quel imbécile ! s'exclama-t-il en se mettant à arpenter la pièce. Oh, je me foutrais des baffes ! Comment ai-je fait pour ne pas m'en apercevoir plus tôt ?

Je me levai.

— Quoi ? Quoi ?

— Les poils. Où sont passés les poils ?

— Mais de quoi parles-tu, Charlie ?

Il s'agenouilla pour pointer l'index sur la liste des preuves figurant dans le dossier d'enquête de 1994.

— Là, regarde. On a retrouvé trois poils sur le cadavre de Foster, juste en dessous de la corde de parachute qui la ligotait.

Il m'indiqua ensuite le rapport du laboratoire datant de 2001.

— Il n'en est pas du tout fait mention ici. Le sperme trouvé sur sa culotte a été analysé, mais pas les poils. Pourquoi ?

— Ils ont été oubliés, suggérai-je.

— Peut-être, répondit Charlie en décrochant son téléphone. Ou alors ils ont fait l'objet d'une analyse, mais ont été foutus en l'air parce que les résultats ne donnaient rien de concluant. Peut-être les flics et le proc' ont-ils, par le plus grand des hasards, omis de verser le rapport du labo au dossier parce que les analyses ne correspondaient pas.

— À qui téléphones-tu ?

— À l'aéroport. Nous prenons le premier vol pour Boca demain matin afin de dénicher ces poils. Nous devons réclamer une analyse. Tu ferais peut-être bien de rentrer à l'hôtel pour prendre un peu de repos. Je sais que moi, j'en ai besoin, en tout cas. Les flics de Boca sont des vrais casse-bonbons, il y aura des culs à botter. En parlant de culs à botter, je tiens à te remercier de t'être occupé du mien.

— Mais tout le plaisir était pour moi, c'est pour ça que j'ai fait le voyage !

78

Ce fut tout juste si je reconnus Charlie lorsqu'il passa me chercher en taxi le lendemain matin, dans un impeccable complet de serge bleue.

— Et des chaussures à bout golf, en plus ! observai-je. J'en reste pantoise.

— Je me suis même rasé... et douché, observa-t-il en soulevant sa serviette à soufflets au ventre bombé. Mais n'essaye pas de répandre la nouvelle autour de toi, je nierai.

Notre vol était à l'heure, aussi fûmes-nous ponctuels au poste de police de Boca Raton, à environ deux cent cinquante kilomètres au nord de Key West. Nous y avions rendez-vous à 10 heures avec l'auteur de l'arrestation de Justin Harris, mais il nous fallut néanmoins attendre près d'une heure sur des chaises à l'accueil avant d'être reçus par les inspecteurs Roberta Cantele et Brian Cogle, de la Criminelle.

Lorsque nous eûmes franchi la porte électronique de leurs locaux, ils nous conduisirent, non pas dans leur bureau, mais dans une salle d'interrogatoire près de l'entrée, comme de vulgaires suspects.

— C'est à quel sujet ? voulut savoir Cogle, une

espèce de géant à bouc blanc dont la chemise cubaine dissimulait mal une énorme bedaine.

— Le procureur ne vous a pas prévenus ? répondit Charlie. Nous venons jeter un coup d'œil au premier dossier de l'affaire Foster. Aux enveloppes de preuves. Les neuf.

— Pourquoi ça ? demanda Cantele.

— Parce que Justin Harris va être exécuté dans cinq jours et que nous voulons être certains qu'il ne s'agit pas d'une erreur, expliqua Charlie.

— Vous, les foutus avocats de la défonce… oups, de la défense, vous ne lâchez jamais, pas vrai ? répliqua Cogle. Vous savez que l'une des victimes d'Harris était la femme de Peter Fournier, le chef de la police de Key West ? Elle avait… quoi ? Vingt ans. Ça ne vous refroidit pas, ça ?

Peter dirigeait la police de Key West ? Je dus déployer tous les efforts du monde pour ne pas défaillir sur place. C'était incroyable, et surtout terrifiant. Comme si mon petit séjour en Floride ne me rendait pas déjà assez paranoïaque.

— Je connais Fournier, remarqua Charlie. Ce sont hélas mes impôts qui paient son salaire. Ce trouduc est passé dans *Today* jeudi matin pour déballer son laïus devant Al Roker. Et le droit des victimes par-ci, et à mort Harris par-là, et toutes ces foutaises sur le Tueur de Floride. Je ne doute pas un instant que sa femme a été tuée par ce type. Le problème, et je sais que c'est dur à saisir pour vous, les amis, c'est que Justin Harris n'est *pas* le Tueur de Floride.

La tirade de Charlie me laissa sans souffle. Peter avait participé à l'émission *Today*. Ce jeudi. Il n'y avait plus aucun doute, c'était bien lui que j'avais vu à Grand Central.

79

— L'erreur, c'est Harris, riposta Cogle. Et son cul d'assassin va roussir vendredi prochain. C'est des conneries, tout ça. Vous avez déjà épuisé tous vos appels, tout est en ordre.

— Vous ne dites pas ça parce que vous pourrez dire adieu à votre boulot si on dégote quelque chose, par hasard ? répondit Charlie en sortant son téléphone portable. Vous n'allez tout de même pas m'obliger à déranger de nouveau le procureur ?

— C'est bon, capitula Cogle.

Quand il fut sorti de la salle d'interrogatoire, l'inspecteur Cantele pianota des doigts sur la table bas de gamme.

— Vous vous acharnez pour rien, vous savez ? Ça doit craindre un max de savoir que votre client n'en réchappera pas, que vous n'allez pas réussir à arrêter la machine. Pas vrai, Baylor ?

Tu vas fermer ta gueule, sale con ! dus-je me retenir de lui cracher au visage alors que Cogle réapparaissait avec un imposant carton blanc.

Charlie en souleva le couvercle et passa rapidement en revue les chemises cartonnées qu'il contenait. Il sortit un sac qui renfermait une culotte défraîchie, puis le replaça à l'intérieur.

— Où sont les échantillons de poils ? brailla-t-il à Cogle.

— Quels échantillons de poils ? demanda l'inspecteur en se grattant le crâne. De quoi vous parlez ?

Charlie pointa le doigt sur la liste des preuves au dossier.

— Je parle de ça, juste là. Preuve D2 : échantillons de poils trouvés sous le lien.

Cogle farfouilla parmi les chemises en fredonnant, sans se presser. Lorsqu'il releva enfin la tête, il haussa les épaules avec affectation.

— Tiens, ça a dû se perdre. Ils ont peut-être été bouffés par un rat, ces poils. S'ils ne se sont pas envolés. Après tout, ça fait dix-sept ans. Ce sera tout, ou vous avez besoin d'utiliser les toilettes avant de partir ?

Lorsque nous quittâmes le poste, Charlie se débattit un moment avec la serrure de notre voiture de location. Il finit par jeter les clés à travers le parking, puis s'assit sur le rebord de béton à côté du véhicule. Je m'installai près de lui, ruminant mon cafard.

Peter savait que j'étais en vie. Cela ne présageait rien de bon, voire le pire. Se trouvait-il encore à New York ? Une seconde, je pensai à contacter Emma pour lui ordonner de quitter l'appartement sur-le-champ, mais je me rappelai qu'elle passait la semaine chez son amie à Brooklyn. Peut-être devais-je retourner *illico presto* à New York pour éloigner ma fille de cette ville. J'avais déjà fui, rien ne m'empêchait de recommencer, de lancer une fléchette sur une carte et de m'envoler. Même si Peter était à mes trousses, il ignorait encore l'existence d'Emma.

Je n'aurais pas dû m'étonner de sa promotion à la tête de la police de Key West, c'était un ambitieux. Mais représenter le groupe de défense des victimes du Tueur de Floride ? Quel foutu comédien ! Lui qui, pendant toutes ces années, avait dû se féliciter de me savoir rayée de la surface de la terre sans avoir eu à lever le petit doigt...

— Les flics ont détruit la preuve, Nina, constata Charlie. Ils se payent notre tête. Un innocent va mourir et ils s'en contrefoutent. Tout le monde s'en contrefout ! Ça s'arrête là, Nina. Fin de l'histoire. Nous sommes fichus. Justin est fichu. Il faut savoir accepter la défaite.

Je demeurai silencieuse, plongée dans mes réflexions. Peut-être mon confrère avait-il raison. Peut-être devais-je le laisser se débrouiller seul avec Justin. Chacun pour soi et Dieu pour tous.

Mais, assise au milieu des véhicules de police, sur le bitume brûlant qui adhérait à mes talons de dix centimètres, ma colère pesa plus lourd dans la balance que ma peur. J'en avais assez de courir. Assez de Peter. Assez de ce que j'étais devenue. Je ne fuirai plus. Je ne me cacherai plus. J'irai jusqu'au bout.

— Rien n'est perdu, déclarai-je en me levant et en tendant la main à Charlie pour l'aider à se hisser sur ses jambes. Ils ont gagné une bataille, nous allons gagner la guerre.

80

Lorsque nous eûmes déniché les clés de la voiture, qui avaient atterri sous l'un des véhicules de patrouille de la police de Boca, nous partîmes nous garer sur le parking d'un Burger King à proximité, où je me mis à éplucher fiévreusement les dossiers en désordre de Charlie. J'avais réussi à élever une fille à New York sans l'aide de personne et sans un sou, à la seule force de ma volonté. Maintenant que j'étais remontée à bloc, j'allais prouver l'innocence de Justin, même si cela devait me coûter la vie.

— Mais qu'est-ce que tu cherches, à la fin ? s'exclama Charlie.

Je sortis une feuille de papier en haut de laquelle il avait tapé, en grands caractères gras : « INFOS ALIBI HARRIS. »

— Ça !

D'après les renseignements collectés par mon confrère, l'ex-fiancée d'Harris, une immigrée hawaïenne répondant au nom de Fabiana Desmarais, vivait à quelques kilomètres au nord du centre correctionnel de Homestead.

— Sommes-nous loin de Princeton ? Il faut que nous parlions à cette femme.

— Attends une seconde. Tu ne crois pas que j'ai déjà essayé ? Il y a trois ans, juste avant le premier appel. Non seulement la mère de Fabiana a refusé catégoriquement que je m'entretienne avec sa fille, mais, comme si cela ne suffisait pas, elle a lâché son chien à mes trousses. Un boxer affamé avec un sale caractère.

— À croire que tu irrites autant les animaux que les hommes, Charlie. J'aimerais tenter ma chance.

— Oh, je vois ! On utilisera ton arme secrète : le charme. J'avais oublié que la terre entière vouait un véritable amour aux pécores arrogantes de New York.

Nous nous engageâmes sur l'autoroute à péage. Environ une heure et demie plus tard, nous roulions en zigzag dans de petites rues. Nous ralentîmes bientôt devant un panneau « Mobile Homes de Homestead ».

— C'est pas vrai ! lâchai-je lorsque nous nous arrêtâmes à l'adresse de Fabiana.

Une boîte aux lettres rouillée était plantée devant un large préfabriqué aux fenêtres brisées. De toute évidence, plus personne n'habitait là.

— Je suis le gérant, je peux vous aider ? nous demanda un homme à la peau très noire qui était assis sous le store du mobile home d'en face.

Comme nous approchions, je vis qu'il trônait sur un vieux cageot en bois de pamplemousses et triturait entre ses doigts agiles quelque chose qui ressemblait à un morceau de papier.

— Nous cherchons Fabiana Desmarais, lui déclarai-je.

— Z'êtes flics ? nous interrogea-t-il sans lever les yeux.

— Non, avocats.

— J'vous l'aurais dit même si vous étiez flics, répliqua-t-il avec un sourire jaune. Fabiana et sa pimbêche de mère se sont fait la malle en pleine nuit, y'a de ça environ deux ans. Parties sans laisser d'adresse.

— Vous n'auriez pas son numéro de sécurité sociale dans vos dossiers, par hasard ? s'enquit Charlie en jetant un regard au mobile home rouillé.

— Vu qu'elle me doit six mois de loyer, croyez bien que j'ai déjà essayé vos astuces de détective privé. Elles m'ont donné un faux numéro, toutes les deux. P't-être qu'elles sont retournées en Haïti. La harpie arrêtait pas d'agiter cette menace. Elle disait que l'Amérique était qu'un trou d'incultes. Je lui répondais toujours : « Et combien de clandestins américains on retrouve en train de ramer au milieu des requins sur des radeaux en pneus pour rejoindre les côtes haïtiennes, aux dernières nouvelles ? »

— Bon, merci de votre aide, soupira Charlie.

— Vous savez à quoi elle me fait penser, la mère Desmarais ? reprit le gérant. À ça !

Il brandit le papier qu'il trifouillait. C'était un cobra en origami, dont il tortilla la queue entre ses doigts en émettant un sifflement.

— Sympa, répondit mon confrère. Merci encore !

Nous regagnâmes l'intérieur étouffant de la voiture.

— Au moins, nous repartons sans morsure, remarqua Charlie. Bon, tu as fini maintenant, ou tu veux un plus long tête-à-tête avec l'homme à l'origami ?

Je me frottai le front avec les doigts.

— Nous devons aller voir Justin.

— À Raiford ? Tu en reviens juste !

— S'il ne nous donne rien à nous mettre sous la dent, il ne pourra s'en prendre qu'à lui-même.

81

Il était presque 15 heures lorsque notre bimoteur Cessna atterrit à Raiford le mardi. Enchaîner ces voyages en avion coûtait une petite fortune, mais la vie d'un innocent était en jeu et mon riche cabinet du Global 100 payait la note. Charlie téléphona au directeur de la prison alors que nous passions devant les manifestants, dont les rangs avaient grossi devant l'enceinte du pénitencier. Notre client parut abasourdi lorsqu'il nous trouva dans le parloir réservé aux avocats.

— Déjà de retour ? me lança-t-il.

— Je suis navrée de vous interrompre dans votre lecture, répondis-je en lui jetant un sachet de petits bretzels secs.

— Oh, merci ! s'exclama-t-il avec un plaisir sincère. Ce sont mes préférés.

Il éventra le sachet de ses mains entravées, puis le vida sur la table et croqua un biscuit.

— Bien, je vous ai donné quelque chose, Justin, maintenant, c'est votre tour. Nous devons parler à Fabiana, mais elle n'habite plus à Princeton. Elle est partie sans laisser d'adresse. Avez-vous la moindre idée de l'endroit où elle aurait pu déménager ?

— C'est une blague ? lança-t-il la bouche pleine. Je n'ai pas parlé à cette garce depuis qu'elle m'a jeté à la figure la bague de fiançailles que je lui avais achetée. Et c'était il y a une quinzaine d'années. Elle veut ma peau, et elle va l'avoir. Vous perdez votre temps.

J'écrasai du poing un bretzel sur la table.

— Vous savez ce qui m'exaspère, Justin ? Votre attitude ! Vous ne voulez pas que j'essaie de vous sauver la vie ? Vous croyez jouer les machos, mais vous vous comportez en crétin fini ! Puisque c'est comme ça, vous n'avez qu'à avouer, le crier haut et fort. Allez, du cran ! Dites-le une bonne fois pour toutes : « C'est moi, j'ai tué Tara Foster. »

Il me considéra bouche bée pendant quelques instants, puis il se ressaisit.

— Sauf que ce n'est pas moi, lâcha-t-il en crachotant des miettes.

Je portai la main à mon oreille.

— Nom de nom ! Ne me dites pas que j'ai entendu quelqu'un se défendre ?

— Qui commande ici, Charlie ? demanda Harris à son avocat.

— Ça ne se voit pas ? répondit ce dernier en me lorgnant.

— Je vois, reprit Harris. Essayez sa cousine, Maddie. C'est elle qui m'a présenté Fabiana.

— Maddie comment ? l'interrogeai-je en sortant mon iPhone.

— Maddie Pelletier. Elle est prof au lycée de Key West, maintenant. Elle a toujours été sympa avec moi. Elle m'écrit même, parfois.

D'un coup de pouce, j'ouvris l'application annuaire de mon téléphone.

— J'ai une Madeline Pelletier sur Fogarty Avenue.

— C'est elle.

Je me levai.

— Nous devons y aller, Justin. Mais vous nous reverrez bientôt.

— Ouais, marmotta-t-il. Pour l'exécution.

— Non, gros malin, répliquai-je avec un geste en direction de la grille. Pour ouvrir cette porte et permettre à votre mère de vous serrer dans ses bras.

82

— Qui veut une bière ? cria Peter à la ronde en faisant cliqueter ses pinces pour barbecue devant son gril fumant, un sourire jusqu'aux oreilles.

Avec l'odeur festive de chorizo et de poulet mariné à la jamaïcaine cuits sur les braises, les cris des marmots agités et le discret accompagnement musical de Neil Diamond offert par ses enceintes extérieures, son barbecue ressemblait davantage à une fête d'anniversaire ou de baptême qu'à un rassemblement des familles de victimes d'un tueur en série. Ses invités formaient un groupe hétéroclite : des Noirs, des Blancs, des bruns, des riches, des pauvres, et même un pasteur protestant homosexuel. La mort ne connaissait pas la discrimination, Peter était bien placé pour le savoir.

Ce repas entrait dans la liste des nombreux événements qui figuraient à l'agenda du groupe, cette semaine-là. Le lendemain, ils partiraient tous en car à Miami, où ils prendraient un avion spécialement affrété à destination de Tallahassee pour un *sitting* devant la résidence du gouverneur de Floride et, si les espoirs de Peter se réalisaient, il obtiendrait ainsi davantage de couverture médiatique. Puis, le vendredi, ils rejoindraient Raiford pour une manifestation silencieuse aux portes de la prison, qui se prolongerait jusqu'à l'exécution d'Harris, prévue pour minuit. Un programme épuisant pour ces braves gens, mais qui devrait leur permettre de faire leur deuil. Du moins fallait-il le leur souhaiter.

Depuis qu'il avait découvert que Jane était encore en vie, Peter se trouvait exclu d'office du groupe, mais qui était-il pour faire brutalement redescendre sur terre tout ce petit monde pour un simple détail technique ? De plus, elle serait plus morte que morte dès qu'il partirait la traquer à New York, après l'exécution.

Alors qu'il retournait les poivrons et les oignons sur le gril, le pasteur invita les membres du groupe à former un cercle de prière autour de la piscine.

— Au nom du Père, du Fils et du Saint-Esprit, récita Peter en chœur en prenant place entre sa splendide épouse et le ministre du culte.

En face de lui, son nouveau meilleur ami, le multi-millionnaire Arty Tivolli, sourit d'un air approbateur. La signature des documents pour le rachat du terrain de golf aurait lieu une semaine après l'exécution. Peter partagerait alors la commission de six pour cent avec le courtier. Si tout se passait comme prévu, dans deux semaines, il se verrait remettre un chèque de trois millions et demi de dollars. Et tout se passerait comme prévu, il y veillerait personnellement.

Une heure plus tard, alors que tout le monde était assis en rang d'oignons sur des chaises pliantes le long de la digue pour admirer le coucher du soleil, son téléphone portable sonna.

— Salut, Peter. Ça va ? C'est Brian Cogle, de la police de Boca.

— Brian ! Quoi de neuf ?

Il connaissait bien ce vieux flic hargneux. En fait, il connaissait tous les flics qui comptaient un tant soit peu au sein des forces de police du sud de la Floride. Les relations, il n'y avait que ça de vrai.

— Je voulais juste que tu saches qu'on a reçu une petite visite du bavard d'Harris, ce fils de pute de Charlie Baylor. Il voulait voir les poils.

— Ah, çà !

Peter fronça les sourcils. Quel trou du cul, ce Baylor !

— Il y avait une femme avec lui. Une avocate. Il a des renforts.

Merde ! Il ne manquait plus qu'une croisade de la dernière chance pour chambouler ses projets. Tivolli risquait de voir rouge si Justin Harris obtenait un sursis. Le moment était mal choisi pour des surprises de ce genre. Harris devait manger les pissenlits par la racine avant la fin de la semaine.

— Des risques que ton homme au labo vende la mèche ? S'il y a la moindre friction, je suis prêt à lui graisser un peu la patte.

— Arrête, Pete, ne m'insulte pas. Tout est sous contrôle. Le rat de laboratoire qui a fait disparaître les poils est mon beauf. Je suis le parrain de son fils. Non, aucun risque.

— Bien. Comme je te l'ai expliqué, c'était la meilleure chose à faire. La preuve de la présence d'un tiers sur les lieux du crime aurait compliqué toute l'affaire et ce fils de pute s'en serait tiré. Tu as fait ce qu'il fallait, mon frère. Je ne l'oublierai jamais.

— C'est normal, répondit Cogle. Si ç'avait été ma femme, je sais que tu aurais fait la même chose pour moi. Vous montez manifester devant la prison pour l'exécution ?

Derrière Peter, la petite assemblée se mit à pousser des « oh » et des « ah ». Le soleil entamait sa descente sur le golfe. Les yeux plissés, Peter contempla l'horizon sous le ciel qui prenait la couleur du cuivre.

— Je ne raterai ça pour rien au monde, Brian.

83

Il nous fallut rejoindre Jacksonville pour prendre un vol direct jusqu'à Key West, si bien qu'il était près de 21 heures lorsque nous reposâmes enfin le pied sur l'île. Notre taxi nous conduisit tout droit chez Madeline Pelletier, sur Fogarty Avenue, à proximité du lycée de Key West. Le jardin devant son petit pavillon aux murs de stuc était jonché de jouets. Une jolie adolescente noire au corps menu nous ouvrit la porte.

— Oui ?

— Nous souhaiterions voir Maddie Pelletier, annonça Charlie.

— Maman ! appela-t-elle en se tournant vers l'intérieur. Y'a des Blancs.

Une version plus âgée de la jeune fille apparut sur le seuil.

— Bonsoir, je suis Maddie. En quoi puis-je vous aider ?

— Bonsoir, Maddie. Excusez-nous de vous déranger à cette heure tardive. Nous sommes les avocats de Justin Harris. Pourrions-nous vous parler un instant ?

— Oh, je vois, souffla-t-elle en secouant la tête. Ce

pauvre Justin. Je prie pour lui, vous savez. Que puis-je faire pour vous ?

— En fait, nous voudrions parler à votre cousine Fabiana, expliquai-je. Nous n'arrivons pas à la contacter.

— Vous pensez que Fabiana peut aider Justin ?

— Justin prétend qu'il a passé toute la journée au Seaquarium de Miami avec Fabiana, le jour du meurtre de la jeune femme qu'on l'accuse d'avoir assassinée, intervint Charlie.

— Mais Fabiana a dit qu'il avait menti, objecta Maddie.

— En effet, convins-je. Mais nous disposons de nouvelles informations et nous voudrions lui poser quelques questions. Il faut vraiment que nous la rencontrions.

— C'est ce qui a permis au jury de condamner Justin, comprit soudain Maddie avec une expression abasourdie. Je n'en savais rien. Si je m'écoutais, je vous dirais que ma tante se cache derrière tout ça.

Elle hocha la tête avant de reprendre :

— Je ne sais pas trop quoi faire. Tante Isabelle, la mère de Fabiana, est très attachée aux traditions, elle se méfie de tout. Elle ne m'a plus adressé la parole pendant des années quand elle a découvert que c'était moi qui avais présenté Fabiana à Justin dans un bar. Elle va devenir folle si elle apprend que je vous ai donné son adresse.

— Elle ne l'apprendra pas de notre bouche, la rassura Charlie.

— Tante Isabelle tient un restaurant près de South Beach, à Miami. Une affaire qui marche plutôt bien. Ça s'appelle Le Perchoir du coq. Elle vit avec Fabiana dans la Petite Haïti. Tenez-moi la porte, je vais vous chercher l'adresse.

J'échangeai un regard avec Charlie.

— Je rêve ou nous progressons ? me demanda-t-il.

— Chut ! le coupai-je. Retiens ton souffle, nous n'avons pas encore l'adresse.

84

Après nous être mis d'accord sur le fait que nous nous sentions physiquement incapables de remonter à bord d'un avion avant le lendemain matin, Charlie et moi optâmes pour un dîner en ville.

— Je promets d'être sage, déclara-t-il lorsque notre taxi nous déposa parmi la masse de promeneurs de Duval Street. Je ne boirai que du rhum léger.

Nous nous attablâmes dans un box au Jack Flats. Un imposant comptoir de bois bosselé occupait une partie du restaurant, dont les murs étaient décorés de vieilles photographies en noir et blanc des ouvriers de l'industrie du cigare, qui avaient peuplé l'île entre le XIXe et le XXe siècle. Derrière les portes battantes ouvertes sur la rue, Duval Street demeurait égale à elle-même. On se serait cru à une fête de voisinage bien arrosée dans Greenwich Village, les tongs en plus. Avec la Célébration de l'indépendance qui battait son plein, l'ambiance était même encore plus déjantée qu'à New York.

Je posai un regard ébahi sur le match entre les Yankees et les Rays diffusé sur l'écran au-dessus du bar surpeuplé, à côté d'une enseigne lumineuse en forme de casque de football américain aux couleurs des

Dolphins. Ces derniers jours m'avaient entraînée dans un tel tourbillon que j'avais presque oublié qu'il existait un sport nommé base-ball. Je devais à tout prix téléphoner à Emma. Je notai dans un coin de ma tête de lui écrire un texto dès mon retour à l'hôtel.

— Ne me dis pas que tu es supportrice des Yankees, en plus ! s'exclama Charlie lorsque j'applaudis à un double de Posada. Tu ne pourrais pas faire juste un petit effort pour m'être moins haïssable ?

— Impossible !

Je terminai ma bière avant de me lever.

— Garde ma place. Et j'ai compté mes ailes de poulet, monsieur le diplômé d'Harvard.

En regagnant notre table, quelques minutes plus tard, je remarquai une voiture de police stationnée le long du trottoir, juste devant les portes ouvertes du restaurant. Je m'aperçus alors que quelqu'un occupait ma place dans le box. Lorsque je reconnus ce quelqu'un, je pilai net au milieu de la salle, comme si j'avais percuté un mur invisible.

85

Les clients accoudés au bar et les multiples matchs de base-ball qui se déroulaient au-dessus de leurs têtes parurent soudain perdre le rythme, à la fois trop lents et trop rapides. Les enceintes, qui diffusaient la chanson culte « A Whiter Shade of Pale », se mirent à hurler puis chuchoter en alternance, comme si un enfant jouait avec le bouton du volume. Sur leurs clichés d'époque, les ouvriers des usines de cigare me lorgnaient d'un œil mauvais, tout comme la serveuse courtaude qui me bouscula alors que je restais plantée au milieu de la salle, le cœur et les poumons à l'arrêt.

Peter était assis sur la banquette en face de Charlie, à moins de trois mètres à ma droite. Il portait son uniforme bleu foncé, qui révélait d'épais bras sculptés, aussi bronzés que dans mon souvenir. On aurait dit que le temps l'avait épargné. Je n'arrivais pas à détacher les yeux de la crosse du revolver rangé dans son ceinturon de baudrier. Une seconde de plus et il se retournerait et me découvrirait. Une seconde de plus et il se lèverait, dégainerait et me tirerait une balle en plein visage. Témoins ou pas. Les quelque vingt années écoulées ne changeaient rien : mon ex était un tueur.

Je perçus soudain avec une intensité inouïe mon rythme cardiaque, la systole et la diastole de mon cœur qui se contractait et se distendait pendant que j'attendais, glacée, qu'il me reconnaisse. Une seconde miraculeuse passa, puis deux. Il ne s'était toujours pas retourné. À la troisième, je sortis doucement de ma paralysie et retrouvai ma capacité de mouvement. Dans un dernier sursaut de volonté, je reculai puis fis volteface pour me glisser entre deux clients assis devant le comptoir assiégé.

— Alors, comme ça, tu mijotes encore quelque chose à Boca, entendis-je Peter dire à Charlie dans mon dos. Voyons, Baylor, tu m'as tout l'air d'un brave poivrot. Pourquoi aller défendre une raclure comme Harris ? Tu te doutes bien que travailler sur des affaires aussi controversées attise les passions. Je ne voudrais pas te voir terminer victime d'un crime violent.

— Serait-ce une menace ? demanda Charlie.

— Plutôt un conseil d'ami. Un message d'intérêt public qui t'est personnellement adressé. De la part du chef de la police de Key West.

— Tu n'as pas des ivrognes à tabasser ?

— Je suis en rupture de stock. Mais, si tu es disponible, on peut aller faire un petit tour dehors.

— J'en serais ravi. Tu gardes ta plaque, je prends le flingue.

— Je te trouve vraiment très drôle, maître Baylor. Ce que je trouve beaucoup moins drôle, c'est que tu cherches à protéger l'assassin de ma femme de la punition qu'il mérite.

Je déglutis. Voilà qu'il parlait de moi.

— Mais ça n'a pas d'importance, reprit-il. Quoi que tu fasses, vendredi soir, ton très cher client entrera dans cette chambre, et il en ressortira dans un sac.

— On verra bien, répondit Charlie avec calme.

— C'est ça, on verra bien.

J'entendis Peter se lever. Allait-il venir au bar pour commander un verre ? Se trouvait-il derrière moi ? Je n'avais pas encore trouvé le courage de me retourner quand une main se posa dans mon dos.

— Te voilà, sourit Charlie.

Jamais je n'avais été plus heureuse de le voir.

— Qui était ce policier ? réussis-je à articuler.

— Le chef de la police de Key West, Peter Fournier. Il a dû apprendre par le téléphone arabe qu'on fouillait dans le dossier de Tara Foster.

Je considérai le sol en clignant des yeux, m'efforçant de digérer tout cela.

— La rumeur court que c'est un pourri, mais à la moindre plainte déposée contre lui il ressort lavé de tout soupçon. Il faut le voir, avec sa Barbie et ses deux gamins qui lui obéissent à la baguette. Il se prend pour le parfait père de famille. Et le voilà qui débarque avec son sourire étincelant à la Tom Cruise pour me menacer. Quel péteux malsain !

Peter était donc remarié, et père de deux enfants. Je ne savais pas trop comment prendre la nouvelle. Je ne manquerais pas de me pencher sur la question dès que mon cœur aurait recommencé à battre.

— Une autre bière ? me proposa mon confrère.

— Volontiers. Et un shot de whisky.

— Eh bien voilà, Nina ! Tu te mets enfin dans l'ambiance de Key West ! Je ne savais pas que tu en étais capable, observa-t-il avec un clin d'œil. Mais après j'appelle un taxi. Il faut se reposer pour demain. Il ne reste plus que trois jours, et j'ai comme l'impression que ça va se jouer dans la dernière ligne droite. Pas toi ?

86

À peine rentrée à l'hôtel, je fonçai tout droit sous la douche. Les paumes collées contre le mur carrelé, je restai près d'une heure dans la salle de bains de ma suite, les yeux fermés sous le jet dont les aiguilles chaudes me picotaient le visage et la peau. J'espérais que la chaleur et la pression m'éclairciraient les idées et instilleraient en moi un calme qui me faisait cruellement défaut, mais, à mesure que les minutes s'écoulaient, je compris que rien n'y ferait. Je n'arrivais pas à m'enlever du crâne la rencontre à haut risque que j'avais évitée de si peu. Cependant, je finis bientôt par y trouver certains aspects positifs. *Primo*, Peter était de retour à Key West, loin d'Emma. *Secundo*, il n'avait pas interrogé Charlie à mon sujet, il me croyait donc toujours à New York. *Tertio*, il ignorait que j'aidais Charlie. Je devais m'assurer qu'il en reste ainsi. J'avais commis une imprudence sans nom en allant dîner et boire un verre dans Duval Street. Il aurait suffi à mon ex de se retourner pour me repérer.

J'avais érigé la libération de Justin au premier rang de mes priorités, certes, mais je devais me montrer plus habile. Et, surtout, régler cette affaire dans les plus brefs délais. Chaque minute passée dans cette ville était une minute à risquer ma vie.

À contrecœur, je fermai le robinet grinçant et essorai mes cheveux. Après m'être séchée et enveloppée dans des serviettes propres, j'enfilai le peignoir pelucheux qui pendait à la porte de la salle de bains. Je rejoignis ensuite la chambre, où je réglai le réveil sur 5 heures afin de pouvoir m'occuper de mes cheveux avant mon départ pour l'aéroport. J'étais sur le point d'appeler Emma quand je me remémorai l'heure tardive. Je me contentai donc de lui envoyer un texto de bonne nuit, puis restai assise sur le bord de mon lit, trop exténuée pour enfiler mon pyjama.

L'encadrement de la porte laissait entrevoir le doux flottement des rideaux du salon dans la brise qui pénétrait par la baie vitrée donnant sur le toit. Entre les pans de tissu, un mince éclat de lune brillait sur l'étendue argentée et immobile de la mer. Charlie le voyait-il, lui aussi ? Je ne pouvais nier les sentiments que je commençais à nourrir à son égard. C'était un homme drôle, intelligent, pas désagréable à regarder. Encore fallait-il qu'il perde la mauvaise habitude de boire de la bière au petit déjeuner.

J'éteignis la lumière et me laissai tomber sur les oreillers, déjà à moitié endormie, quand une pensée bien moins romantique me traversa l'esprit. Sans bouger, je jetai un regard aux rideaux du salon qui s'agitaient, s'ourlant comme des voiles gonflées par le vent dans l'obscurité. Comment les rideaux pouvaient-ils remuer dans la brise, alors que j'avais verrouillé la porte de la terrasse avant de prendre ma douche…

87

Je demeurai immobile dans le noir pendant deux longues minutes. Mon cœur cognait comme un coup de poing américain contre ma cage thoracique ; le silence grésillait dans mes oreilles. Il y avait forcément une explication. Cette pensée défilait dans mon esprit hébété comme un bandeau de flash d'information. Mes molaires se mirent à claquer de manière incontrôlable lorsqu'un faible grincement me parvint de la pièce voisine. Une étrange palpitation frémit dans ma poitrine quand j'entendis de nouveau le bruit. Il semblait provenir de la cuisine, à gauche, comme si quelqu'un y avait changé de pied d'appui.

Quelqu'un, mais pas n'importe qui. Il fallait croire que Peter m'avait plus repérée que je ne le croyais.

Je ne pouvais pas restée plantée là. Je devais me lever, me cacher, fuir, agir. Mais je ne bougeai pas. Je ne le pouvais pas. Une peur animale m'écrasait la poitrine comme une couverture de plomb, m'ôtant toute force et me clouant au matelas. Avec une prudence infinie, je pris une longue inspiration silencieuse, puis je levai la main, comme si je cherchais à me prouver mes capacités motrices. Je tendis le bras tout en me redressant lentement sur le lit, effleurant de la main droite le radio-réveil sur la table de chevet. Je me levai, les yeux rivés sur l'embrasure sombre de la porte, quand une idée me vint. Doucement, je me penchai en avant pour débrancher le lourd appareil, puis l'emportai avec moi, approchant du seuil de la pièce par le côté.

J'atteignais mon but quand une silhouette se coula sans un bruit dans la chambre. Je ne pouvais pas croire ce que mes yeux voyaient. Je me pétrifiai, de nouveau insensible. Ce n'était pas possible. C'était forcément un cauchemar. Mais un déclic se produisit alors dans un recoin obscur de mon cerveau reptilien et je sortis brusquement de ma torpeur. Des deux mains et de toutes mes forces, je balançai l'encombrant réveil.

Il y eut un fracas étourdissant, suivi d'un bruit sourd quand la silhouette s'effondra sur le sol. Le coup devait avoir touché Peter à la tête, mais je ne m'attardai pas pour le vérifier. Lâchant ce qui restait du réveil, je m'élançai hors de la chambre dans une panique aveugle. En deux enjambées, j'avais traversé le salon et agrippé la poignée de la porte d'entrée. D'un seul mouvement, je la tournai et tirai. Mon épaule faillit se déboîter lorsque le battant se coinça brutalement à seulement quelques centimètres du chambranle.

Prise d'hystérie, je réessayai à deux reprises avant de comprendre que la chaînette de sécurité bloquait l'ouverture. Gémissant et tremblant de terreur, je me forçai à procéder avec méthode et refermai la porte pour détacher la sécurité. Puis je tournai de nouveau la poignée. Cette fois, la porte s'ouvrit. Me ruant dans la clarté aveuglante du couloir, je me précipitai dans la première cage d'escalier à ma gauche et dégringolai les marches, trébuchant, giflant le sol de béton de mes pieds nus endoloris.

Sur le palier du dessous, je marquai une pause. Le souffle court et rauque, je m'évertuai à museler mon esprit en ébullition afin de décider de la suite. Devais-je emprunter le couloir en frappant à toutes les portes ou descendre jusqu'au hall d'entrée ? Alors que j'hésitais, la porte de l'étage au-dessus s'ouvrit à toute volée, comme si on l'arrachait de ses gonds. Des pas lourds martelèrent les marches. Pivotant sur moi-même, j'ouvris brutalement la porte devant moi et m'élançai dans le couloir à toutes jambes, semant des serviettes de bain dans ma course, mon peignoir grand ouvert. Chaque molécule de mon être était concentrée sur un seul objectif : battre le sol de mes pieds le plus vite possible pour fuir les pas qui me poursuivaient.

Alors que je tournais au coin du couloir, j'aperçus une boîte de métal rouge accrochée au mur. L'alarme incendie. Je la tirai au passage, déclenchant une sonnerie assourdissante. Des portes s'ouvrirent le long du couloir. Un adolescent ensommeillé me regarda avec des yeux exorbités passer comme une fusée devant lui. Je me réfugiai dans la cage d'escalier suivante et descendis les marches deux par deux jusqu'au rez-de-chaussée. Après avoir traversé le hall désert en un éclair, j'empruntai l'allée de l'hôtel. Dehors, le responsable de nuit de l'établissement levait des yeux curieux sur le bâtiment depuis la zone de manœuvre, son téléphone collé à l'oreille.

Un instant, j'envisageai de m'arrêter pour lui demander de l'aide, mais même lui ne pourrait pas me protéger de Peter. Repérant un taxi arrêté à un feu rouge, je m'élançai vers le coin de la rue. Il me restait plus de cinq mètres à parcourir quand le feu passa au vert. C'était foutu. Je battais le pavé pieds nus, la respiration sifflante, la peau couverte de sueur. Les traits déformés, j'attendais de sentir l'impact de la balle dans mon dos, de chuter sur le sol dur. Dans mon hystérie, j'étais déjà morte. Je voyais Peter s'approcher pour pointer son canon sur mon front, le visage fendu de son éternel sourire tranquille.

Mais le taxi pila net. J'arrachai presque la poignée de sa portière arrière, me cassant un ongle au passage, et bondis à l'intérieur.

— On est pressée, ma p'tite dame ? me lança le jeune comique asiatique au volant, alors que je m'effondrais sur la banquette arrière.

— Roulez, haletai-je. Roulez, roulez. Par pitié.

88

Après avoir fait promettre au chauffeur de m'attendre, je descendis du taxi pour marteler la porte d'entrée de Charlie. Au bout de ce qui me parut une éternité, il ouvrit dans un boxer de l'université Texas A&M.

— Bon sang, qu'cst-ce que c'est ? râla-t-il. Nina ?

Je le dévisageai en lissant mes cheveux encore humides, seulement vêtue de mon peignoir de bain. Je n'avais pas préparé mon texte. Que pouvais-je lui raconter ? Comment pouvais-je lui expliquer les événements de ce soir ? Il m'attrapa par le coude, les yeux soudain emplis d'inquiétude.

— Nina, est-ce que ça va ? Tu es blessée ?

Je décidai de lui raconter qu'un incendie s'était déclaré à l'hôtel. Pourquoi pas ? Cela faisait bientôt vingt ans que je vivais dans le mensonge ; un bobard de plus ou de moins ne changerait pas la face du monde. Je fus donc la première surprise de ce qui se produisit.

Peut-être craquais-je, les idées embrouillées par le choc. Peut-être travaillais-je trop dur et sous trop de pression depuis une semaine. Reste que, après avoir franchi le seuil, je m'effondrai dans les bras de mon confrère, comme un footballeur américain qui réalise un plaquage. Je m'agrippai à lui comme s'il représentait mon dernier espoir. Et sans doute était-ce le cas. Il parut pour le moins déconcerté, mais ce premier choc fut aussitôt éclipsé par ce que je lui révélai la seconde d'après.

— Je ne m'appelle pas Nina, lui soufflai-je à l'oreille. Oh, Charlie, il faut m'aider. Par pitié !

89

Après m'avoir dévisagée un instant, sidéré, Charlie m'accompagna jusqu'à son bureau et me fit asseoir. Il ressortit ensuite pour payer le taxi. À son retour, il plaça un verre à moitié plein de Johnnie Walker dans ma main, un autre dans la sienne, et s'assit lentement avec un soupir. Plusieurs secondes s'égrenèrent.

— Quoi ? hurla-t-il enfin.

Je le contemplai en silence, les dents enfoncées dans ma lèvre inférieure. Comment m'y prendre ? Comment m'ouvrir après tant d'années, tant de mensonges ? J'enfouissais mes secrets depuis si longtemps, pouvais-je les révéler maintenant ?

Je cherchai d'abord tant bien que mal une manière d'amoindrir le caractère parfaitement scandaleux de ma folle histoire, mais je compris très vite que la tâche se révélait impossible. Alors, je me levai et m'approchai du bureau de Charlie, où le dossier Harris était resté ouvert. J'en sortis la liste des victimes présumées du Tueur de Floride avec leurs portraits.

— Regarde, commençai-je en frappant de deux petits coups d'index ma photo d'album de lycée. Ce n'est pas Renée Zellweger jeune, c'est moi. Je m'appelle Jane. Jane Fournier. J'étais mariée à Peter Fournier, le chef de la police de Key West.

Pendant la demi-heure qui suivit, Charlie écouta mes explications avec des clignements d'yeux. Ou plutôt mes tentatives d'explication. Alors que j'abordais mon enlèvement bidon, il m'arrêta d'un geste de la main.

— Tu es en train de me dire que Fournier, le chef de la police, est un psychopathe en plus d'un ripou ?

J'acquiesçai d'un hochement de tête énergique.

— C'est pour cette raison que j'ai mis en scène ma propre mort. La première femme de Peter, elle, a essayé de le quitter à la régulière. Je n'avais pas envie de me retrouver traquée et abattue à coups de fusil.

Je lui racontai ensuite ma rencontre avec le Tueur de Floride, puis la nouvelle vie que j'avais construite avec Emma à New York, sous une fausse identité.

— Quand mon cabinet m'a choisie pour travailler pour Mission Disculpation et que j'ai découvert ce qui attendait Justin, je me suis sentie obligée de revenir l'aider. Je sais qu'il est innocent, parce que le psychopathe qui m'a prise en stop et a essayé de m'assassiner, la nuit où j'ai quitté la Floride, était blanc.

Charlie ferma les yeux et se frotta les paupières. Il ouvrit la bouche pour dire quelque chose, mais la referma aussitôt.

— Tu es bien avocate, au moins ? réussit-il enfin à articuler.

— J'ai suivi des cours du soir à la fac de droit de Fordham. J'ai même le barreau. En descendant ici, j'espérais réussir à innocenter Justin sans chambouler ma vie, en protégeant mes secrets et ma sécurité. Mais ce n'est même plus la peine d'y penser. Peter a pénétré dans ma suite, ce soir. Il a dû m'apercevoir au bar quand il te parlait. J'aurais bien appelé la police, mais la police, c'est lui. Je ne sais plus quoi faire.

Charlie leva son verre et le contempla longuement, plongé dans ses réflexions. Puis il le vida.

— Entre confrères, je vais te donner le meilleur conseil qui me passe par la tête : tu vas prendre tes cliques et tes claques et t'éloigner, le temps qu'on trouve un moyen de résoudre le problème Fournier. Tu dois rentrer à New York.

— Rentrer à New York ? Mais… Et Justin ? J'ai été en contact avec le Tueur de Floride ! C'est lié à l'affaire. Je suis sûrement la seule personne à l'avoir croisé sans y avoir laissé ma peau ! Tu ne crois pas que je dois témoigner ?

— Ce n'est pas aussi facile, répondit Charlie. Pour obtenir un sursis si peu de temps avant l'exécution, il faudra passer par le bureau des grâces de l'État de Floride. Nous n'aurons qu'une seule chance de convaincre le comité d'examiner de nouvelles preuves. Dans l'état actuel des choses, le meilleur scénario serait encore que la fiancée de Justin revienne sur le témoignage qui lui a tant porté préjudice. Elle est la seule à détenir une preuve vitale, en lien direct avec le dossier et susceptible de le disculper. Les membres du comité seront forcés d'en tenir compte.

— Mais…

Charlie me fit taire d'un signe de la main.

— Ton… euh… ta révélation, en revanche, se résume plus ou moins à ce fait : tu as été en rapport avec un homme blanc qui semblait être le Tueur de Floride. L'information mérite qu'on se penche dessus, certes, mais, d'un point de vue juridique, il n'y a pas grand-chose à se mettre sous la dent. À dire vrai, ça pourrait paraître tellement fantasque que je ne serais pas étonné que le gouverneur la rejette d'office en n'y voyant qu'une tentative désespérée. Le témoignage de Fabiana est notre seule chance.

— Mais on ne l'a même pas encore retrouvée, et encore moins persuadée de dire la vérité. Et si cette piste n'aboutit pas ? Que nous restera-t-il ? Rien. Aussi fantasque qu'il paraisse, mon témoignage vaut toujours mieux que rien.

— Peut-être, mais tu auras beaucoup de mal à témoigner depuis un cercueil. Tu raisonnes à vide. Tu viens de me dire que Fournier avait pénétré dans ta chambre d'hôtel, non ? Tu n'as pas le choix, tu dois mettre les voiles.

Je le considérai longuement. Il n'avait pas tout à fait tort. J'étais en danger, plus que jamais. Mais maintenant que j'avais rencontré Justin, je ne pouvais plus fuir.

— Je dois aller jusqu'au bout, déclarai-je. Quoi qu'il advienne, je ne partirai pas avant d'avoir fait tout ce qui est en mon pouvoir pour sauver cet homme.

Charlie me lança un long regard exaspéré. Ses doigts se mirent à pianoter sur le bureau.

— Mission Disculpation ? Mission impossible, plutôt ! Très bien, je ne vais pas te mentir, j'ai besoin de ton aide. Il faut croire que nous n'avons plus le choix, pour le bien de Justin. Mais, tant que toute cette histoire n'est pas terminée, je ne te quitte pas d'une semelle. Marché conclu ?

— Marché conclu, acceptai-je avec un soupir.

Je n'arrivais pas à croire que je me trouvais encore

en vie. J'avais livré mes secrets sans m'autodétruire. Pas tous mes secrets, certes. Je n'avais pas mentionné Ramón Peña, mais disons que c'était un bon début.

— Tu n'imagines pas ce que ça représente pour moi, Charlie, observai-je. Pour moi et pour ma fille. Ça fait si longtemps que je garde tout ça en moi. Je n'en ai jamais parlé à personne. Je m'excuse de t'avoir menti.

Charlie décrocha son téléphone.

— J'aurais dû voir venir les ennuis à la seconde où tu as écrabouillé tes doughnuts sur le pas de ma porte, Nina. Mais peut-être devrais-je t'appeler Jane, maintenant ? Bref, donne-moi le numéro de ton hôtel. Ce peignoir est peut-être un peu trop décontracté pour sortir, même à Miami. S'il est toujours au programme d'y faire un saut pour retrouver l'ex de Justin, quelque chose me dit que tu vas avoir besoin de tes valises.

91

Le lendemain matin, nous étions à Miami. Aux alentours de 9 heures, nous nous garâmes devant l'adresse indiquée par la cousine de Fabiana, une bicoque de stuc située dans le quartier que l'on surnomme la Petite Haïti, dans le nord-est de la ville. D'un regard inquiet, j'observai les barreaux scellés à toutes les fenêtres du voisinage, les jardins grillagés encombrés d'ordures, les chiens en train d'aboyer. Du hip-hop caribéen braillait au coin de la rue, où quelques jeunes aux muscles saillants et à la tête couverte de nylon étaient assis sur un canapé d'angle en cuir gris défoncé, occupés à revisiter le sens du mot « guetter ».

— Attends-moi ici, m'ordonna Charlie en ouvrant sa portière. Et verrouille bien.

— Pas question ! refusai-je en le suivant. Tu ne me laisseras pas ici toute seule.

Nous remontâmes en vitesse l'allée de béton fissuré qui menait au petit pavillon de Fabiana et appuyâmes sur la sonnette.

— Fabiana ! appela Charlie en tambourinant sur la porte pour faire bonne mesure.

Une minute après, l'un des guetteurs les plus baraqués passa devant nous en BMX. Après nous avoir mesurés du regard, il reluqua notre voiture de location.

— On dirait qu'il n'y a personne, observai-je alors que le jeune rejoignait son groupe. Si nous allions plutôt voir au restaurant de sa mère ?

— C'est drôle, j'allais te proposer la même chose.

Ce fut à peine si nous ne fîmes pas la course pour regagner la voiture.

Après la Petite Haïti, le restaurant de la mère de Fabiana nous réservait une heureuse surprise. Le Perchoir du coq se trouvait à une demi-heure de route, à South Beach, à un pâté de maisons des hôtels Art déco branchés d'Ocean Drive et de la plage. Derrière les tables de bois abîmées disposées sur le trottoir, une peinture murale représentait des vaches et des poules qui prenaient l'ombre sous des palmiers, des enfants noirs en uniforme écossais qui souriaient et des femmes au teint bistré et aux tenues colorées qui trimballaient du linge.

— On n'ouvre pas avant l'heure du déjeuner, lança à notre entrée une vieille femme à la peau très noire, qui entaillait un paquet de nappes, assise derrière le bar.

Elle portait une robe couleur crème coûteuse, des perles autour du cou et, sur le visage, une expression maussade pétrie de suspicion.

— Bonjour, Isabelle, lança Charlie.

La femme contourna aussi sec le bar, des étincelles dans les yeux.

— Vous êtes qui, vous ? Comment connaissez-vous mon nom ? Et qu'est-ce que vous me voulez ?

Je commençais à comprendre le gérant du village

de mobile homes, qui la comparait à son cobra en origami.

— Nous voulons parler à Fabiana, l'informa Charlie.

— Il n'y a personne de ce nom ici, répondit la vieille femme en pointant son couteau sur la porte. Partez, je vous préviens. Et plus vite que ça !

— C'est bon, maman, intervint une femme plus jeune qui venait d'apparaître entre les portes battantes de la cuisine, un tablier noué autour de la taille.

J'échangeai avec Charlie un regard réjoui.

— Non, ce n'est pas bon, insista Isabelle en se retournant.

L'autre femme se mit alors à aboyer en français. Les yeux de son aînée s'écarquillèrent, puis elle nous libéra le passage à contrecœur.

— Je suis Fabiana Desmarais, annonça la nouvelle venue en nous faisant signe de la suivre en cuisine. En quoi puis-je vous aider ?

92

C'était une femme menue, avec des yeux bleus très clairs et une carnation cannelle. À bientôt cinquante ans, elle en paraissait presque moitié moins. Elle portait une blouse blanche simple à large encolure sur une jupe de coton fuchsia qui semblait bien meilleur marché que la robe de sa mère. Derrière elle, des poulets démembrés patientaient sur une planche à découper, à côté d'un tas de piments antillais. Sur le feu, une énorme marmite laissait échapper un fumet de bouillon de poulet aussi corsé que généreux. Prise d'une subite fringale, je dus me faire violence pour ne pas lui en demander un bol.

— Bonjour, Fabiana. Je m'appelle Nina, et voici Charlie, commençai-je, prenant les rênes de la conversation. Nous sommes navrés de vous déranger, nous sommes ici au sujet de Justin Harris.

Une expression apeurée traversa les yeux bleus de Fabiana, dont la bouche s'ouvrit en un minuscule o.

— Qu'est-ce qu'il a, celui-là ?

— Vous n'êtes pas au courant ?

Elle secoua la tête.

— De quoi ?

— Fabiana, Justin Harris va être exécuté, annonça

Charlie. Dans deux jours, il subira la peine capitale pour le meurtre de Tara Foster.

Elle se pinça le menton en fixant avec des yeux écarquillés le carrelage du sol.

— Vous êtes de la police ?

— Non, répondis-je. Si nous sommes ici, c'est pour aider Justin. Nous sommes ses avocats, nous essayons de le sauver. Mais, pour cela, il faut que tout le monde dise la vérité, une fois pour toutes, afin d'éviter qu'un innocent ne soit puni pour un crime qu'il n'a pas commis.

Fabiana s'avança vers un plan de travail en inox sur lequel reposaient un mortier et un pilon.

— J'aimais Justin, déclara-t-elle en se mettant à broyer un amas d'épices. C'était un homme bien, un vrai gentleman. Il m'emmenait partout avec sa voiture. Jamais je n'aurais cru que la vie pouvait être si merveilleuse. Il disait qu'on allait se marier, qu'il allait m'emmener loin de maman. Et puis la police a raconté qu'il avait fait des trucs pas bien avec cette Blanche, qu'il lui avait fait des horrcurs au travail. Il me mentait, ce n'était pas un gentleman. Maman avait raison, je ne pouvais pas aimer un homme pareil.

— Mais il était avec vous le jour où cette jeune fcmme a été enlevée, Fabiana. Nous le savons. Vous êtes allés au Seaquarium ensemble.

— C'est faux, nia-t-elle en lâchant son pilon. Ce jour-là, j'étais avec mon groupe paroissial. Vous pouvez demander à maman. Justin s'est trompé. Maintenant, je dois me remettre au travail.

— Attendez, l'arrêtai-je en l'attrapant par le poignet. Ce que Justin a fait avec Tara Foster est mal. La façon dont il vous a traitée est inadmissible, mais il ne devrait pas être condamné à mort pour autant. S'il était avec vous ce jour-là, il faut le dire. Ou vous serez seule responsable de sa mort.

Fabiana secoua la tête.

— Je n'ai rien à ajouter. Maintenant, vous devez partir. J'ai du travail.

— C'est ça ! aboya la reine Isabelle en franchissant les portes battantes. Partez.

— Très bien, accepta Charlie en enfonçant la main dans sa poche de veste. Vous connaissez le Marriott de South Beach ?

— L'hôtel au coin de la rue ? demanda Fabiana, perplexe. Oui.

Charlie lui tendit sa carte. Elle portait un numéro de chambre griffonné au verso.

— Nous y serons pendant les deux prochains jours. Si l'envie vous prend de nous rendre une petite visite, n'hésitez pas. Nous pourrons regarder ensemble les reportages sur l'exécution de votre ex-fiancé.

— Mais je croyais que vous étiez ses avocats, remarqua Fabiana, désarçonnée. Vous n'allez pas l'aider ?

— Ce n'est plus de notre ressort, Fabiana, répondit Charlie alors que nous tournions les talons. À ce stade, vous êtes la seule à le pouvoir.

93

— Room service ? demanda Charlie dix minutes plus tard, le téléphone de notre chambre d'hôtel collé à l'oreille. Pourriez-vous nous monter deux club sandwichs à la dinde et un pichet de…

Je lui envoyai un coup d'escarpin derrière le genou.

— Euh, limonade, s'il vous plaît, compléta-t-il avant de raccrocher.

J'abandonnai mon ordinateur portable avec mon porte-documents en vrac près du canapé et traversai la suite pour tirer les rideaux. Rendue flageolante par la déception et l'épuisement, je secouai la tête face au ciel trop radieux, à l'océan trop resplendissant. Mon retour en Floride ne se révélait pas à la hauteur de mes espérances. J'avais échoué à éviter Peter. Je cachais encore des choses à un homme qui ne me laissait plus vraiment indifférente. Et maintenant que nous avions enfin retrouvé Fabiana, elle refusait d'aider Justin. Qu'allions-nous faire, maintenant ?

Derrière moi, Charlie envoya valser ses chaussures pour s'étendre sur le canapé.

— Tu crois que Fabiana va mordre à l'hameçon ?

— Comment voudrais-tu que je le sache ? me

répondit-il en fermant les paupières. J'imagine que tout dépend de la haine qu'elle éprouve encore envers son ex-fiancé. Une femme dédaignée est plus à craindre que toutes les Furies vomies par l'enfer, c'est ce qu'on dit, non ? Il faut croire que Justin a un peu dédaigné miss Desmarais. Une femme peut-elle haïr un homme au point de l'envoyer à l'échafaud ?

— Tu serais surpris d'apprendre à quel point, remarquai-je, amère. Combien de temps allons-nous patienter ici ?

Charlie laissa échapper un soupir las.

— Deux, trois heures maximum. Si elle ne se pointe pas, nous n'aurons plus le choix, il faudra passer au plan B.

— C'est-à-dire ?

— Aller à Tallahassee pour nous présenter devant le bureau des grâces, comme prévu, sauf que, au lieu d'entendre une rétractation de Fabiana, le comité devra écouter l'étrange histoire de ta vie. Ce n'est pas la perspective la plus réjouissante, je te l'accorde, d'autant qu'il y a de fortes chances que cela n'aboutisse pas. Mais, comme tu l'as si bien fait remarquer, c'est tout ce que nous avons en stock.

J'imaginai ce scénario cauchemardesque. J'avais déjà eu assez de mal à confier mes secrets à Charlie ; comment pourrais-je les déballer devant le gouverneur de Floride ?

Une longue heure plus tard, je sortais sur le balcon après mon troisième solitaire pour téléphoner à Emma lorsqu'un coup étouffé se fit entendre à la porte.

— Enfin le repas ! marmotta Charlie, qui s'était assoupi sur le canapé.

— Ne bouge pas, j'y vais, lui lançai-je en traversant la pièce.

Mon humeur s'embellit considérablement lorsque j'ouvris la porte. Ce n'était pas le service d'étage. Je m'effaçai pour laisser entrer Fabiana.

94

— Merci d'être venue, Fabiana. Je vous promets qu'au moment de témoigner…

— Je n'ai pas changé d'avis, je ne témoignerai pas. Je suis juste venue vous remettre ça.

Je dépliai la feuille de papier journal qu'elle avait sortie de sa poche. C'était une page jaunie de petites annonces du *Miami Herald*. Je retins mon souffle en lisant la date qui figurait dans le coin, le 19 juin 1993. À force de décortiquer le dossier Harris et les minutes de son procès, je la reconnus instantanément. C'était le lendemain de la disparition de Tara Foster.

— De quoi s'agit-il ? l'interrogeai-je en parcourant des yeux les annonces.

Fabiana me reprit la feuille des mains pour la retourner. Mes pupilles tombèrent aussitôt sur une photographie en bas de page. On y voyait des gens assis sur des gradins devant une piscine où une femme en combinaison tenait compagnie à des dauphins.

« Hier, les habitants de Floride ont déjoué la chaleur au Seaquarium de Miami », indiquait la légende.

— Nous sommes sur la photo avec Justin, m'indiqua

Fabiana. Juste là, au premier rang. Vous avez raison, j'ai menti.

Je scrutai attentivement le cliché. Elle disait vrai. On y reconnaissait bien le couple, assis au premier rang.

— Charlie ! hurlai-je en lui tendant le document. Tu ne vas pas le croire. Regarde !

Il inspecta le cliché, puis la date du journal.

— Hourra ! lança-t-il avec un sourire triomphant. Enfin ce que j'appelle une avancée !

— Vous n'avez qu'à montrer ce journal aux autorités pour que mon mensonge éclate au grand jour, conclut Fabiana. Justin devrait être libéré avec ça, non ?

— En fait, non, répondit Charlie. Ce n'est pas aussi simple. Cet élément va nous être d'une aide considérable, mais, pour cela, il faut que vous veniez à Tallahassee avec nous et que vous le présentiez vous-même au comité. Vous devrez également témoigner.

— Hors de question que je témoigne, répondit froidement Fabiana.

— Mais pourquoi ? l'interrogea Charlie.

— Nina ? reprit-elle en se tournant vers moi. Je peux vous parler seule à seule ?

D'un regard appuyé, je signifiai à Charlie de nous laisser.

— Bon, puisque c'est comme ça, je vais attendre dans le couloir, obtempéra-t-il.

— Je vous demande seulement de ne pas me juger, commença Fabiana lorsque Charlie eut quitté la pièce.

Je secouai la tête.

— Je vous écoute, soyez sans crainte.

— Voilà. Il y a dix-sept ans, je suis tombée enceinte

de Justin. Il m'a dit qu'il n'avait pas les moyens d'assumer un bébé et une femme, mais que si... si je me débarrassais du bébé, on se marierait. Il m'a même offert une bague. Alors, j'ai accepté. Je ne voulais pas tuer mon enfant, mais je ne voulais pas perdre Justin non plus et, au final, c'était ce qui comptait le plus pour moi. Ce n'est que trois mois plus tard que j'ai appris qu'il me trompait, par le biais d'un ami. Pas juste avec une femme, mais avec plusieurs.

Aïe ! Justin avait *vraiment* dédaigné sa fiancée, et en beauté.

— Des années plus tard, quand l'inspecteur m'a dit que Justin avait reconnu avoir eu des rapports sexuels avec Tara Foster à la prison, ça a ravivé toute cette horreur, toute cette haine, toute cette douleur. Alors, j'ai menti. Je voulais le faire souffrir autant qu'il m'avait fait souffrir. C'est pour ça que raconter ma sale petite histoire à la planète entière, après tout ce temps, est bien la dernière chose dont j'aie envie. Vous pouvez le comprendre, non ? Déjà que je vais sûrement récolter des ennuis pour avoir menti...

— C'est vrai, Fabiana, mais il n'y a pas d'autre solution. Vous n'aurez pas à expliquer vos raisons. Tout ce que vous aurez à dire, c'est que vous avez menti et que Justin était bien avec vous toute la journée.

— Vous ne pouvez pas le faire à ma place ? me demanda-t-elle en fermant les yeux.

— Ça ne fonctionne pas ainsi, Fabiana. Je sais combien il sera difficile pour vous de témoigner, mais pensez à ce que vous ressentirez si vous ne vous manifestez pas et que Justin est exécuté. Se cramponner à sa douleur pendant dix-sept ans, c'est très long. Il est temps que vous lâchiez prise.

Elle exhala un soupir.

— Vous resterez avec moi ?

— Évidemment.

— Bien, j'imagine que je n'ai pas le choix. Vous pouvez compter sur moi.

95

À l'approche de son avant-dernier dîner, Justin Harris était étendu sur son lit rudimentaire, un livre ouvert entre ses grandes mains. C'était une vieille édition de poche, l'histoire ringarde d'un détective brillant et obèse, un dénommé Nero Wolfe.

— Flash info, gros lard ! marmonna Justin en jetant sa lecture sous son sommier. Dans la vraie vie, l'assassin s'en tire sans souci.

Il se redressa en entendant le couinement de lourdes semelles et un cliquetis métallique devant sa cellule qui jouxtait la chambre d'exécution. Le surveillant de jour ouvrit la porte.

— Harris, t'as de la visite.

Le prisonnier se laissa menotter par Johannson. De la visite ? Il lissa sa combinaison orangée. C'était sûrement cette raseuse d'avocate.

La pièce blanche devant laquelle il passa avec son gardien évoquait une grande salle de consultation médicale, à ceci près qu'un de ses murs était recouvert d'un singulier rideau de velours noir, et son brancard équipé de sangles de cuir.

— Oh, pendant que j'y pense, Harris, lui lança Johannson. Vu que t'étais gardien, on s'est tous cotisés pour te faire un petit cadeau. On s'est dit que, si tu te barbais, tu serais peut-être content de regarder un film, ce soir.

Le condamné baissa les yeux sur la boîte que lui tendait le gardien. *La Dernière Marche.*

— C'est sympa, les gars, répondit-il, guilleret, refusant de se laisser saper le moral par ces salopards ou qui que ce fût d'autre. Une des meilleures performances de Sean Penn. Dommage que je n'aie pas de lecteur DVD.

— T'en auras pas besoin là où tu vas, raclure, lui susurra le gardien à l'oreille.

— T'as que ce que tu mérites, putain de taré ! lui cria soudain un de ses voisins de cellule, un certain Jimmy Litz.

Litz avait jeté un parpaing d'un pont routier, puis il avait fait mine de secourir la victime, une femme au foyer de Jacksonville âgée de vingt-trois ans, pour mieux la violer et l'assassiner.

— Qu'est-ce que tu veux ? On ne peut pas tous avoir ton sens moral, répliqua Harris avec un sourire.

Alors qu'il tournait au coin du couloir, il aperçut l'avocate et Charlie dans le parloir. En plein dans le mille ! Ce n'est qu'ensuite que son regard se posa sur la femme qui les accompagnait. Ses traits, jusque-là de marbre, se déformèrent. Pas elle ! Il voulait bien tout affronter, même ce qui l'attendait le lendemain, mais pas Fabiana. Il se retourna vers Johannson, refoulant ses émotions.

— Ramenez-moi à ma cellule.

Il avait déjà tourné les talons quand un coup sonore

retentit derrière lui. Fabiana s'était collée contre la vitre. Elle abattit de nouveau son poing sur le verre armé.

— Tu n'as rien à craindre, Justin ! hurla-t-elle, les yeux remplis de larmes. Je te pardonne. J'ai commis une erreur, je m'excuse. Je t'en prie, ne pars pas. Parle-moi, je t'en prie.

Le prisonnier se retourna. Immobile dans le couloir, il la dévisagea en se mordant la lèvre. Il n'arrivait pas à croire que cette femme qu'il avait fait souffrir au-delà de l'imaginable lui présentait des excuses. Charlie et Nina affichaient quant à eux un sourire jusqu'aux oreilles.

— Nous vous apportons des nouvelles, lui annonça Charlie. De bonnes nouvelles. Ça va vous plaire, Justin, je vous le promets.

— Alors, Harris, tu te décides ? intervint Johannson, agacé.

— Il faut croire que j'ai des visiteurs à recevoir, finit par déclarer le détenu.

À 9 h 30 le lendemain matin, Charlie, Fabiana et moi arrivions devant le Capitole de l'État de Floride, à Tallahassee, tirés à quatre épingles et propres comme des sous neufs. Cette dernière étape était cruciale : nous devions mener Fabiana devant le comité des grâces pour notre rendez-vous de 10 heures. Notre témoin clé paraissait tendu, mais prêt, malgré tout. Les retrouvailles pleines d'émotions qui avaient eu lieu entre elle et Justin à la prison, la veille au soir, semblaient leur avoir mis du baume au cœur à tous les deux. À croire que la confession apaise réellement l'âme. Qui sait ? Peut-être me livrerais-je un jour à un examen de conscience, moi aussi.

Nous traversions la rue en direction de la place du Capitole lorsque nous aperçûmes le remue-ménage. Des gens descendaient en file indienne d'un car, des pancartes à la main. Non loin, une bonne vingtaine de personnes piétinaient les espaces verts entretenus avec soin, quand elles n'avaient pas déjà pris position devant l'entrée principale du complexe moderne qui jouxtait le bâtiment historique.

— Qu'est-ce que c'est ? Une partie de campagne ?

C'est alors que je distinguai les messages sur les panneaux.

« JUSTIN HARRIS, TU AS RENDEZ-VOUS AVEC TON CRÉATEUR », arborait l'un d'eux.

Une séduisante brune en jean et T-shirt frappé du drapeau américain agita un bandeau où je lus : « ADIEU, JUSTIN ! »

— C'est pas vrai ! lâcha Charlie en voyant une camionnette de la télévision se garer derrière le car.

Un journaliste sortit du véhicule, accompagné d'un solide gaillard, une casquette des Braves d'Atlanta sur la tête et une caméra sur l'épaule.

— Ce sont des partisans de la peine de mort ? demanda Fabiana.

— La barbe ! soufflai-je à Charlie. Il ne manquait plus que ça. Le cirque commence. Et on dirait bien qu'on se retrouve en plein milieu de la piste.

— S'il n'y avait que ça, me répondit-il en pointant son index sur le car.

Je me figeai en apercevant ce qu'il m'indiquait. Il me sembla que je perdais toute sensibilité. Posté près de la portière du véhicule, Peter aidait les passagers à descendre, plus souriant que jamais.

97

Je déglutis, soudain très faible, et le sang quitta mon visage. J'aurais voulu regagner la voiture en courant. Ou plonger derrière l'un des véhicules garés près de nous. Si Peter venait à se retourner, je pouvais dire adieu à la vie.

Mon cerveau grippé réussit toutefois à dresser un constat positif : mon ex ne portait pas d'uniforme, et donc pas d'arme de service. Ce mince espoir s'évanouit cependant aussitôt à la pensée que rien ne l'empêchait de se promener avec une arme dissimulée sur lui.

Je soupirai avec un imperceptible gémissement de soulagement quand il nous tourna le dos. Quelques instants après, il se posta juste devant les portes du Capitole avec le groupe de manifestants.

— Le fumier ! s'exclama Charlie en secouant la tête. Tant pis, Fournier ou pas, Fabiana doit se présenter devant le comité. Nous devons nous séparer. Attendez toutes deux en retrait près des arbres et, quand je ferai diversion, foncez jusqu'au hall. Si quelqu'un essaie de vous stopper, envoyez-lui un coup de pied dans les roubignoles, ne vous arrêtez pas. Notre contact du bureau des grâces, M. Sim, est censé nous retrouver dans le hall pour nous conduire à l'étage. Je vous rejoindrai si je le peux, mais, si vous ne me voyez pas arriver, commencez sans moi.

— Diversion ? répétai-je. Mais comment ?

— Je trouverai bien quelque chose. Tenez-vous prêtes.

Charlie longea la rue au petit trot en direction du rassemblement.

— Hé, Fournier ! brailla-t-il, à peine arrivé sur l'esplanade. C'est quoi ce bordel ?

La tête basse, je rejoignis avec Fabiana le bouquet d'arbres qui bordait le trottoir de la place.

— À ton avis, Baylor ? répondit Peter à l'avocat.

— Une preuve supplémentaire de ta connerie !

Charlie arracha une pancarte de la main d'un homme pour la balancer sur une butte herbeuse près des marches de l'édifice.

— Rentrez chez vous, tous autant que vous êtes ! beugla-t-il aux manifestants, les mains brandies en l'air et les traits crispés par une rage toute théâtrale. Mon client est innocent, mais si ça ne tenait qu'à vous vous le tueriez de vos propres mains. C'est quoi, ça, un lynchage organisé ? C'est répugnant ! Vous me donnez envie de gerber !

La foule considéra Charlie, frappée d'ahurissement. Seule l'équipe de télévision semblait avoir gardé tous ses esprits. On aurait dit des enfants au matin de Noël. Le gros costaud décrocha à toute vitesse sa caméra de son trépied pour la placer sur son épaule et l'allumer.

— Ça y est, tu as perdu la tête pour de bon, Baylor, remarqua Peter en s'approchant de Charlie.

L'attroupement le suivit lentement, libérant l'entrée du Capitole. Le plan de mon confrère fonctionnait, du moins pour l'instant. Il me restait encore une quarantaine de mètres à parcourir à découvert sur l'esplanade.

— On a disjoncté, maître ? continua à crier Peter dans un silence de mort. C'est du délire, même venant de toi. Laisse-moi deviner : tu as bu.

— Tu veux du délire, je vais t'en donner ! hurla Charlie en jetant son porte-documents sur Peter avant de se ruer sur lui, les poings brandis.

On aurait cru un fou à lier. Il ne plaisantait pas quand il avait proposé de faire diversion.

Pendant que les deux hommes se jetaient l'un sur l'autre et qu'éclatait un grand tohu-bohu, je traversai la place à toute vitesse avec Fabiana. Personne ne nous accorda un regard alors que Peter catapultait son poing en direction de Charlie. L'assemblée lâcha un « oooh » quand l'avocat esquiva *in extremis*, mais une armoire à glace armée d'une pancarte « JUSTIN HARRIS DOIT MOURIR » le frappa sur le côté du crâne, l'envoyant tourbillonner sur lui-même.

— Quoi ? Tu ne sais pas te battre d'homme à homme, Fournier ? lança Charlie en repoussant son nouvel assaillant, qui culbuta en arrière.

— Mademoiselle Desmarais ? demanda un Asiatique à l'air doux et vêtu d'un costume brun clair lorsque nous atteignîmes enfin l'immense hall du Capitole. Je suis Dennis Sim. Mais où est maître Baylor, et que diable se passe-t-il dehors ?

— Il a eu un… contretemps, répondis-je. Je suis son assistante, Nina Bloom. Si vous voulez bien nous montrer le chemin, nous sommes prêtes à rencontrer le comité.

Deux heures plus tard, j'attendais dans le corridor lambrissé de bois du deuxième étage du Capitole en vérifiant l'heure sur mon iPhone toutes les minutes, ou presque. C'était ça ou m'arracher les cheveux. L'heure du verdict avait sonné. C'était marche ou crève. Au sens propre.

Charlie et moi avions passé une heure abominable à cirer un long banc devant la salle de réunion du comité des grâces, comme deux garnements devant le bureau du principal. De l'autre côté de la porte, Fabiana livrait son témoignage. Nous avions déjà remis l'article du journal au contrôleur judiciaire. La question qui restait en suspens se révélait aussi simple que déterminante : cela suffirait-il ?

— Ça va bien se passer, tenta de me rassurer Charlie avec un calme exaspérant, tandis que je faisais tournoyer mon téléphone comme une toupie sur le banc.

Son empoignade avec Peter et les manifestants lui avait valu une petite entaille sous l'œil gauche et une oreille droite réduite en purée. À l'heure qu'il était, les images de son moment de gloire sur l'esplanade du Capitole de Floride se trouvaient sans doute déjà sur YouTube.

— Je devrais aller leur dire, déclarai-je. Je devrais rentrer dans cette salle et leur raconter, pour Peter. Et pour le reste aussi. Que ferons-nous si ça ne marche pas, Charlie ?

— Ça marchera, me rassura-t-il.

Au même moment, la porte s'ouvrit et le commissaire adjoint Sim apparut avec Fabiana. Je pris une profonde inspiration.

— Quel est le verdict ? s'enquit Charlie.

— Le comité va maintenant examiner les nouveaux éléments présentés, répondit Sim.

— Quoi ? Il faut encore attendre ? intervins-je.

— Ce n'est pas comme si nous avions beaucoup de temps, monsieur Sim, remarqua Charlie.

— C'est tout ce que je peux vous dire pour le moment. Je vous remercie d'être venus.

Sur ce, il referma la porte.

— Qu'est-ce que ça signifie ? demanda Fabiana. Ce n'est pas terminé ?

— Je dois leur dire, insistai-je en passant devant Charlie en direction de la porte qui venait de se refermer.

Mais mon confrère me barra le passage.

— Non, me chuchota-t-il à l'oreille d'un ton féroce. Tu te tais. Tu es une victime, toi aussi. Tu es venue jusqu'en Floride, tu as risqué ta vie pour aider Justin et tes efforts ont porté leurs fruits. Tu ne peux pas tout régler, personne ne le peut. Nous avons fait le maximum. Nous avons adressé une pétition aux tribunaux et au gouverneur. Maintenant, ce n'est plus de notre ressort.

— Mais…

— Mais rien du tout. Je viens de me battre avec ton ex-bonhomme, tu tiens vraiment à te frotter à moi ? Il est temps de retourner au pénitencier.

99

Ce vendredi soir, la salle des témoins affichait des airs de théâtre de quartier, avec ses deux rangées de chaises rouges bon marché, ses murs noirs et son rideau assorti. À ceci près que ce dernier n'était pas ouvert sur une scène inondée de projecteurs, mais sur le rectangle lumineux d'une vitre qui donnait sur la chambre d'exécution.

Un brancard vide trônait au centre de la pièce, telle une œuvre d'art moderne menaçante. Avec ses épaisses sangles de cuir pour les chevilles et les poignets, il évoquait une croix attendant la crucifixion. Derrière, sur le mur, une horloge à affichage numérique indiquait 22 h 27.

Aux environs de 21 heures, le directeur de la prison, Tom Mitchner, s'était présenté pour expliquer la procédure en quelques mots. À 23 h 55, Justin serait conduit jusqu'à la chambre d'exécution et attaché au brancard. Sous la surveillance d'un médecin, des tubes de perfusion seraient déroulés et un cathéter posé dans chacun de ses bras. À minuit, trois substances seraient successivement injectées dans ses veines : du thiopental sodique pour entraîner l'inconscience ; du bromure de pancuronium pour décontracter les muscles et bloquer la respiration ; et enfin du chlorure de potassium pour provoquer l'arrêt cardiaque.

Un journaliste du *Miami Herald* conversait tout bas avec l'un de ses confrères de l'Associated Press au fond de la salle. La mère de Tara Foster avait décliné l'invitation, tout comme le reste de sa famille proche et lointaine. Au premier rang, Fabiana s'entretenait avec la mère de Justin en lui tenant la main. Ma main à moi était serrée autour de celle de Charlie.

— Je ne sais pas si j'en suis capable, lui confiai-je, les yeux rivés sur le brancard. C'est trop, beaucoup trop. Pourquoi ne sont-ils pas intervenus ? Que fabriquent-ils ? Ces salauds vont aller jusqu'au bout, Charlie. Comment est-ce possible ? Comment peuvent-ils ?

— Il faut y croire, se contenta de déclarer Charlie, visiblement plus pour lui que pour moi.

L'horloge afficha 23 heures, puis 23 h 30.

— Charlie, que se passe-t-il ?

— Il faut…

— Y croire ? Je ne sais pas si je peux.

À 23 h 50, la porte s'ouvrit sur un homme fort et pâle vêtu d'un costume gris. C'était le directeur de la prison, Tom Mitchner. Je le scrutai en retenant mon souffle, guettant les mots qui annonceraient l'annulation de l'exécution.

— C'est l'heure, déclara d'un ton morne le fonctionnaire aux traits las. M. Harris est en chemin.

Ma vision se troubla lorsque Justin apparut, raide comme un piquet, les épaules en arrière, le regard fixe et droit, à l'image du soldat qui défilait autrefois en tenue d'apparat. Il était flanqué de deux gardiens et accompagné d'un infirmier en blouse blanche et d'une femme hâve d'une quarantaine d'années, en tailleur-pantalon bleu marine. Sans doute le médecin. Le condamné ne sourcilla pas lorsque sa mère se leva pour poser la main sur la vitre. Il marcha avec obéissance jusqu'au brancard et, après s'y être installé, écarta les bras comme un magicien qui s'apprête à exécuter un tour particulièrement ardu. Les pas de l'infirmier résonnèrent dans le silence comme les coups lents d'une caisse claire lorsqu'il traversa la chambre d'exécution. Une minute plus tard, il recula, révélant les perfusions dans les bras de Justin.

L'horloge sur le mur continuait sa marche implacable. Lorsque, dans un cliquetis, elle afficha 23 h 59, l'un des journalistes se couvrit la bouche de la main, comme pris d'une irrépressible nausée. Incliné en arrière sur le brancard, Justin gardait les yeux fixés sur un point, juste au-dessus de la vitre.

Tout était immobile dans la chambre d'exécution. Puis l'horloge cligna.

Minuit.

L'injection débuta. Un liquide jaunâtre apparut dans les tubes transparents et s'écoula en direction des avant-bras du condamné. Paralysée, je ne pouvais que suivre du regard cette avancée inexorable. Il y eut un halètement collectif lorsque la substance entra dans les veines de Justin et qu'il ferma les yeux.

— Non, soufflai-je.

La vue soudain brouillée, je me pliai en deux.

100

J'étais toujours courbée, prête à perdre connaissance, quand une sonnerie assourdissante se déclencha
dans la chambre d'exécution. L'infirmier s'élança alors
derrière une cloison et le médecin fondit sur Justin.
Une fine gerbe de liquide jaune et de sang gicla sur le
sol quand elle arracha les cathéters de ses bras. Réap-
paraissant derrière la vitre, l'infirmier adressa un signe
aux gardiens. Quelques instants plus tard, Justin était
évacué à la hâte sur son brancard, les gardiens et le
médecin dans son sillage. Charlie se jeta sur la fenêtre
pour la marteler du poing.

— Putain de merde !

Trente secondes plus tard, la porte de la salle des
témoins s'ouvrit brusquement sur Tom Mitchner, qui
transpirait dans son grand corps flasque, le visage cra-
moisi.

— Tout va bien, annonça-t-il, la respiration rauque.
Ce n'était que le calmant. Le deuxième piston n'a pas
été actionné. Justin Harris n'a reçu que l'anesthésiant.
Il va s'en tirer.

Les deux journalistes bondirent sur leurs pieds et se
mirent à hurler en chœur.

— C'est pas vrai ! observa Charlie à côté de moi. Cet État conduit ses exécutions de la même façon que ses élections !

— S'il vous plaît, un peu d'ordre, reprit le directeur en portant à ses yeux une feuille de papier. Je viens de recevoir cette note du gouverneur Scott Stroud. « En ce jour, j'ai pris la décision de suspendre l'exécution de Justin Harris, détenu dans le couloir de la mort de l'État de Floride depuis six mois. Cette décision vise à permettre au procureur et aux enquêteurs chargés de l'affaire de réunir et analyser avec la méticulosité requise tous les nouveaux éléments ayant été portés à l'attention du bureau des grâces. Après un examen minutieux et attentif, ainsi qu'un entretien avec le procureur général et la commission des libérations conditionnelles, je ne suis pas convaincu du bien-fondé d'une exécution tant que ces nouveaux éléments n'ont pas été diffusés et réexaminés. »

Charlie se laissa tomber lourdement sur l'une des chaises pliantes. Sa tête s'affaissa entre ses genoux.

— Dites-moi juste si Justin va s'en tirer, demanda-t-il en relevant les yeux vers le directeur.

— Selon le médecin de service, son pouls est bon. Il a juste besoin de dormir. Il est en route pour l'infirmerie.

Mon confrère lâcha un soupir, puis se redressa, essuyant les larmes qui embuaient ses yeux. Je m'approchai pour le serrer dans mes bras.

— Alors, nous avons réussi ? me murmura-t-il, comme s'il n'arrivait pas à y croire. Nous avons *vraiment* réussi ?

Au bout d'une minute, nous rejoignîmes Fabiana et la mère du condamné dans une étreinte collective.

Derrière nous, les journalistes parlaient avec animation dans leur téléphone portable.

— Je savais que vous sauveriez Justin, mademoiselle Bloom, me confia Mme Harris en déposant une bise sur ma main, puis sur ma joue. Je n'ai pas douté une seule seconde de vous.

— Moi non plus, mademoiselle Bloom, renchérit Charlie en m'adressant un clin d'œil par-dessus l'épaule de la mère de son client. Je savais que vous en étiez capable.

CINQUIÈME PARTIE

La vérité vous libérera… ou pas

101

Une ombre violacée s'étira comme une marée montante sur la cloison de la cabine de notre petit jet American Eagle lorsqu'il amorça sa descente vers Key West, l'après-midi suivant. À côté de moi, Charlie ronflait au rythme du ronronnement des trains d'atterrissage qui se dépliaient sous nos pieds.

Maintenant que notre client avait obtenu un sursis, je n'avais qu'une envie : retrouver New York. Mais, après notre visite matinale à un Justin groggy à l'infirmerie, Charlie avait contacté un ancien camarade d'Harvard, l'agent spécial Robert Holden, pour lui exposer le cas de Peter. L'agent du FBI nous avait donné rendez-vous chez mon confrère pour un interrogatoire formel afin d'ouvrir une enquête. Il me faudrait donc patienter pour retrouver Emma.

Dans le bureau de Charlie, je soulageai une fois de plus ma conscience tourmentée. Assis face à moi, l'agent Holden, un grand Noir ancien joueur de basket à l'université, prit des notes détaillées sur un bloc jaune tandis que je lui racontais le sort de la première femme de Peter, le meurtre d'Elena et la mise en scène de mon propre assassinat. Lorsque j'eus terminé, il me considéra avec un visage impassible. Je n'aurais su dire s'il me prenait pour une folle, une héroïne ou une mythomane. Il reboucha son stylo Mont Blanc rouge et le glissa dans la poche intérieure de sa veste de costume anthracite.

— Seriez-vous prête à répéter ce que vous venez de me dire devant un tribunal en audience publique ?

Je réfléchis à la question. Que se produirait-il lorsque l'étrange histoire de ma mort maquillée et de mon changement d'identité serait révélée au grand jour ? Je perdrais sans doute mon emploi, et quelques amis au passage. Mais, si cela me permettait de retrouver ma véritable identité et de me sentir de nouveau entière, le jeu en valait la chandelle.

— Oui, bien sûr, répondis-je. Alors, qu'en pensez-vous ? Cela permettra-t-il de mettre Peter en examen, après toutes ces années ?

— Il faut voir. Les meurtres ne tombent pas sous le coup de la prescription. Mais, à mon avis, l'angle le plus intéressant est la corruption de Fournier en tant que chef de la police. On peut commencer l'investigation sous couvert du Hobbs Act, pour extorsion dans l'exercice de fonctions publiques, et voir où ça nous mène. Avec ce que vous m'avez donné, j'ai de quoi ouvrir une enquête sur-le-champ. Étant donné le danger qu'il représente pour vous, je vais de ce pas demander à mon supérieur d'envoyer une équipe sur cette île pour placer Fournier sous surveillance immédiate. Quand comptez-vous repartir pour New York ?

Charlie entra dans le bureau en faisant tinter deux bouteilles de Corona.

— Demain, précisa-t-il. Nous avons encore une victoire à arroser.

— Bon, vas-y mollo et garde un œil sur Nina tant qu'elle n'est pas à bord de son avion, Charlie, lui recommanda Holden. Je vous tiendrai au courant.

Comme l'agent du FBI se levait, je me demandai si je devais parler de Ramón Peña, mettre ce petit détail dérangeant sur la table avant qu'il finisse par surgir au détour de l'enquête. Mais je le regardai quitter la maison sans souffler un mot.

— À ta santé ! me lança Charlie en me tendant une bière. Je suis fier de toi. Après avoir tu cette affaire pendant dix-sept ans, il fallait du cran.

Du cran… et un manque évident de scrupules. Comme aurait dit Emma : laisse béton.

Je jetai le quartier de citron vert qui garnissait le goulot de ma bière dans la corbeille à papier et bus une longue gorgée délicieusement piquante et assez froide pour me donner mal au crâne. D'une autre lampée, je vidai la bouteille.

— Mon avion part dans douze heures, déclarai-je en m'essuyant la bouche d'un revers de la main. Pas le temps d'assaisonner la bière, Baylor.

Il était 18 heures lorsque nous arrivâmes à Mallory Square pour la célébration du coucher de soleil. La folle fête en plein air de Key West était demeurée parfaitement fidèle à mon souvenir. Toujours la même musique reggae qui réchauffait le cœur, les mêmes imbéciles heureux qui dansaient en s'éclaboussant de bière, la même lumière ensorcelante de la couleur du champagne.

Au début, nous avions simplement prévu de nous la couler douce chez Charlie, mais, environ une heure plus tôt, l'agent Holden nous avait informés par téléphone que ses collègues avaient filé Peter jusqu'à un salon nautique à Key Largo, où il était descendu dans un hôtel avec sa femme et ses deux enfants. Key West nous appartenait donc pour la nuit.

Sa main dans la mienne, Charlie me conduisit entre les artistes de rue et les touristes pompettes brûlés par le soleil. Il m'avait prévenue qu'il me réservait une surprise, je me laissai donc guider hors de la place pour longer d'étroites rues. Nous débouchâmes bientôt sur le Schooner's Pier, un restaurant doublé d'une marina privée.

Je fermai les paupières et soupirai dans la brise du large qui me soulevait les cheveux. J'avais bien le droit de faire un peu la fête. J'avais aidé Charlie à obtenir un sursis pour Justin, j'avais même un peu progressé dans le grand ménage de ma vie au cours de cette semaine. Le fantôme du *Spring Break* passé me hantait toujours, certes, mais qu'y pouvais-je ? Même si mon existence demeurait un problème non résolu, je décidai d'accorder officiellement une nuit de congé bien méritée à ma mauvaise conscience.

— C'est là que se passe la grande surprise ? interrogeai-je Charlie.

— Tu vas voir, me répondit-il en reprenant ma main.

Au lieu de me conduire dans l'établissement, comme je m'y attendais, il m'emmena jusqu'au quai de bois, où nous nous arrêtâmes devant un superbe yacht à deux ponts.

— Après vous, s'effaça-t-il avec un geste plein d'élégance en direction de la passerelle d'embarquement.

— Mais ! Qu'est-ce que tu fabriques ?

Bouche bée, j'admirai les lignes blanches du majestueux bateau, aussi pures que celles d'une Ferrari. Avec ses vitres teintées noires au niveau de la timonerie, on aurait dit qu'il portait des lunettes de soleil.

— C'est à un client à qui j'ai rendu un petit service, Bill Spence, m'expliqua mon confrère en me suivant sur la passerelle. Il organise des dîners croisières très classe au coucher du soleil. Même à cent quatre-vingts dollars par tête de pipe, c'est souvent surpeuplé, mais j'ai réussi à nous obtenir la totale. Ce petit bijou est tout à nous. Enfin, pendant les trois prochaines heures.

— Quoi ? m'extasiai-je.

— Attends-moi ici, me cria-t-il en disparaissant par une porte, me laissant sur le pont.

Deux minutes plus tard, il revint tout sourire et me saisit par la main pour m'entraîner vers l'avant du bateau. Nous passâmes devant un jacuzzi et un bar d'ambiance tropicale pour atteindre la proue, où nous attendait une table dressée pour deux dans une atmosphère intime. Après m'avoir tendu une flûte de champagne, Charlie sortit la bouteille adéquate d'un seau à glace en argent.

— Notre hôte met la dernière main à notre dîner, m'informa-t-il en remplissant mon verre. Il m'a dit de commencer à trinquer pendant qu'il sort le bateau du port. Le hors-d'œuvre ne devrait pas tarder.

— Le hors-d'œuvre ? m'étonnai-je.

— Trêve de bavardages, me répondit Charlie avec un clin d'œil. C'est une surprise.

103

Vingt minutes plus tard, la foule nous acclama comme des célébrités lorsque notre yacht de luxe glissa devant Mallory Square pour mettre le cap sur le soleil couchant. Lorsque le capitaine sonna la corne de brume, nous nous retournâmes vers la timonerie, ne distinguant à travers ses vitres sombres qu'une silhouette massive qui nous saluait de la main. Alors que nous levions nos coupes dans sa direction, Charlie me serra contre lui.

— Hé, la bombe ! cria un beau Noir appuyé à la balustrade du front de mer, les mains en porte-voix autour de la bouche. Tombe le haut ! Fais grimper la température !

— Allez, Nina, fais plaisir au monsieur, me souffla Charlie.

— Euh, je ne crois pas que ce soit moi, la bombe, répondis-je en éclatant d'un petit rire sot.

Se joignant à mon hilarité, mon confrère sortit de la poche de sa veste une poignée de bristols : les cartes de visite que les divers membres des médias lui avaient remises pendant la conférence de presse qu'il avait donnée devant les portes de la prison après l'annonce du sursis de Justin. Terminant sa coupe de champagne, il entreprit d'enregistrer les numéros dans son téléphone portable.

— Attention les yeux ! Qu'ai-je donc là ? Le producteur de Larry King. Un type de *Vanity Fair*. Mince alors, j'ai le journaliste Geraldo Rivera dans mon répertoire, maintenant. C'est du lourd ! La chaîne déco n'a qu'à aller voir ailleurs si j'y suis. Je pourrais peut-être décrocher un rôle dans une de ces émissions qui mettent en scène des procès fictifs. « Le juge Charlie », qu'est-ce que tu en dis ?

Je souris en contemplant les vagues turquoise clair, sans me soucier le moins du monde que le vent ravage ma coiffure. Nous voguions à présent droit sur le soleil rougissant. J'avalai ma dernière goutte de champagne, puis m'en servis une autre coupe et portai le verre à mes lèvres. *À moi !*

Alors que je reposais ma flûte, une sensation d'étourdissement me saisit. Je clignai des paupières, puis me frottai les yeux. Je n'allais quand même pas commencer à souffrir du mal de mer !

— Je ferais mieux de lever le pied en attendant le hors-d'œuvre, remarquai-je.

Soudain, tout se mit à tourbillonner autour de moi. Je cillai, la vue trouble.

— Charlie ? lançai-je en tendant le bras vers la main courante du bateau pour me maintenir droit sur ma chaise.

Je me retournai en entendant un bruit sourd. Son téléphone portable à la main, Charlie gisait à plat ventre sur le pont de teck verni, au milieu des cartes de visite qui voletaient dans le vent comme des feuilles mortes. Alors que je me penchais pour l'examiner, je perdis l'équilibre et basculai à mon tour sur le sol. Je voulus m'agenouiller, mais j'avais l'impression que toutes mes forces m'avaient quittée et que je ne pouvais plus tenir sur mes jambes. Je retombai de tout mon long, luttant pour reprendre mon souffle.

Me dévissant la tête, je jetai un regard du côté des vitres noires de la timonerie. Le capitaine avait disparu. Je cherchais encore à comprendre la drôle de tournure que prenaient les événements quand une porte s'ouvrit sur le pont. Je perçus un tintement, puis une série de cliquetis, et un joli petit chien entra dans mon champ de vision. Un jack russell.

104

J'ignorais si dix minutes ou dix heures s'étaient écoulées lorsque mes paupières s'ouvrirent brusquement. J'étais couchée sur le dos dans le noir. Je clignai frénétiquement des yeux, le souffle court, tandis que mon esprit affaibli et désorienté s'escrimait à repousser l'inconscience.

J'avais l'impression que quelqu'un s'était servi de ma tête comme d'un marteau. Mon estomac formait un épais nœud aigre et acide. Un vague goût de médicament imprégnait ma bouche asséchée. Tout mon corps me paraissait étrange, bouffi, comme si un cocon de ouate m'enveloppait tout entière.

Un accident ? Ce fut la première pensée cohérente que je réussis à former. Mais alors la cabine tangua avec un grincement et tout me revint à l'esprit. Mes yeux s'écarquillèrent sous l'effet de cet éclair de lucidité cauchemardesque. Je revis Charlie à plat ventre sur le pont à côté de moi. Et je compris que notre champagne avait été trafiqué.

— Non, lâchai-je d'une voix faible.

Je tentai de remuer mon bras droit. Je parvins à faire pivoter mon poignet d'un petit centimètre, mais il reprit aussitôt sa position initiale, comme une bûche trop lourde. Je subissais encore les effets de la drogue, d'un anesthésiant peut-être. Je tâchais de bouger mon autre bras quand j'entendis au loin un bruit sourd et creux, suivi d'un « plouf » prodigieux.

Je fermai les yeux, sentant la panique jaillir au creux de mon estomac. Elle monta dans ma gorge aussi vite que le mercure d'un thermomètre dans un four lorsque des pas lourds martelèrent le plancher au-dessus de moi. *Réfléchis !* me pressai-je intérieurement. Mais j'eus beau essayer, je n'avais conscience que du noir, que des battements de plus en plus rapides de mon cœur. Une vague d'épuisement d'une douceur engageante se répandit alors en moi. Bien sûr ! Je n'avais qu'à me rendormir, remettre la réflexion à plus tard, bien plus tard.

J'entendis une porte s'ouvrir, puis quelqu'un descendre les marches.

Arrête ! m'ordonna une partie de moi. *Réveille-toi !*

Je suppliai désespérément mon corps de se lever. Mais l'autre partie de moi, la fainéante, ne voulait rien entendre. Avec un soupir, je retombai en chute libre dans l'oubli rassurant du sommeil, comme si j'y cherchais le salut.

Mes paupières se décollèrent brusquement lorsque l'odeur piquante d'ammoniaque attaqua mes narines, pareille à une coupure à vif.

— On ne se serait pas déjà vus quelque part ? me demanda alors le Tueur de Floride.

Puis il me souleva dans ses bras.

105

L'homme me porta jusqu'à une pièce éclairée aux allures de bibliothèque. Les murs lambrissés de chêne verni sombre renfermaient des étagères garnies de livres à reliure de cuir, un onéreux globe terrestre en bois, une boîte à cigares et un bar bien approvisionné. Une batte de base-ball décorée d'une signature était accrochée au-dessus du bar, illuminée comme un tableau de musée.

En dehors de ces quelques éléments, la pièce ne contenait aucun autre meuble qu'un gigantesque lit à baldaquin disposé en son centre. Par son incongruité, cette vision me rappela le brancard sur lequel Justin Harris avait été sanglé dans la chambre de la mort. Ce n'était d'ailleurs pas la seule similitude. Aux quatre colonnes du lit pendaient des cercles de métal sombre dans lesquels je reconnus, lorsque le Tueur de Floride me lâcha sans ménagement sur le matelas, des menottes.

— Bienvenue dans notre cabine coloniale, déclara-t-il. L'endroit où la magie opère.

Alors qu'il refermait les menottes sur mes poignets et mes chevilles, je me rendis compte que mes vêtements avaient disparu. Je détaillai ma nouvelle tenue, prise de sanglots. Je portais une sorte d'ensemble de lingerie transparent, un porte-jarretelles et des bas. Mes bras et mes jambes avaient été enduits d'une lotion à la cerise au parfum suave entêtant. Je m'aperçus aussi qu'on m'avait maquillée. Des pâtés de fard graissaient mes joues, débordaient de ma bouche et me collaient les yeux.

— S'il vous plaît, suppliai-je entre mes lèvres visqueuses. Ne… ne me tuez pas.

— C'est drôle, c'est exactement ce que Tara Foster m'a dit… juste avant que je l'étrangle avec son soutien-gorge, remarqua le Tueur de Floride en croisant ses bras épais. Si tu avais été plus maligne et que tu avais laissé Harris porter le chapeau, tu ne te trouverais peut-être pas dans ce pétrin.

C'est alors que je remarquai une autre porte, au coin de la pièce. De la musique pop mexicaine retentit tout à coup derrière son battant. Des trompettes débridées dont les notes frénétiques éclataient à plein volume, couvertes par des battements de pied sur le sol, des voix excitées, des rires d'ivrognes. Des braillements s'élevèrent lorsque la musique s'interrompit brutalement, puis un morceau de rap débuta et les claquements de pieds et les hurlements redoublèrent d'intensité.

— Qu'est-ce que c'est ? demandai-je. Qui est là ?

— Des trafiquants de drogue. Des gros poissons des cartels mexicains, des grands manitous. Je les fournis en gonzesses. Mais ne t'inquiète pas, tu vas bientôt faire connaissance avec eux. Très intimement, même.

Mon cerveau disjoncta pendant quelques secondes. Mon crâne se remplit de neige et de grésillements, comme un poste de télévision qui perd le signal.

— Je ne suis pas une prostituée, m'écriai-je.

— Qui te dit qu'ils veulent une prostituée ? Ce soir, ils ont quelque chose à fêter. Ils viennent de conclure une grosse affaire très juteuse. Ces mecs ont risqué leur vie, leur liberté, et ils sont sortis gagnants de ce grand quitte ou double. Alors, ils sont bien décidés à s'éclater à mort. Ou plutôt t'éclater à mort. Et quand ils en auront marre de te violer, ils jetteront ton cadavre à la mer.

C'était le pire scénario imaginable. Tout à coup, tout s'expliquait : les multiples disparitions, les corps jamais retrouvés.

— Tu n'imagines même pas le pognon que ces types jettent par les fenêtres. Tu me diras, je mérite amplement chaque sou qu'ils me donnent, avec tout le ménage que je dois me fader après leur passage. Je me demande parfois s'ils n'ont pas du sang maya ou aztèque dans les veines, parce que tu verrais la cabine quand ils ont terminé leurs affaires ! On croirait qu'il y a eu un sacrifice humain tellement il y a de sang. Foutu truc ! Je dois même nettoyer le plafond.

Il sourit, avant de reprendre :

— Ah, j'ai maintenant toute ton attention, je le vois bien à ta tête. Tu as un peu trop de bouteille pour eux, mais tu es un cadeau de la maison, une mise en bouche à moitié prix. C'est la consigne et, cette fois, pas question que je merde : ce sont des ordres du grand patron en personne.

— De quoi parlez-vous ? bafouillai-je. Des ordres de qui ?

Le Tueur de Floride partit d'un rire sonore.

— Tu n'as toujours pas pigé, hein ? Même pas maintenant. Je vois bien que tu es à la ramasse. Pauvre petite Jane qui nage depuis toujours en plein brouillard.

De quoi parlait-il ?

— Je reçois mes ordres de Peter, Jane. Tu te sou-
viens de lui ? Ton mari ? Mais aussi mon meilleur ami.
Il n'y a pas de Tueur de Floride, il n'y en a jamais eu.
Il n'y a que Peter. Et moi.

106

De l'autre côté de la porte, la liesse atteignit son comble aux premières notes du tube de rap *old school* « Wild Thing », de Tone-Loc. Le volume explosa deux fois plus fort tandis que je gisais sur le matelas, les yeux fixés sur le plafond à caissons. Assis dans un fauteuil près du lit, le Tueur de Floride consulta sa montre.

— Tu sais, Peter parlait sans arrêt de toi. Il me racontait les trucs débiles que vous faisiez tous les deux. Il te considérait vraiment comme une gentille fille. J'aurais bien aimé faire ta connaissance, mais tu te doutes bien qu'il n'en était pas question pour lui. Tu sais, je crois même qu'il t'a un peu aimée. Alors, forcément, je ne m'attendais pas à ce qu'il me demande de te liquider.

Je tournai la tête vers lui. Il affichait toujours le même sourire.

— Tu ne t'en es jamais doutée ? s'étonna-t-il. Peter m'a embauché pour te supprimer pendant sa partie de pêche, Jane. Je devais te faire disparaître, te vendre à nos amis trafiquants, comme les autres. J'allais passer à l'acte quand tu es sortie de la maison. Je t'ai suivie toute la foutue journée, je t'ai vue t'entailler la jambe sur la plage et te teindre les cheveux. Je n'ai d'abord rien pigé à ce que tu manigançais, jusqu'à ce que tu empruntes l'Overseas Highway. C'est là que j'ai compris que tu voulais te faire la belle. Alors, je me suis arrêté pour te prendre en stop, mais tu m'as joué ce sale tour avec la Merco et tu t'es fait la malle. Sur le coup, je ne savais plus quoi faire, mais comme tu n'avais pas l'air de vouloir revenir j'ai menti à Peter. Je lui ai dit que je t'avais réglé ton compte.

Les effets de la drogue se dissipaient et une douleur sourde, remplaçant la sensation de cocon cotonneux, m'étreignait de la tête aux pieds. Je remuai le bras droit. Il se déplaça d'une trentaine de centimètres avant que les menottes me mordent le poignet. J'étudiai les épaisses colonnes du lit auxquelles elles étaient attachées. Le bois était usé, comme rongé. Avec un haut-le-cœur, je compris qu'il portait les traces des chocs avec les bracelets de métal des précédentes victimes. Lorsque je reposai les yeux sur lui, le Tueur de Floride curait ses prothèses dentaires parfaites du bout de l'auriculaire.

— J'aurais dû avouer la vérité à Peter, mais, si tu veux tout savoir, j'ai pris peur. Tu trouves que je suis un sale type ? Laisse-moi te dire que Peter est le Tony Soprano de Key West, le sens de l'humour en moins, remarqua-t-il avec un haussement d'épaules. Mais j'imagine qu'il ne t'a jamais montré cette facette de sa personnalité. Moi, j'avais droit aux menaces de mort et aux baffes lorsque j'oubliais une broutille, mais pas toi. Non, avec toi, c'était les fleurs, les arcs-en-ciel, les petits mots d'amour…

Il se leva avec un bâillement.

— Tu vois, Jane, les femmes, même la bague au doigt, vont et viennent. Mais les amis, eux, restent pour la vie. Les meilleurs amis, en tout cas. Peter et moi, nous avons été rangers ensemble. Quand il avait besoin de quelqu'un pour assurer ses arrières, c'était moi qu'il appelait. Évidemment, il m'en a un peu voulu quand il t'a aperçue à New York, mais il a fini par se calmer et m'a donné une nouvelle chance d'en finir avec toi. J'ai bien failli réussir, dans ta chambre d'hôtel.

Il s'éloigna vers la porte et l'ouvrit, avant de conclure :

— Mais ne t'inquiète pas, je ne vais pas te louper, ce coup-ci. Quand ces types en auront terminé avec toi, je te mettrai deux balles dans le crâne avant tes funérailles en mer. Juste histoire de m'assurer que tu ne reviendras plus jamais de l'au-delà.

107

La porte se referma derrière lui. Alors qu'un riff de guitare électrique retentissait entre des explosions de basse hip-hop, une maxime surgit dans mon esprit : *Le chemin le plus difficile est le seul possible.*

Je ne savais plus si cette citation était extraite d'un roman ou de la Bible, mais ce que je savais, c'est que je ne l'avais jamais comprise. Pour quelles raisons un être sain de corps et d'esprit irait-il choisir le chemin le plus difficile ? Mais tandis que je gisais dans cette cabine, le visage baigné de larmes, chaque cellule de mon corps broyée par une terreur d'acier, j'en saisis soudain tout le sens. Elle signifiait tout simplement qu'il n'y avait pas de chemin de traverse. Qu'un jour ou l'autre il fallait passer à la caisse. Que ce fût juste ou pas, il fallait savoir tirer sa révérence. En rencontrant Peter, j'avais échappé au sort auquel me destinait le meurtre de Ramón Peña. Aujourd'hui, j'allais payer pour mon crime, intérêts et capital.

Moi qui avais été choquée au plus haut point par la résignation qu'affichait Justin face à la mort, je ne l'étais plus tant que cela, à présent. Malgré tout, au lieu de me raidir, comme lui, dans un stoïcisme guerrier, je sentis tout mon corps se convulser de dégoût et d'horreur lorsqu'un coup retentit à la porte. Tellement que je crus que mes tendons allaient se rompre.

Le battant s'ouvrit, laissant filtrer un murmure jovial.

— *Hola !*

L'homme qui s'invita dans la pièce paraissait plus italien que mexicain. Basané, grand, mince, avec de longs cheveux noirs lustrés qui tombaient sur ses épaules. Un cigare pointait de sa mâchoire marbrée par une barbe naissante. Avec sa veste à fines rayures taillée sur mesure, sa chemise à col contrasté et son jean bien coupé, il faisait très européen ; très riche dandy et vaurien raffiné qui s'apprête à faire la bringue jusqu'au petit matin.

Il retira sa veste, révélant un holster alourdi par un automatique à crosse de nacre. Sans détacher son cigare de ses lèvres, il me sourit et choisit une bouteille et un verre sur le bar. Après s'être servi une généreuse dose de whisky, il pointa la boisson du doigt et m'adressa un geste galant pour savoir si je désirais me désaltérer. Tout mon corps se mit à trembler dans un cliquètement de menottes.

Il haussa les épaules, l'air de dire « comme tu voudras », puis tira avec affectation sur son cigare et souffla la fumée vers le plafond à caissons avant de s'approcher de moi. Il retirait sa première santiag, assis au pied du lit, quand un bruit couvrit la musique. Une corne de brume venait de tonner à l'extérieur. Derrière la porte, le volume diminua et les hommes s'intimèrent le silence pour mieux écouter.

— Ici la garde côtière des États-Unis ! hurla une voix amplifiée par un mégaphone. Que personne ne bouge !

Deux coups de feu éclatèrent l'un après l'autre à l'étage. Il y eut un cri surpris en espagnol, ponctué par un bruit d'éclaboussure.

— Pas un geste ! reprit la voix. Nous n'hésiterons pas à faire feu ! Pas un geste !

Bientôt, des pas précipités martelèrent le sol au-dessus de nos têtes. L'homme aux cheveux longs leva une mine interloquée. Chaussé d'une seule botte, son cigare à la bouche et son automatique à la main, il rejoignit le seuil de la pièce, le talon de son unique santiag claquant sur le sol. Je hurlai lorsque, ouvrant la porte, il pressa la détente de son arme.

Des coups de feu et des cris s'élevèrent de l'autre côté. Un gros morceau de lambris se décrocha du mur à quelques centimètres du visage du Mexicain. Son pistolet lui glissa soudain des doigts et, avec une expression remplie de curiosité, il baissa les yeux sur sa chemise à col contrasté imbibée de sang. Une nouvelle détonation retentit, étourdissante, suivie d'une autre, et il s'écroula. Des braises volèrent de son cigare lorsqu'il s'écrasa à plat ventre sur le plancher.

Les jeunes hommes vêtus de bleu et armés de fusils qui se ruèrent dans la pièce me retrouvèrent en sanglots sur le lit. L'instant d'après, Charlie se penchait au-dessus de moi en souriant, trempé jusqu'aux os. Par je ne sais quel miracle, il avait survécu. Je voulus parler, mais je fus incapable d'articuler un seul mot, sans doute en état de choc. Mon confrère essaya en vain de me soulever du matelas avant de remarquer les menottes. Décrochant la batte de base-ball du mur, il entreprit alors de casser une à une les colonnes du lit.

108

— OK. Vous voulez bien tout reprendre depuis le début ? me demanda le commandant du navire de la garde côtière, Scott Dippel, en faisant cliqueter son stylo.

Nous nous trouvions dans l'une des cabines privées d'une vedette fédérale à quai. Je portais une tenue de jogging des United States Coast Guard que m'avaient généreusement prêtée les gardes-côtes, et mes cheveux étaient encore mouillés après ce qui resterait, de loin, la meilleure douche de ma vie. Assis à mon côté, Charlie tenait un sachet de haricots verts surgelés sur la bosse qui déformait son visage à l'endroit où il avait heurté le teck du pont.

— Oui, s'il vous plaît, depuis le tout début, renchérit l'agent Holden, qui était monté à bord de la vedette dès que nous avions accosté. Étant donné que nous avons deux cadavres sur les bras et trois ressortissants mexicains en détention provisoire.

Le Tueur de Floride avait été abattu. Alors qu'il essayait de se réfugier sur le bateau des narcotrafiquants, il avait tiré sur les gardes-côtes, qui lui avaient aussitôt rendu la pareille avec leurs mitrailleuses calibre 50. Tandis que l'on m'escortait dans l'embarcation fédérale, j'avais vu de mes propres yeux son cadavre criblé de balles flotter sur le ventre, sous les projecteurs du bateau. Je n'aurais certainement pas besoin d'une assistance psychologique pour m'en remettre. En fait, je n'avais qu'un seul regret : ne pas avoir pressé la détente moi-même.

— Point par point, cette fois, ajouta Dippel. Qui est le grand costaud que nous avons tué ?

— Le capitaine Bill Spence, l'éclaira Charlie. C'est un client à moi. Enfin, c'était. Il nous a drogués et m'a jeté par-dessus bord. Quand j'ai repris connaissance, je faisais la planche avec huit litres d'eau de mer dans le bide. J'ai aperçu les feux de signalisation du yacht au loin. J'ai nagé tant bien que mal jusqu'à lui, ça a bien dû me prendre trois heures. Je n'étais plus qu'à une cinquantaine de mètres quand le hors-bord des Mexicains l'a abordé. Dès que ceux-ci sont montés sur le yacht, j'ai puisé dans mes dernières forces pour me hisser sur leur bateau. C'est avec leur radio que je vous ai prévenus.

Le grand commandant roux fit de nouveau cliqueter son stylo.

— Et les Hispanos ?

— Ce sont des trafiquants de drogue mexicains, expliquai-je. Spence kidnappait des femmes et les emmenait en mer pour les vendre à ces cartels, qui les violaient et les tuaient au cours de leurs immondes petites sauteries. C'est ce qui me serait arrivé si Charlie ne vous avait pas alertés.

— Comment savez-vous tout cela ? m'interrogea l'agent Holden.

— C'est Spence qui me l'a dit ! me récriai-je. Vous ne comprenez donc pas ? Je ne bluffais pas quand je disais savoir que Justin Harris n'était pas l'assassin de Tara Foster. C'est Spence, le Tueur de Floride. C'est l'homme qui a essayé de m'enlever il y a bientôt vingt ans. Il pratique la traite des femmes depuis que *Deux flics à Miami* fait de l'audience. Mais ce n'est pas tout. D'après lui, le chef de la police serait impliqué. Peter Fournier était son complice. Il serait même à la tête du trafic de drogue à Key West.

— C'est ça que j'ai du mal à comprendre, observa Dippel. Je connais Peter Fournier, j'ai déjà mangé chez lui. Nos gosses font partie de la même équipe de base-ball. Ça ne peut pas être vrai.

— Rassurez-vous, moi aussi, j'ai eu beaucoup de mal à le croire, au début, répondis-je. Je vous rappelle que j'étais mariée avec lui. Spence m'a expliqué que Peter l'avait engagé pour me tuer avant que je ne m'enfuie.

— Tout s'éclaire maintenant, observa Charlie en transférant le sachet de haricots surgelés dans son autre main. Le capitaine est devenu mon client et a lié connaissance avec moi à peu près à l'époque où le journal local a annoncé que je défendais Justin. Il n'arrêtait pas de me poser des questions sur l'affaire. Et moi qui le prenais juste pour un mordu de polars ! C'est lui qui m'a proposé le dîner croisière gratuit pour fêter notre victoire.

Holden fronça les sourcils.

— Quel foutoir ! C'est ce que tu appelles y aller mollo, Baylor ?

L'agent spécial quitta la pièce pour téléphoner. Une heure plus tard, aux environs de 4 heures du matin, il réapparut dans la cabine pour nous annoncer que nous pouvions disposer.

— Votre histoire semble tenir debout jusqu'ici. J'ai vérifié l'immatriculation du yacht, Fournier est bien l'un des propriétaires. Je viens de raccrocher avec mon supérieur hiérarchique : nous plaçons Fournier sous surveillance vingt-quatre heures sur vingt-quatre. Tant que nous n'avons pas mis la main sur lui, je ne veux plus vous voir dans les parages, mademoiselle Bloom... ou Fournier, ou le nom qui vous plaira. Je veux que vous passiez à l'hôpital vous faire examiner, puis vous prendrez le premier vol pour quitter l'île. Et n'allez pas croire que nous en avons terminé avec vous. Nous vous gardons à l'œil. Quant à toi, Charlie, tu peux foutrement t'attendre à avoir de mes nouvelles.

109

Nous sautâmes la case hôpital pour nous rendre directement à l'aéroport, nous contentant d'un arrêt chez Charlie pour me permettre de changer de tenue et de récupérer mes sacs. Le soleil se levait derrière la vitre en plexiglas maculée de la salle d'attente de l'aéroport quand, une heure plus tard, l'agent Holden contacta Charlie sur son téléphone portable.

— Holden vient d'arriver chez Spence avec une équipe de techniciens de scènes de crime de l'État, me rapporta-t-il lorsqu'il referma son téléphone. Avec un peu de chance, ils trouveront des preuves pour établir un lien entre ce salopard de psychopathe et les meurtres de Tara Foster et des autres femmes. Il paraît que la maison est une vraie décharge, ça risque de prendre un moment.

Il secoua sa tête contusionnée et violacée.

— Quelle nuit ! Après ça, ne viens pas me dire que je ne sais pas faire la fête !

Au même instant, une annonce invita les passagers de mon vol à embarquer.

— Charlie, écoute, j'ai quelque chose à t'avouer. Je ne t'ai pas tout dit.

— Non ! S'il te plaît, j'ai eu ma dose !

— Ça finira par éclater au grand jour et je ne veux pas que tu l'apprennes par quelqu'un d'autre que moi. C'est au sujet de ma rencontre avec Peter.

Alors que je prenais une inspiration, un poids remua dans ma poitrine. Le poids de toutes ces années passées à enfouir la vérité au plus profond de moi.

— Il y a dix-sept ans, je suis venue pour le *Spring Break*. J'ai pris le volant après avoir bu et j'ai renversé un homme. C'était un accident. Peter était le premier policier sur les lieux et il m'a aidée. Il s'est débarrassé du corps.

— Quoi ? s'écria Charlie.

— C'est comme ça que je l'ai rencontré. Et c'est sans doute pour ça que je l'ai épousé. Il m'a permis d'éviter la prison. Je suis comme lui, Charlie, corrompue. Tu dois me fuir comme la peste, et pas seulement toi, mais tout le monde. Ma vie n'est qu'un immense mensonge, et je crois qu'elle l'a toujours été.

Mon confrère me dévisagea un moment, puis il détourna le regard avec un tressaillement. J'entrevis toutefois des larmes dans ses yeux, de la souffrance à l'état pur. Ce spectacle me brisa le cœur. Il ouvrit la bouche, mais il la referma sans avoir prononcé un mot.

— Charlie...

À mon tour, je fondis en larmes.

— Je pars, m'annonça-t-il au bout d'un moment.

Et il s'exécuta, sans se retourner.

110

Si j'ai parfois du mal à fermer l'œil en avion, le problème ne se posa pas pour mon voyage de retour. Je dormis jusqu'à Atlanta et, après l'escale, mes paupières tombèrent à l'instant où je calai ma tête sur le dossier de mon siège. Je ne me réveillai que lorsque l'avion toucha le sol new-yorkais. Une heure plus tard, j'étais douchée et j'avais retrouvé mon peignoir et mes chaussons en molleton lorsque la sonnerie de mon téléphone fixe retentit.

Pourvu que ce soit Charlie, priai-je en décrochant.

— Je viens d'apprendre la nouvelle ! s'exclama mon patron d'une voix triomphante. Vous avez réussi ! Vous avez sauvé un condamné à mort. *Home run !* Grand chelem ! Venez tout de suite, je vous invite à déjeuner. Il faut que vous me racontiez tout.

— Ce serait avec joie, Tom, mais je viens d'atterrir. Que diriez-vous de demain ? Je suis épuisée.

— Demain, ce sera très bien. Reposez-vous pour être en forme pour les caméras de télévision. J'ai déjà prévenu le service des relations publiques. Le cabinet va exploiter à fond ce succès. Je suis tellement fier de vous ! Depuis ce matin, j'exulte devant les autres associés. Nous ferons un tour de la victoire demain. Je savais que vous en étiez capable, Nina.

En raccrochant, je me demandai si Tom Sidirov déborderait du même entrain lorsqu'il apprendrait que j'avais menti au cabinet. Que je ne m'appelais pas Nina Bloom et que, non contente d'avoir tué un homme sur la route en état d'ivresse, j'avais aussi dissimulé son corps. Mais je le découvrirais bien assez tôt.

L'interphone sonna dans la cuisine.

— Oui ? répondis-je en appuyant sur le bouton de conversation.

— C'est moi, maman.

— Emma ! m'écriai-je.

Au moins quelqu'un qui ne me tournerait jamais le dos.

— Ma puce, tu m'as tellement manqué !

— Allez, maman ! Tu m'ouvres ou quoi ?

J'appuyai sur le bouton de l'interphone et déverrouillai la porte de l'appartement avant de regagner ma chambre. Je tirais la fermeture éclair de ma valise quand j'aperçus la notification d'un message sur mon téléphone portable. Quelqu'un avait dû m'appeler pendant que je prenais ma douche.

« Écoute, Nina... » commença la voix de Charlie. Il paraissait à bout de souffle sur mon répondeur, mais, Dieu merci, il semblait prêt à m'adresser de nouveau la parole. J'entendis au loin le claquement de la porte d'entrée.

— Salut, Em ! lançai-je par-dessus mon épaule. Je suis dans la chambre. J'arrive tout de suite.

« Le FBI a remonté la piste de Fournier jusqu'à cette chambre d'hôtel à Key Largo, continuait Charlie. Quand ils ont voulu l'arrêter, il y a une demi-heure, ils ont découvert un spectacle effroyable : sa femme et ses deux fils ont été assassinés. D'une balle dans la nuque. Comme une exécution. Fournier n'était plus là. Personne ne l'a vu. D'après eux, il a quitté l'hôtel il y a plus de vingt-quatre heures. Le FBI est en train de prévenir toutes les patrouilles, mais, surtout, quoi que tu fasses, ne rentre pas chez toi. Et appelle-moi dès que tu as ce message. Je dois savoir que tout va bien. »

— Maman ? interrogea Emma, à la porte de ma chambre.

— Em, écoute, prépare tout de suite quelques affaires. Je t'expliquerai dans une seconde, mais je dois d'abord...

Je me mis à numéroter avec frénésie sur mon téléphone.

— Non, maman, me répondit Emma, d'étranges trémolos de colère dans la voix. Je ne sais pas ce qui se passe, mais ça peut attendre. Il y a quelqu'un que tu dois voir.

— Quoi ? m'étonnai-je en me retournant.

Mon iPhone glissa de mes mains tremblantes, rebondit avec un bruit sec et sonore sur ma table de chevet de verre et de métal, avant de partir en culbutes sur mon tapis d'Orient et d'atterrir sur son écran. Je secouai lentement la tête, les pupilles fixes, les yeux écarquillés, tellement exorbités qu'ils menaçaient de se décrocher.

Emma me dévisageait depuis l'encadrement de la porte. Derrière elle se tenait un homme avec une casquette des Red Sox de Boston, une veste de survêtement Adidas, un treillis et des rangers noirs cirés.

Peter entra dans la chambre, remontant d'un cran sa casquette.

— Sirène !

111

— Comment as-tu pu ? me cria Emma.

Dans sa voix perçait de la rage, de la souffrance. Le visage trempé de larmes, elle paraissait bouleversée. Et furieuse contre moi.

— Tu me mens depuis que je suis née ! hurla-t-elle. Comment as-tu pu être aussi égoïste ?

Elle brandit une photo sur laquelle figuraient deux petits garçons, des jumeaux.

— Ce sont mes demi-frères. Tu vois, j'ai une famille. T'es malade, maman, complètement malade.

— Emma, s'il te plaît, l'interrompis-je, la bouche soudain sèche.

— Tais-toi ! hurla-t-elle. Arrête de mentir ! Pourquoi tu ne m'as jamais dit que mon père était en vie ? Quand je suis sortie pour le déjeuner ce midi, je l'ai trouvé devant l'école. Il m'attendait. Je n'ai eu qu'à le regarder dans les yeux pour comprendre que c'était lui, il n'a même pas eu à prononcer un mot. Il n'y a jamais eu de Kevin Bloom. Comment as-tu fait ? Tu as payé un acteur ?

— Emma, tu ne comprends pas.

— Bien sûr que je comprends. Peter m'a tout

raconté. Vous étiez mariés en Floride et tu l'as aban-
donné. Comment as-tu pu être aussi cruelle ?

J'ignorai sa question. Mes pupilles étaient rivées sur
l'homme qui, derrière Emma, enfonçait sa main dans
sa poche. Il en sortit un pistolet semi-automatique noir
massif, qu'il agita dans ma direction avec un sourire
avant de le replacer dans sa veste, un index posé sur
ses lèvres. Plaquant mes mains sur ma bouche et mon
nez, je secouai la tête. D'abord lentement, puis de plus
en plus vite. Je ne voulais pas le croire. Un cauchemar
ne pouvait pas, ne devait pas devenir réalité.

— Pitié, le suppliai-je en joignant mes mains dans
un geste implorant. Peter, elle n'a rien à voir dans tout
ça.

Sans se départir de son sourire, il saisit Emma par
la nuque et, extirpant un chiffon de son autre poche,
lui enfouit le visage dedans.

— Non ! hurlai-je en m'élançant vers eux.

— Oh que si ! beugla Peter.

Et, de sa lourde chaussure militaire, il m'envoya un
coup de pied dans le ventre. Je crachai tout l'air que
contenaient mes poumons et m'écroulai en arrière sur
le sol.

112

Impuissante, je regardai Emma se débattre dans les bras de son père. Ses pupilles me fixaient, remplies d'horreur et de confusion, sans que je puisse rien faire pour lui porter secours. Au bout de quelques secondes, ses yeux se révulsèrent et tous ses muscles se relâchèrent. Son agresseur la laissa glisser sur le parquet massif. Sa poitrine bougeait à peine. Elle gisait, inanimée.

— Voilà qui est mieux, observa Peter en sortant un rouleau de ruban adhésif en vinyle de sa veste. Et moi qui trouvais mes fils enquiquinants ! Il lui arrive parfois de se taire, ou c'est en option ?

Après m'avoir scotché les mains dans le dos, il me traîna jusque dans le salon et me menotta au radiateur par la cheville.

— Sympa, ton appart, Jane !

Il s'assit sur le canapé en face de moi et ressortit son pistolet de sa veste pour le déposer sur un coussin, à côté du ruban adhésif. Puis il posa les pieds sur la table basse.

— J'adore le parquet partout. On aurait vraiment dû mettre des moulures sur les murs de la salle à manger, tu ne trouves pas ? Il vient d'où, ton canapé ? Pottery Barn ? Pas donné, mais j'aime les femmes qui savent se faire plaisir. Et cette peinture moderne au-dessus de la cheminée ? Attends, laisse-moi deviner... Crate and Barrel ? La classe ! Plus *Sex and the City*, tu meurs !

Je fixai le sol. Il passa son bras sur le dossier du canapé et poussa un soupir.

— Mais ! Qu'est-ce que c'est que ça ?

D'un bond, il empoigna la casquette des Yankees qui trônait sur le meuble de télévision.

Après m'avoir lancé un regard écœuré, il la jeta comme un frisbee au-dessus de ma tête.

— Ça t'a pas suffi de larguer ton bonhomme ? pesta-t-il en reprenant un parfait accent du Sud. Fallait aussi que tu deviennes une saleté de supportrice des Yankees !

Ses yeux s'écarquillèrent, étincelants de fureur. Il s'empara de nouveau de son pistolet et s'avança vers moi pour poser le canon sur mon front, l'enfonçant entre mes deux yeux.

— Tu te souviens de la route du bord de mer, cette fameuse nuit, me rappela-t-il calmement. Je t'ai sauvée. Je t'ai tout donné : une maison, une vie au paradis. Et c'est comme ça que tu me remercies ? En me mentant ! En te faisant passer pour morte ! Tu es complètement frappée, tu sais !

— Tu peux faire de moi ce que tu veux, lui crachai-je. Je ferai tout ce que tu me demanderas. Mais, je t'en prie, laisse-la partir.

— C'est tout ce que tu as en stock ? De toute façon, que tu le veuilles ou non, tu vas m'obéir au doigt et à l'œil. Demande rejetée. Emma reste avec papa. Tu aurais dû penser à ton petit bout de chou avant de te repointer en Floride pour foutre ma vie en l'air.

Il tira la culasse de son arme semi-automatique.

— Je savais que j'aurais dû te liquider moi-même.

— Tu as déjà tué ta première femme, et son bébé, murmurai-je. Tu as tué Elena et Teo, et l'employé de la station-service. Et aussi ta dernière femme et tes enfants.

— Tu as raison, Jane. Et maintenant, pour mon prochain numéro, mesdames et messieurs, je vais assassiner ma deuxième femme à petit feu et tout en douleur.

Peter balança son pistolet sur le canapé et décrocha la menotte à ma cheville. Il me releva ensuite par les cheveux pour me traîner jusqu'à la salle de bains. Après avoir bouché la bonde de la baignoire, il tourna le robinet d'eau chaude et extirpa de sa poche arrière un gant en caoutchouc pour l'enfiler à sa main droite. Lorsque la cuve fut remplie, il ferma le robinet et jeta dans l'eau fumante de la poudre de bain parfumée qui se trouvait sur le rebord de la baignoire.

— Ça sent bon, hein ? C'est brise du large ? Ah non, arum. Bien, maintenant, on va mener une petite expérience : voyons si les sirènes savent vraiment respirer sous l'eau.

Refermant sa main gantée sur une pleine poignée de cheveux, il m'enfonça la tête dans l'eau bouillante. Je me débattis, mais sa poigne me clouait au fond de la baignoire comme une barre de fer. Il racla mon front contre l'émail, comme s'il se servait de mon visage comme d'une brosse à récurer. Une minute passa, puis deux. J'allais ouvrir la bouche quand il tira ma tête hors de l'eau et me ramena à la vie. J'engloutis l'air avec un gémissement d'animal, le visage en feu.

— Youp la boum ! Ça ne te rappelle pas quelque chose, Jane ? Figure-toi que je me souviens que ta plus grande frayeur était de mourir noyée. Tu sais, l'histoire que tu m'avais racontée ? La fois où tu étais à la plage avec ton père et que le courant t'a emportée. Tu avais arrêté de te démener et tu commençais à couler quand ton papa chéri est venu à ta rescousse. Tu veux que je te dise quelque chose, Jane ? Papounet n'est plus là. Il mange les pissenlits par la racine. Maintenant, c'est moi, ton papounet.

Ma tête replongea dans l'eau brûlante. Je retins mon souffle jusqu'à avoir l'impression que mes yeux allaient exploser et que de l'acide gorgeait mon crâne.

J'étais sur le point d'abandonner, d'inspirer l'eau et d'en finir une bonne fois pour toutes quand Peter me sortit une deuxième fois du bain. Lorsque mes oreilles se débouchèrent, je m'aperçus qu'il riait. Pas de l'un de ces rires de savant fou qui donnent la chair de poule. Non, il se bidonnait, comme s'il se payait du bon temps devant un DVD d'Eddie Murphy plutôt que de me torturer.

— Je suis désolé, articula-t-il en s'essuyant les yeux. Excuse-moi. Je me suis toujours promis de ne pas prendre plaisir à ces choses, mais je peux bien déroger à la règle, pour une fois. Je savais que je ne regretterais pas cette petite virée à New York. Oh, et avant que j'oublie, quand nous aurons fini de nous amuser, tous les deux, je mettrai le cap sur le Mexique avec notre fille chérie. Je la vendrai au plus offrant. Tu ne peux t'en prendre qu'à toi-même, Jane. Je voulais juste que tu sois au courant, il me semble que c'est important que tu le saches. Entre mari et femme, on ne doit rien se cacher.

Il partit d'un nouveau rire, qu'il tenta de réprimer par des reniflements.

— Allez ! Qu'est-ce que tu attends ? Fais le canard !

Et il me replongea brutalement sous la surface de l'eau.

114

Peter m'arrachait la tête de l'eau pour la quatrième ou cinquième fois quand je fus victime d'une hallucination. Je devais manquer d'oxygène car, tout à coup, je crus voir Emma derrière lui, dans l'embrasure de la porte. On aurait dit un ange. Quelque chose flottait au-dessus de sa tête. Des ailes ? Je ne tardai pas à comprendre que c'était en fait ma table de chevet en verre et en métal, qu'elle tenait brandie comme une batte de base-ball.

Peter se retourna. Trop tard.

Emma abattit violemment la table sur son crâne. Une longue gerbe d'éclats de verre crépita, ricochant sur le carrelage mural avec un tintement sonore. Avec des yeux révulsés, sa victime pivota sur elle-même et s'effondra en crachant du sang. Étourdie, le visage brûlé, les paumes meurtries, je me traînai comme je pus par-dessus ses jambes pour fuir la salle de bains. Dans le salon, ma fille s'agenouilla près de moi pour couper, avec les grands ciseaux de cuisine, le ruban adhésif qui entravait mes poignets.

— Cours ! lui ordonnai-je d'une voix rauque en me redressant. Porte. Police. Cours !

— Vous partez déjà ? Sans faire un dernier bisou à papa ?

Je me retournai lentement, me figeant sur place. Mon cerveau peinait à enregistrer le spectacle qui s'offrait à mes yeux.

La table de chevet avait blessé Peter. Grièvement blessé. Coupée sur toute sa longueur, son oreille droite retombait mollement contre sa mâchoire, pendue à un filament de peau. Le verre lui avait lacéré le côté du visage, de la tempe au menton, révélant de la chair rose qui évoquait un bubble-gum sanguinolent.

Il leva la main pour attraper son oreille entre son pouce et son index et, avec un grognement, tira dessus d'un petit coup sec. Le lambeau de peau céda avec un bruit de déchirement discret et mouillé, comme un pansement que l'on arrache. Peter étudia son organe, les sourcils froncés, puis il secoua la tête et le déposa avec précaution sur l'étagère à photos fixée au mur, au niveau de son épaule.

— Quelqu'un va devoir payer pour ça, déclara-t-il avec un hochement de tête convaincu.

Il sourit. Ses yeux bleus jetaient des éclairs, comme des brûleurs à gaz réglés au maximum.

— Salopes, salopes, toutes des salopes ! lâcha-t-il en reprenant son accent du Sud. Toutes les mêmes. On ne peut pas vivre avec, et on ne peut pas vivre sans.

Il se pencha pour ramasser les ciseaux de cuisine aux lames tranchantes comme des rasoirs, qui reposaient à ses pieds sur le sol.

— Tiens, tiens, j'ai parlé trop vite, observa-t-il en les actionnant dans le vide comme un coiffeur qui s'apprête à se mettre au travail. Je peux peut-être vivre sans…

115

Emma et moi étions pétrifiées dans le salon, comme des enfants jouant à un-deux-trois-soleil.

— Papa n'aime pas les vilaines filles.

De sa main libre, Peter attrapa Emma par le poignet. Il pivota ensuite sur un talon et s'inclina en arrière, l'envoyant virevolter comme une poupée de chiffon. Notre fille percuta de face la bibliothèque en verre, qui vacilla et bascula sur elle dans un grand fracas et une pluie de livres, la renversant sur le tapis.

Au même instant, je repérai le pistolet de Peter. Il se trouvait à l'endroit où il l'avait laissé, sur le canapé. C'était ma dernière chance. Tourbillonnant sur moi-même, je plongeai dans sa direction, envoyant voler les livres à mes pieds dans la violence du mouvement. Le semi-automatique ricocha sur le tapis avec un bruit mat. Je le saisis et, repliant le doigt sur la détente, fis volte-face. Un temps trop tard.

Peter me percuta de plein fouet, éjectant l'arme de ma main et m'écrasant violemment l'arrière de la tête sur le parquet. J'eus l'impression que mon crâne se fracturait, comme si j'avais reçu un coup de hachette, mais j'oubliai la douleur à l'instant où les mains de mon agresseur se refermèrent autour de mon cou. Un gargouillis s'échappa de mes lèvres lorsqu'il resserra lentement les doigts. Je battis des pieds et des bras, envoyant valser d'autres livres. La privation d'oxygène commençait à brouiller ma vue.

Peter enfonça ses pouces dans ma trachée, comme s'il tentait de l'ouvrir à la seule force de ses mains. J'avais perdu tout espoir quand l'étau autour de ma gorge se relâcha tout à coup.

— Pas encore, Jane, me susurra le monstre à l'oreille. Pas avant une dernière partie d'action-vérité. Moi d'abord. Vérité. Tu te souviens de Ramón Peña, cette nuit sur la route du bord de mer ? Eh bien, figure-toi que tu ne l'as pas tué.

Il me lécha le lobe de l'oreille, puis le mordilla d'un air mutin.

— Non, Jane. C'est moi.

116

Haletante et la gorge en feu, je fixai le sourire de Peter.

— C'est la vérité, confirma-t-il avec un hochement de tête. Peña était un indic, il allait nous balancer aux fédéraux. Je le pourchassais sur la plage pour le liquider quand je t'ai entendue foncer sur la route comme dans une course de dragsters. Quand il a couru sur le trottoir pour te faire signe de t'arrêter, je l'ai abattu de trois balles de silencieux. La seconde d'après, il s'écroulait devant ta Camaro. Tu ne pouvais pas l'éviter, c'était impossible.

Je secouai la tête, les yeux plissés d'incrédulité et de douleur. Peter enchaîna.

— Au début, j'ai cru que j'allais devoir t'éliminer toi aussi, mais, quand j'ai senti ton haleine, j'ai modifié mes plans. D'ailleurs, je n'ai jamais eu l'occasion de te remercier d'avoir trimballé le cadavre jusque chez moi. C'était du beau boulot, Jane.

Alors que ses mains se refermaient autour de ma gorge, un étrange phénomène se produisit. Une boule glaciale de haine à l'état pur s'amassa derrière mes yeux et se déplaça le long de mon bras gauche jusqu'à ma main, où elle prit la forme d'une serre. Je raidis le bras et le balançai en l'air pour planter mes ongles pointus dans la blessure rose et décharnée qui s'ouvrait à la place de l'oreille de mon agresseur, et lui labourai les chairs.

Il s'écarta brusquement avec des cris perçants. Je me retournai et, me hissant sur les genoux, fouillai avec de grands gestes les livres qui jonchaient le sol à la recherche du pistolet. Repérant un bout de métal noir sous le canapé, j'y plongeai le bras. Je tirai le lourd calibre dans ma direction, le ramassai et le collai contre mon ventre pour glisser l'index sur la détente. Je braquai ensuite l'arme sur Peter et appuyai. Rien ne se produisit. La détente refusait de bouger. Du pouce, j'actionnai le cran de sûreté puis redressai le canon. Une fois de plus, le coup refusa de partir.

Mon agresseur écrasa alors sa lourde chaussure sur mon oreille. Avec un hurlement, je laissai échapper l'arme, qui glissa sur le parquet et tourbillonna jusque dans le couloir, en direction de la chambre.

— Ça s'appelle un double action, pouffiasse ! cracha Peter en partant à sa recherche. Il faut appuyer très fort sur la détente pour déclencher le premier tir. Mais laisse-moi te faire une petite démonstration.

Bondissant sur mes pieds, je m'enfuis dans la direction opposée, tentant d'atteindre la porte pour chercher du secours, mais je me ravisai aussitôt. Je ne savais que trop bien le sort que Peter réserverait à Emma si j'arrivais à fuir. Aussi, je bifurquai et me ruai dans la cuisine, où je saisis le bloc de couteaux à côté des plaques électriques. Je refermai le poing sur le manche du Zwilling à lame de vingt centimètres, qui glissa sans mal hors du socle, et me précipitai dans le salon, le couteau brandi au-dessus de ma tête.

Peter se tenait sur le seuil de la chambre, son pistolet braqué sur mon visage. En me voyant surgir, il laissa éclater un rire sonore. Il s'esclaffait encore quand il pressa la détente… et que le coup ne partit pas. Sans doute avais-je mis le cran de sûreté au lieu de l'enlever.

Toujours en pleine course, je me jetai en avant. Le canon de l'arme heurta ma bouche, me déchaussant deux dents, mais il aurait fallu davantage pour m'arrêter. Je fondis sur Peter de toutes mes forces, effleurant des jointures de mes doigts la peau lisse sous son menton rasé de frais. La lame lui transperça la gorge et s'enfonça dans sa clavicule jusqu'au manche. Il bascula en arrière. Je me rappelle la sensation chaude du sang dans mes yeux et sur mes joues lorsque je fis volte-face pour aller chercher Emma. Dégageant les livres à coups de pied, je dénichai enfin sa main et la traînai jusqu'à la porte, où elle réussit à se mettre debout, vacillante. Clopin-clopant, nous sortîmes de l'appartement et descendîmes l'escalier, cramponnées l'une à l'autre.

Une passante au lifting raté qui promenait son caniche piqua un sprint en hurlant lorsqu'elle me vit émerger de l'entrée de service de l'immeuble dans mon peignoir ensanglanté. Arrivées au coin de la 3e Avenue, nous nous arrêtâmes au stand de fleurs de l'épicerie coréenne, derrière les bouquets de roses bon marché. Je rinçais encore les yeux d'Emma à grande eau, pour en retirer les bouts de verre, lorsque la première voiture de patrouille monta sur le trottoir.

ÉPILOGUE

Un an plus tard

117

— Jane ! beugla Charlie à 6 h 50 ce samedi matin. Ramène-toi !

Je décollai mon visage de l'oreiller avec un soupir. Il avait fallu qu'il me trouve ce petit nom sur le trajet de retour de notre lune de miel, un mois auparavant.

Son visage était la première chose que j'avais vue lorsque j'avais ouvert les yeux à l'hôpital, au lendemain de l'agression de Peter, et le dernier que je voyais chaque soir avant de les fermer depuis ce jour-là. Non seulement il m'avait pardonné, mais il avait réussi l'impossible : il m'avait aidée à me pardonner.

J'avais également mésestimé la réaction de mon patron et de ses associés du cabinet. Tom s'était montré d'une compréhension et d'un soutien inattendus lorsque l'affaire avait éclaté au grand jour. Pour couronner le tout, j'avais reçu des nouvelles de Justin Harris sur une carte postale d'Antigua, où il s'était installé après avoir enfin été disculpé. Il m'écrivait que sa porte me serait toujours ouverte, même si je ne pensais pas retourner dans les Caraïbes de sitôt.

— Jane ! appela Charlie avec insistance du bureau.

Je me tirai du lit tant bien que mal et empruntai le couloir.

— C'est quoi, ces braillements ? m'interrogea Emma en sortant la tête de la seconde chambre de notre nouvel appartement dans l'Upper West Side, un sourire endormi sur les lèvres.

— Aucune idée, lui répondis-je, heureuse de noter l'absence de cernes sous ses yeux.

Ma fille souffrait de moins en moins de cauchemars. Doucement mais sûrement, elle laissait le passé derrière elle. Et j'en faisais autant. Nous essuyions juste les derniers restes de Peter de nos semelles.

— Jane ! hurla encore Charlie au moment où j'entrai dans son bureau. Ah, te voilà.

— Qu'y a-t-il ?

— Nous avons un événement à fêter.

D'un bond, il se leva de son fauteuil et appuya sur une touche de son ordinateur portable. L'imprimante lui répondit avec un long bip avant de cracher des pages.

— J'ai fini ! lança-t-il d'un air triomphant. Mon livre est enfin terminé.

— C'est vrai ? Félicitations ! Oh, Charlie Hemingway ! m'exclamai-je en lui collant un baiser. Mais, attends voir ! De quoi traite-t-il ? m'enquis-je d'un air innocent, comme si je n'avais pas passé une année entière à revoir son satané manuscrit.

Charlie avait écrit un excellent polar lyrique dont l'action se déroulait à Dallas, sa ville d'enfance. Mon mari avait du talent, des tonnes de talent. Grisham n'avait qu'à bien se tenir.

— D'accord, alors, voilà le topo pour Spielberg, commença-t-il en levant les mains, faisant gonfler les pans de son peignoir. Tout commence avec cette jeune et belle fille qui descend en Floride pour le *Spring Break*.

Il plaisantait, bien sûr, mais je décidai de le suivre. J'aurais suivi cet homme n'importe où.

— Une jeune Gisele Bündchen ? l'interrogeai-je en me penchant pour l'embrasser.

— Tout à fait, confirma-t-il avec un hochement de tête énergique. Et elle tombe sous le charme de cet avocat incroyablement beau et musclé.

Je tâtai son biceps.

— C'est donc une histoire d'amour avec un avocat sexy ? Ça me plaît déjà. Il y a un procès ?

— Mieux ! Tous les deux, ils réussissent à innocenter un condamné à mort.

Je lui souris, avant d'éclater de rire.

— Et ils vécurent heureux jusqu'à la fin des temps ?

Charlie marqua une pause. Pinçant sa barbe de trois jours entre son pouce et son index, il réfléchit, les pupilles rivées au plafond. Puis ses lèvres s'incurvèrent en un large sourire.

— Pour le savoir, tu devras attendre la suite.

Aux Éditions Lattès

La 11ᵉ et Dernière Heure, 2013.
Moi, Alex Cross, 2013.
Le 10ᵉ Anniversaire, 2012.
La Piste du tigre, 2012.
Le 9ᵉ Jugement, 2011.
En votre honneur, 2011.
La 8ᵉ Confession, 2010.
La Lame du boucher, 2010.
Le 7ᵉ Ciel, 2009.
Bikini, 2009.
La 6ᵉ Cible, 2008.
Des nouvelles de Mary, 2008.
Le 5ᵉ Ange de la mort, 2007.
Sur le pont du loup, 2007.
4 fers au feu, 2006.
Grand méchant loup, 2006.
Quatre souris vertes, 2005.
Terreur au 3ᵉ degré, 2005.
2ᵉ chance, 2004.
Noires sont les violettes, 2004.
Beach House, 2003.
1ᵉʳ à mourir, 2003.
Rouges sont les roses, 2002.
Le Jeu du furet, 2001.
Souffle le vent, 2000.
Au chat et à la souris, 1999.
La Diabolique, 1998.
Jack et Jill, 1997.

Chez Fleuve Noir

PAPIER À BASE DE
FIBRES CERTIFIÉES

Le Livre de Poche s'engage pour
l'environnement en réduisant
l'empreinte carbone de ses livres.
Celle de cet exemplaire est de :
400 g éq. CO_2
Rendez-vous sur
www.livredepoche-durable.fr

Composition réalisée par PCA

Achevé d'imprimer en février 2014 en France par
CPI BRODARD ET TAUPIN
La Flèche (Sarthe)
N° d'impression : 3004225
Dépôt légal 1re publication : mars 2014
LIBRAIRIE GÉNÉRALE FRANÇAISE
31, rue de Fleurus – 75278 Paris Cedex 06